SV

Jurek Becker

Irreführung der Behörden

Roman

Suhrkamp

4. bis 6. Tausend 1973
Lizenzausgabe für die Bundesrepublik,
Österreich und die Schweiz
Suhrkamp Verlag Frankfurt am Main 1973
© 1973 VEB Hinstorff Verlag Rostock/DDR
Alle Rechte vorbehalten
Druck: Eugen Göbel, Tübingen
Printed in Germany

Irreführung der Behörden

Erste Geschichte

I

Ich sage zu Montag: »Sie müssen sich einen heißen Sommertag vorstellen, August oder Juli, alles stöhnt unter der Hitze, und zwar einen Sonntag.«

»Dazu bin ich in der Lage«, sagt Montag.

Ich rede weiter, dabei habe ich, seit ich in diesem Zimmer bin, das Gefühl, ich könnte ihm nicht einmal dann imponieren, wenn ich Hemingway wäre, der Mann hat entweder etwas gegen Geschichten oder gegen mich. Aber ich sage mir, ich bin nicht hergekommen, um meine Empfindlichkeit auf die Probe zu stellen, ich nehme mir nur vor, ihm nicht weiterhin durch unnötige Geschwätzigkeit solche Flanken vorzulegen, daß er nur den Fuß hinzuhalten braucht, und schon ist es ein Tor.

»Der Held heißt bei mir Toni. Er ist ungefähr fünfundzwanzig und könnte bei einer Zeitung arbeiten, als Volontär oder so was, will später Journalist werden. An diesem Sonntag fährt er baden und sieht in der vollen S-Bahn ein Mädchen sitzen, das ihm gefällt. Er denkt, sie fährt auch baden, dann kommt die Station, wo das Strandbad ist, alle Leute steigen aus, doch sie fährt weiter. Also fährt Toni auch weiter mit seinem Bademantel über dem Arm, will mit ihr ein Gespräch anfangen, aber sie läßt ihn abblitzen. Ein paar Haltestellen weiter steigt sie auch aus, Toni hinterher, es ist ein verschlafener Vorortbahnhof, kein Mensch weit und breit, das Mädchen stellt sich neben eine Normaluhr auf dem kleinen Platz und beginnt zu warten. Toni setzt sich auf eine Bank und sieht ihr dabei zu. Sie hat keinen Blick für ihn, aber nachdem sie eine halbe Stunde lang nicht abgeholt worden ist, hält er seine Zeit für gekommen. Er fragt sie, ob sie nicht den lausigen angebrochenen Sonntag für ihn übrig hätte und lädt sie zu einem Eis ein. Er muß lange Blicke über sich ergehen lassen, weil ein bißchen Ziererei eben dazugehört, aber am Ende ist sie doch einverstanden. Ein paar Meter weiter steht ein verrücktes Auto am Straßenrand, ein Cadillac vielleicht, Toni geht hin, öffnet die Tür und bittet sie einzusteigen, er wüßte ein hübsches Restaurant. Sie fragt ihn, ob er nicht ganz bei Troste wäre, ob seine Eltern in der Eile vergessen hätten, ihn darüber aufzuklären, daß man keine Autos stehlen darf, aber Toni beruhigt sie. Er wäre bestens informiert, sagt er, und er hätte noch nie im Leben etwas geklaut, auch diesmal nicht, das wäre nämlich sein Auto. Sie glaubt ihm kein Wort und steigt trotzdem ein, sie fahren los. Unterwegs will sie wissen, wenn das schon sein Schlitten ist, woher er dann ahnen konnte, daß sie gerade an diesem Bahnhof aussteigen würde. Da gesteht ihr Toni, daß er überhaupt nichts geahnt hat, aber das wäre für ihn kein großes Problem, denn er hätte vor jedem Bahnhof so ein Auto geparkt. Da weiß sie natürlich genau Bescheid. Sie fahren also zu dem Restaurant, essen Schokoladeneis, reden viel wirres Zeug, und sie merkt, daß er eigentlich ein ganz netter Bursche ist. Als sie wieder auf die Straße kommen, fragt er sie, ob sie lieber fahren möchte oder spazieren. Ihr ist die Sache mit dem Auto noch nicht ganz geheuer, deswegen entscheidet sie sich für Spazieren. Toni läßt den Schlüssel im Wagen stecken, und im Weggehen sehen sie, wie ein anderer junger Mann in den Cadillac einsteigt, auch mit einem hübschen Mädchen, und wie sie davonfahren. Sie spazieren bis zum Mittag, bis sie ihm sagt, daß sie Hunger hat. Inzwischen hat Toni erfahren, daß sie Rita heißt, er fragt sie, was ihr Leibgericht wäre. Hammelbraten mit Kartoffelklößen, sagt Rita. So ein Zufall, ruft da Toni, ausgerechnet heute hat er nämlich zu Hause in der Backröhre Hammelbraten mit Kartoffelklößen, sagt er. Wieder glaubt sie ihm keine Silbe, fragt aber sicherheitshalber, wo er überhaupt wohnt. Sie spazieren eben durch eine ganz noble Straße, Villa neben Villa, und Toni fordert sie auf, sich eine davon auszusuchen. In dem Haus, das sie sich aussuchen wird, sagt er, wohnt er. Rita wählt eine Weile, zeigt endlich mit dem Finger auf so eine Art Barockschlößchen und ist sicher, daß sein ganzer Schwindel im nächsten Moment platzen wird. Aber Toni zieht einfach den Schlüssel aus der Tasche, schließt das Haus auf, geht mit ihr in die Küche, macht die Backröhre auf und holt den dampfenden Hammelbraten mit Kartoffelklößen heraus.«

Ich sage: »Ich will Sie jetzt nicht stundenlang mit Einzelheiten aufhalten. Sie ahnen sicher schon, worauf das Ganze hinauslaufen soll.«

»Leider nicht«, sagt Montag.

»Ganz einfach. Ich will eine Geschichte erzählen, in der sich ein junger Mann verliebt, und plötzlich geht es los wie im Märchen. Seine Schlüssel passen plötzlich für alle Türen, alles scheint ihm zu gehören, alle Leute sind freundlich, mit einem Wort, alles klappt.«

»Interessant«, sagt Montag.

»Die beiden treffen sich immer nur in diesem Haus, in dem Schlößchen. Am Tage macht jeder seins, hat seinen Beruf und sein Zimmer, aber nach Feierabend leben sie zusammen in diesem Haus. Rita wünscht sich alle möglichen Sachen, weil sie merkt, daß er zaubern kann. Zum Beispiel wünscht sie sich, daß er Toni heißt. Da zeigt er ihr seinen Ausweis und heißt eben Toni. Oder sie will mitten in der Nacht am Palmenstrand baden. Da geht er mit ihr nach hinten aus dem Haus heraus, und sie sind am Palmenstrand. Irgendwann kommt Toni der Verdacht, daß Rita nicht so sehr an ihm hängt wie an seiner Fähigkeit, alle ihre Wünsche erfüllen zu können. Wenn ihm danach ist, mit ihr alleine zu sein, verlangt sie einen Zigeunerprimas, er zaubert einen herbei und sitzt gekränkt da. Die Liebe wird kleiner und kleiner, und eines Tages ist alles aus. Man trifft sich nicht mehr, die Zeit fängt wieder an, in der das meiste schiefgeht, wie gewöhnlich. Toni lernt ein anderes Mädchen kennen, keine tiefe Geschichte, fast im Vorbeigehen, zufällig spaziert er mit dieser Gerda, oder wie sie sonst heißt, die Straße entlang, in der das berühmte Schlößchen steht. Sie sieht hin, seufzt und sagt, in so einem Haus müßte man wohnen. Toni will ein wenig prahlen, er behauptet, dies wäre sein Haus, er nimmt den Schlüssel aus der Tasche und versucht, die Tür aufzuschließen. Aber er paßt nicht, statt dessen geht das Fenster im ersten Stock auf, ein wildfremder Mensch gießt ihm einen Eimer Wasser auf den Kopf und beschimpft ihn, was er an anderer Leute Türen herumzuprobieren hätte.

Nach einer ordentlichen Weile Trübsal fängt Toni an zu glauben, daß ihm etwas Wichtiges fehlt, und zwar Rita. Mag sie sein, wie sie will, er liebt sie nun einmal, nur mit ihr kann er zaubern. Er beginnt sie zu suchen, und seine Aussichten steigen, weil sie ihn inzwischen auch sucht. Irgendwie finden sie sich, das ist eine extra Geschichte für sich, und beide sind heilfroh. Sie kommen aus dem

Strandbad heraus oder sonstwo, und wieder steht ein Auto am Straßenrand, doch diesmal ist es kein Cadillac, sondern ein Taxi. Sie wollen zu ihm nach Hause fahren, Rita fragt, wo er denn nun wirklich wohnt. Er antwortet wie beim erstenmal, daß sie es sich aussuchen soll, und sie sucht sich das Zimmer aus, in dem er tatsächlich zu Hause ist. Aber als er aufschließt, kommt ihm die Bude viel schöner vor als früher, fast so wie das Barockschlößchen. Vielleicht stehen sogar Hammelbraten und Kartoffelklöße in der Backröhre.«

Montag reibt sich das Kinn und sagt: »Hm.«

Ich warte einige Sekunden, doch er scheint fertig zu sein, also frage ich: »Was würden Sie vorschlagen, wie es jetzt weitergehen soll?«

»Das ist das Problem. Ich halte es für das beste, wenn Sie die Sache erst einmal aufschreiben, ganz kurz nur, drei, vier Seiten, und mir dann schicken.«

»Das habe ich schon gemacht.«

Ich hole die Seiten aus der Jackettasche und lege sie vor Montag auf den Tisch. »Allerdings sind es zehn.«

»Das macht nichts.«

Er blättert die Seiten durch, als kontrolliere er, ob sie richtig numeriert sind, an irgendeiner Stelle stockt er, liest einen Satz, blättert weiter, meine verfluchte Empfindlichkeit. Was erwarte ich denn, habe ich ernsthaft gehofft, daß er mir um den Hals fällt, alle Abteilungsleiter zusammentrommelt und verzückt stammelt, dies wäre die größte Geschichte seit seinem Amtsantritt?

»Wie lange kann es ungefähr dauern mit der Antwort?«

»Das läßt sich schwer sagen. Sie müssen verstehen, daß wir mit Stoffen fast zugedeckt sind. Und viel zuwenig Leute. Bis man da durchkommt, dauert seine Zeit. Rechnen Sie mit etwa sechs Wochen.«

»Soll ich dann anrufen, oder melden Sie sich?«

»Wir schreiben Ihnen.«

Vor ein paar Monaten war ich schon einmal hier, auf demselben Flur, nur wenige Zimmer weiter, der Mann damals hieß Spengler oder Sprengel. Ich war mir ziemlich sicher, daß aus der Sache etwas werden würde, die Geschichte, die ich anbot, handelte von einem Toten. Ein Mann war gestorben, seine Verwandten und Freunde trafen sich nach der Beerdigung zu einer Feier und fingen an, sich an ihn zu erinnern. Dabei stellte sich heraus, daß jeder von ihnen einen anderen begraben hatte, denn jeder hatte ihn anders im Gedächtnis, und es ließ sich nicht mehr rekonstruieren, wessen Version die richtige war. Aber wozu auch, fest stand nur, daß der Tote sich ziemlich unterschied von dem tadelsfreien Verblichenen, als den ihn der Redner am Grab bezeichnet hatte. Er war geizig und spendabel, hilfsbereit und hinterhältig, all das mit Beispielen belegbar, jeder der Versammelten schwor auf sein Bild von ihm und mußte doch den anderen glauben.

Sprengel oder Spengler hat die Geschichte zerpflückt und kein gutes Haar an ihr gelassen. Für ihn glich sie vermutlich Flöhen im Kopf eines sehr jungen Mannes, er bestand darauf, daß die Spuren, die ein Mensch hinterläßt, konkret und eindeutig lesbar sind, bei einigem guten Willen. Als wir uns nicht einigen konnten, wenig Zeit hatte er auch noch, bin ich wohl ausfallend geworden, ich habe ihm glattweg unterstellt, daß aus seinen Worten nur die Furcht vor Unannehmlichkeiten spricht, nichts anderes, und wozu die führt, könne man jeden Abend erleben, wenn man das Knöpfchen am Fernseher nach rechts dreht. Ich habe sogar gesagt: »Solche wie Sie«, und folgerichtig hat er mich hinausgeworfen.

Ich schreibe in Druckbuchstaben hinten auf die Seite zehn meine Adresse, dann geben wir uns die Hand und sind fertig, wahrscheinlich für immer.

»Auf Wiedersehen, Herr Bienek.«

Der Torposten läßt mich nicht vorbei, weil die Unterschrift auf meinem Passierschein fehlt, in dieser Beziehung nimmt es der Fernsehfunk sehr genau. Ich muß zurück zu Montag, als ich wieder vorne bin, sagt der Posten: »Warum nicht gleich so, junger Mann?«

In der S-Bahn komme ich zu dem Resultat, daß ich meine Geschichte schlecht erzählt habe, ungeschickt. Ich hätte mich nicht so sehr bei Einzelheiten aufhalten sollen, dafür lieber ein paar Worte mehr über die moralische oder ethische Seite der Angelegenheit verlieren. Geschichten leben zwar von Einzelheiten, aber Montag nicht, Montag lebt von Stoßrichtungen. Und wenn ich bedenke, wie wenig Geschichten mir jemals einfallen werden, dann ist es unverantwortlich, wie sorglos ich damit umgehe. Schön, ich habe noch wenig Übung darin, aber das muß sich bald ändern, sonst sehe ich es kommen, daß ich eines Tages mein Staatsexamen ablege und Volljurist werde.

Am Alexanderplatz steige ich aus, fahre noch ein paar Stationen mit der Straßenbahn, dann bin ich zu Hause. Von innen steckt der Schlüssel, ich muß klingeln, Frau Sauerbier öffnet, meine möblierte Wirtin. Ab neun Uhr abends steckt der Schlüssel regelmäßig, sie sagt zwar jedesmal, sie hätte vergessen, ihn abzuziehen, aber ich weiß, daß sie lügt. Sie platzt vor Neugier, ob ich alleine nach Hause komme und wann, doch am Tage wird es sich um Vergeßlichkeit handeln, so wie jetzt. Ich kann sie gut leiden, von den zwei Wirtinnen, die ich bis jetzt hatte, ist sie mit weitem Abstand die beste.

»Vor zwei Stunden kam ein Anruf für Sie«, sagt sie. Anstatt weiterzuerzählen, um was für eine Art Anruf es sich handelte, macht sie eine Pause, damit ich fragen kann, was denn nun los war. Sie liebt es, aus jeder Mitteilung eine kleine Sensation zu machen, sich die Wörter einzeln aus der Nase ziehen zu lassen, denn sie hat so gut wie nie Gelegenheit, sich zu unterhalten, außer mit mir.

»Von wem?« frage ich.

»Von Ihrer Verlobten. Ich soll Sie wegen heute abend erinnern. Sie wüßten schon Bescheid.«

Das mit der Verlobung haben wir ihr vor einem knappen Jahr erzählt, das heißt ich, weil ich nicht wollte, daß sie sich allzu große Sorgen um meine und ihre eigene Ehrbarkeit macht. Inzwischen hat sich diese Maßnahme als übertrieben vorsichtig herausgestellt, trotzdem lösen Lola und ich die Verlobung nicht auf, Frau Sauerbier könnte sich nachträglich übertölpelt fühlen und gekränkt sein.

»Ja, ich weiß Bescheid«, sage ich.

Frau Sauerbier geht in die Küche, dreht sich in der Tür zu mir um und fragt: »Ist heute abend etwas Besonderes?«

»Lola hat Geburtstag. Sie machen ein kleines Fest bei ihren Eltern, und ich soll auch kommen.«

»Geburtstag? Jetzt zeigen Sie mir sofort Ihr Geschenk. Reden Sie nicht herum, ich will es sehen. Wie ich Sie kenne, haben Sie nämlich gar keins.«

Sie kommt eilig auf mich zu, greift mich am Ärmel, geht dann mit mir in mein Zimmer und wartet, daß ich ihr endlich das Geschenk für Lola zeige. Die Hände natürlich in die Hüften gestützt, sie ist schon achtundsechzig Jahre alt. Das schlaue Aas weiß genausogut wie ich, daß weit und breit kein Geschenk da ist, ich kann mir aussuchen, ob ich sie einfach rausschmeiße und Wut für drei Tage ernte oder ob ich alles zugebe, dann folgt Entrüstung auf unbestimmte Zeit.

»Ich muß noch runtergehen, Blumen kaufen.«

»Ja, ja, und das Geschenk?«

Also mein Schrank, ich öffne ihn und beginne, lustlos darin herumzustochern, wundergläubig wie ich bin, vielleicht findet sich zwischen den Unterhosen und den Taschentüchern eine Kleinigkeit für Lola.

»Hören Sie doch mit dem Blödsinn auf«, sagt sie.

Das tue ich, die Sache kommt mir ohnehin schon albern genug vor, ich knalle die Schranktür zu und schreie in einer meiner größten Lautstärken, daß es sie einen verdammten Dreck angeht, wem ich was schenke. Und daß diese Regelung nicht nur für heute gilt, sondern für alle künftigen Zeiten. Dabei habe ich nicht etwa ein besseres Zimmer als dieses in Aussicht, es ist einfach ein Experiment. Montag hat seinen kleinen Anteil daran, und die Sache mit dem Geschenk ist mir wirklich schon peinlich. Frau Sauerbier hält sich erstaunlich gut, erinnert sich nicht einmal daran, daß die Miete gestern schon fällig war, sie läßt gemächlich die Hände von den Hüften rutschen, sieht mich mehr verwundert als beleidigt an, vielleicht drei Sekunden, und geht dann hinaus. Die Tür schließt sie leise.

Im Schreibtisch finde ich ein Brötchen von gestern und etwas Paprikaspeck, dazu eine halbe Flasche Milch, das reicht fürs erste. In der Küche wäre sicher mehr, aber auf dem Wege dorthin könnte mir Dorothea Sauerbier begegnen, außerdem will ich mir nicht den Appetit auf das Abendbrot verderben, Lolas Eltern bestellen immer prachtvolle Platten, manchmal sogar mitten in der Woche.

Natürlich hat sie recht, mit leeren Händen kann ich nicht kommen, hoffentlich kriege ich noch ein paar anständige Blumen, schade, daß wir schon Dezember haben, Lola mag Flieder am liebsten.

Ein Stück Speck bleibt sogar noch übrig, ich muß erst überlegen, wo der Laden ist, seit anderthalb Jahren wohne ich hier, habe aber noch nie dort Blumen gekauft. Richtig, neben der Apotheke finde ich ihn, im Schaufenster die letzten Adventskränze und ein übriggebliebener Weihnachtsstern. Wenig Hoffnung, ich gehe hinein und muß erst rufen, bis die Verkäuferin kommt. Sie zeigt auf die wenigen Schalen und will Preise nennen, aber ich sage nein, ich möchte einen Strauß.

»Alles weg«, sagt sie bedauernd, »hinten hätte ich höchstens noch etwas Flieder.«

»Flieder?«

»Ja, weißen. Möchten Sie? Der Stiel kostet allerdings drei Mark.«

Ich greife in die Tasche, überfliege zum erstenmal mein Geld und äußere einen unverantwortlichen Wunsch.

»Das geht nicht, ich kann Ihnen allerhöchstens drei geben«, sagt sie.

»In Ordnung.«

Als ich wieder nach oben komme, steckt der Schlüssel immer noch. Ich sehe auf die Uhr, es ist noch zu früh, um gleich zu Lola zu fahren, ich würde dort nur alleine zwischen den Aufschnittplatten herumsitzen. Es bleibt mir nichts anderes übrig, als zu klingeln.

Frau Sauerbier öffnet mit einem Gesicht, als wäre nichts zwischen uns vorgefallen. Sie blickt anerkennend auf das eingewickelte lange Etwas in meiner Hand, das eindeutig ein Strauß ist, und winkt mich dann mit dem Kopf in ihr Wohnzimmer. Ich laufe gehorsam hinter ihr her, natürlich bin ich versöhnlich gestimmt, immerhin habe ich mit dem Geschrei angefangen.

»Die Blumen lassen Sie hier. Ich stelle sie ins Wasser, bis es soweit ist.«

Ihr Papagei sagt keinen Ton, ich auch nicht, sie wird mich nicht herbeigewinkt haben, um Blumen zu tränken.

»Da«, sagt sie und zeigt auf den Tisch, auf dem Spitzendeckchen liegt ein hübscher kleiner Messingrahmen, blankgeputzt, Jugendstil, soweit kann ich das verfolgen.

»Was ist das?« frage ich.

»Ein Napfkuchen, sehen Sie das nicht?«

Ich grinse pflichtschuldig, in meiner Lage freut man sich über jeden Witz, ich nehme das Ding in die Hand und frage: »Was soll ich damit?«

Ein Geschenk für Lola, keine Frage, sie sagt es auch gleich, das Rähmchen gefällt mir wirklich gut. Ich sage, das wäre irrsinnig nett von ihr, vor allem nach den Vorfällen, und ich meine das auch so, ich sage, sie kann doch nicht einfach, aber sie sagt, was sie kann, muß sie selbst am besten wissen, und Studentenblieftaschen wären ihr ein offenes Geheimnis, und wegen vorhin kein Wort mehr. Sie wickelt den Rahmen gleich ein, in buntes Papier, auf das kleine Hampelmänner gedruckt sind, sonst hole ich ihn nachher noch blank aus der Hosentasche, wie sie mich kennt.

Endlich ruft der Papagei: »Richard, ach Richard!« Ich verstehe ihn mittlerweile, Richard hieß ihr Mann, der nie aus Stalingrad zurückkam. Sie lädt mich sogar zu Kaffee und Kuchen ein, was hat sie heute nur mit mir, den Kaffee nehme ich dankend an, was den Kuchen betrifft, weihe ich sie offen in meine heutigen Speisepläne ein, sie hat es sich verdient.

II

Frau Ramsdorf ruft durch den Flur, daß ich nun gekommen wäre, nimmt mir, als sie bemerkt, daß ich nicht weiß, wohin damit, das Blumenpapier aus der Hand und geht zurück in die Küche. Lola hat gehört, sie kommt heraus, sie freut sich über den Flieder, das ist klar.

»Und was wünschst du mir zum Geburtstag?«

»Alles Gute für deinen weiteren Lebensweg«, sage ich.

»Sonst nichts?«

Da küsse ich sie, sie will immer so gescheite Antworten hören. Wir finden keinen freien Haken mehr für meinen Mantel, ich lege ihn auf die Hutablage.

»Wer ist denn alles da, um Himmels willen?«

»Tanten, ein Onkel, Vettern, Nichten und viele Freunde von der Uni.«

»Freunde?«

»Na ja.«

Sie will mit mir hineingehen, aber vorher muß ich den Mantel noch einmal herunterholen. Der Messingrahmen, ich wickle ihn aus und überreiche ihn mit einem unvermeidbaren Gruß von Frau Sauerbier.

»Der ist aber hübsch.«

Im Zimmer sind sie tatsächlich alle, der einzige, den ich kenne, ist ihr Vater. Er fragt mich beim Händeschütteln, wie es mir geht, ich sage: »Danke, gut.«

Wir setzen uns. Lola richtet es mit einiger Mühe ein, daß wir zwei zusammenhängende Plätze auf dem Sofa bekommen, wo zwei ältere Damen ein wenig zusammenrücken müssen, vermutlich Tanten.

»Der Favorit kommt immer an die grüne Seite«, sagt Tante eins hintergründig zu einem von uns. Und sie fügt noch hinzu: »Spaß muß sein.«

»Möchtest du uns den jungen Mann nicht vorstellen?« fragt Tante zwei.

»Das ist Gregor«, sagt Lola.

»Ach, der vielzitierte Gregor.«

Zum Glück waren die beiden mitten in einem Kochrezept steckengeblieben, das längst noch nicht fertig ist, sie fahren fort bei feingehacktem Kerbel. Ich mache es mir auf unbestimmte Zeit bequem, ich schlage die Beine übereinander und halte eine Hand so, daß die anderen, sollten sie hersehen, denken müssen, ich stütze mich hinter Lolas Rücken auf. In Wirklichkeit setzt sie sich darauf zurecht, die Handfläche nach oben, der Geburtstag wird Stunden dauern. Ungefähr zwanzig Leute sind da, die meisten scheinen sich untereinander zu kennen, jedenfalls redet jeder mit irgendeinem.

»Wer ist die Schwarze in der gelben Bluse?« flüstere ich Lola ins Ohr.

»Gefällt sie dir?«

»Kann schon sein.«

»Hör auf jetzt«, flüstert Lola energisch.

Ich höre auf und frage noch einmal: »Also wer ist sie?«

»Unsere Sekretärin.«

»Was für eine Sekretärin?«

»Na, die FDJ-Sekretärin, du Trottel. Sie heißt Elvira. Falls du Absichten hast, sieh dich vor, mein Vater hat auch schon ein Auge auf sie geworfen.«

»Augen werfen ist keine Kunst«, sage ich. »Ist deine Mutter deswegen draußen?«

Lola kichert bei diesem Gedanken und sagt: »Sie kümmert sich um das Abendbrot.«

Ich muß wohl sehr begierig gucken, jedenfalls fragt sie mich: »Wollen wir jetzt schon rausgehen und ein paar Leckerbissen wegnaschen?«

Das ist ein Wort, wir stehen auf, lächeln nach allen Seiten und verlassen das Zimmer. Der Flur ist schön leer, nach drei Schritten in Richtung Küche sehen wir uns an und wissen plötzlich, daß die Leckerbissen der Mutter längst nicht so gut sind, wir haben uns vier Tage nicht gesehen.

»Komm.«

Sie riegelt ihr Zimmer von innen zu, ich will das Radio anmachen, weil ich es so gewohnt bin, aber Lola verhindert es, falls jemand mit spitzen Ohren draußen vorbeikommt. Ihr Kleid kenne ich noch nicht, sie trägt es heute zum erstenmal, wahrscheinlich eine Geburtstagsanfertigung. Das Ding hat eine Million Ösen und Haken, es gelingt schließlich mit Gottes Hilfe, warum um alles in der Welt haben wir uns vier Tage nicht gesehen. Sie hat Fleckchen, daß ich mich jedesmal wieder frage, wo hattest du bis jetzt deine Augen, ich sage: »Du mit deiner Kniekehlengegend.«

»Und du Kolumbus«, sagt sie.

Irgendwann klopft es, obwohl wir uns große Mühe gegeben haben, keinen Lärm zu schlagen, jemand ruft leise: »Das Essen steht auf dem Tisch.«

Zum Glück haben wir auch nicht getrödelt, ich frage Lola: »Wer war das?«

»Ich glaube, Elvira.«

Meine Erwartungen werden noch übertroffen, kalter Braten, Geflügel, Fisch, alle möglichen Käsesorten, Salate, das Mädel wird einundzwanzig, und ihr Vater hat einen ausgeprägten Sinn für Gastlichkeit. Ich tue mir von manchem etwas auf den Teller, nach Lola ist mein Hunger eher größer geworden, Tante zwei fragt: »Darf ich Ihnen das Brot reichen?«

Die ersten Sekunden schmecke ich nur, doch als ich soweit bin, mich ein wenig umzublicken, entdecke ich am anderen Ende des Tisches Elvira. Sie ist schon fertig, sie sieht zu, wie ich einen Bissen nach dem anderen in den Mund stopfe, und grinst. Die Sache hat ungelogen etwas Erotisches, ich grinse zurück. Kein Mensch kann ahnen, was in ihr vorgeht, nur soviel steht fest, sie weiß, wer in dem verschlossenen Zimmer war, und es scheint ihr nichts auszumachen. Sie grinst immer noch, als ich endlich satt bin, als allerletzter.

Plötzlich hat Herr Ramsdorf ein Weinglas in der Hand und ruft: »Silentium!«

Alles schweigt schlagartig, er sagt, daß wir nie wieder so jung zusammenkommen, Schnaps, Wein und Gläser stehen im Nebenzimmer, das Tonband ist frisch geölt, und die Veranstaltung dauert bis Fragezeichen. Fast im gleichen Moment drückt drüben jemand auf den Knopf, Musik, Musik.

Die meisten lassen sich das nicht zweimal sagen und verschwinden nach nebenan, doch mir ist der Gedanke an Tanzen fast unerträglich, der letzte Salat war zuviel. Elvira sieht immer noch her, wann ich sie endlich auffordere, da muß ich deutlicher werden, ich öffne den obersten Hosenknopf. Auch darüber grinst sie, ihr Mann wird es später einmal nicht schwer haben, Herr Ramsdorf taucht neben ihr auf und führt sie mit Schwung zur Musik hin.

Lola, wo ist Lola geblieben, sie kommt mit zwei Gläsern, im einen Wein, im anderen Kognak für mich, sie setzt sich zu meiner Unterhaltung hin.

»Bist du satt?« fragt sie.

»Mannomann!«

»Was hast du in den letzten Tagen getrieben?«

»Nichts Besonderes. Dein Alter hat sich den Spaß hier allerhand kosten lassen.«

»Du hast eine Mistlaune«, sagt sie.

»Merkt man das?«

»Du weißt doch, ich habe das zweite Gesicht.«

»Jetzt nicht«, sage ich, »wir können ein andermal darüber reden.«

»Was willst du sonst machen? Dich unter die Leute mischen und ausgelassen sein?«

Sie hat recht, ich trinke die gute Hälfte Kognak und erzähle ihr von Montag. Von seinem dienstlichen Blick, von seinen gönnerhaften Worten am Ende, von seiner Art, unendlich geduldig auszusehen, die Geschichte selbst kennt sie schon. Ich erzähle ihr, daß ich kein Geld habe, klar, normale Studenten haben nie Geld, aber ich setze auf mein Studium nicht einen roten Heller, irgendwann muß sich außer uns beiden jemand finden, dem eine Geschichte von mir gefällt. Bestimmt wird sie gleich sagen, daß sie mich auch so liebt, dafür kaufe ich ihr morgen noch mehr Flieder. Sie sagt: »Du bist ein ganz schöner Idiot.«

»Ich weiß, aber das hilft mir auch nicht weiter.«

»Und wenn ich dir nun sage, daß ich es ganz anders anfangen würde?«

»Darf man auch wissen wie?«

»Ich will keinen Dichter aus mir machen, das ist deine Sorge«, sagt sie. Ich sehe auf ihre Knie und ärgere mich, ich fange immer wieder an, dabei weiß ich fast genau, daß solche Gespräche keinen Sinn haben. »Mit Talentproben am Anfang wanderst du jedenfalls immer wieder in die Ablagen. Und wirst aus Schaden nicht klug, na schön, so viel Schaden hat es noch nicht gegeben. Ich würde versuchen, etwas zu finden, was ihnen unter die Haut geht. Und der Witz ist, wenn es tatsächlich unter die Haut geht, war es auch wert, aufgeschrieben zu werden.«

»Und was geht unter die Haut? Hättest du irgendeinen Tip?«

»Leider. Ich weiß bloß, wenn ich so ein verknöcherter Sachbearbeiter wäre, wie du diesen Mann beschrieben hast, könntest du mir mit einem Schlüssel, der aus lauter Liebe überall paßt, nicht imponieren.«

»Will ich dem imponieren?«

»Dem vielleicht nicht. Doch das ändert nichts daran, daß dieser Mann das erste Hindernis auf deiner Strecke ist. Wenn du das nicht schaffst, hast du sofort die ersten Strafpunkte in der Tasche.«

»Jetzt müssen wir nur noch rauskriegen, womit man einem Hindernis imponiert.«

Lola schüttelt mißbilligend den Kopf, sie liebt solche windigen Worte nicht, am liebsten würde ich mit ihr wieder in das Zimmer gehen oder zu mir nach Hause. Sie sagt: »Schreib doch erst mal eine Geschichte bis zum Ende auf. Komm ihnen nicht immer mit Ideen, woher sollen sie denn wissen, ob du überhaupt aufschreiben kannst?«

»Das ist schon wieder eine andere Sache.«

»Vielleicht auch nicht. Du spürst andauernd Vorsicht, aber bis jetzt ist nicht geklärt, woher sie kommt.«

»Mach dir keine Sorgen«, sage ich, »ich gewinne ja doch. Ich werde so lange bohren und sägen und anbieten, bis mit mir gerechnet werden muß. Bis ich ein Faktor bin, Mädchen, ein Faktor. Wenn ich es nicht schaffe, würde das ja heißen, daß ich nichts kann.«

»Das klingt durch und durch ordentlich.«

»Kommst du nachher mit zu mir?«

Sie steht auf und geht sich um ihre Gäste kümmern. Ich trinke den Rest Kognak, stehe auch auf und spaziere mit dem leeren Glas nach nebenan. Das Tonband, Bestandteil einer riesigen Musiktruhe, spielt etwas Getragenes, der Teppich liegt aufgerollt an einer Wand, in der Mitte des Raumes drehen sich vier Paare. Das

Licht ist schön schummrig, nur eine Stehlampe mit grüner Birne in der Ecke, die Gesichter sehen alle ein bißchen exhumiert aus, bestimmt hat sich der Alte die Angelegenheit nach seinem Geschmack eingerichtet. Ich fülle mir Kognak nach, setze mich auf die Teppichwurst und zünde mir eine Zigarette an, ich sehe den Tanzenden zu, das ist seltsamerweise eine meiner Lieblingsbeschäftigungen. Elvira hat mich schon entdeckt, aber grinsen kann sie nicht mehr, weil der Alte sich unentwegt mit ihr unterhält, vermutlich über etwas Ernsthaftes. Dafür grinse ich.

Ein junger Bursche nimmt ächzend neben mir Platz, auch er hat ein Glas in der Hand, er läßt sich Feuer geben. Seine Haare sind rosa, soweit man das in dem Licht erkennen kann.

»Habe dich noch nie gesehen«, sagt er. »Bist du auch Pädagogikstudent?«

»War ich mal«, sage ich, »jetzt bin ich Lehrer.«

»Oh, entschuldigen Sie bitte.«

»Macht nichts, kannst ruhig du zu mir sagen.«

Er ist nicht mehr ganz nüchtern, ich muß mich ranhalten mit meinem zweiten Glas, er fragt: »Kennen Sie, ich meine, kennst du Lola schon lange?«

»Eine ganze Weile.«

»Wir sind im gleichen Seminar, ich meine, Lola und ich. Die meisten anderen auch.«

»Aha.«

»Aber hier bin ich zum erstenmal. In dieser Wohnung, meine ich. Sieht ja ganz schön nach was aus.«

»Ja«, sage ich, »der Alte verdient nicht schlecht.«

»Was ist er denn von Beruf?«

»Habe ich mal gewußt und wieder vergessen. In einem Ministerium, Leichtindustrie oder so.«

»Sieh mal, wie der sich an Johanna ranschmeißt.«

Ich sehe, wie Herr Ramsdorf beim Tanzen Elvira enger an sich drücken möchte, als es ihr angebracht erscheint, ich sage: »Johanna? Wieso Johanna? Ich denke, die heißt Elvira?«

»Wer hat Ihnen denn den Quatsch erzählt?«

»Habe ich mir so ausgedacht, weiß auch nicht.«

Elvira heißt also Johanna, sie hat bemerkt, daß wir uns über sie unterhalten, aber sie kann nichts hören, der Twist inzwischen ist sehr laut, Ramsdorf hält sie nach seiner mißglückten Attacke mächtig in Trab. Sie wird denken, daß ich Informationen über sie einhole, und irgendwie stimmt das ja, wenn ich auch keine Ahnung habe wozu.

»Am Ende ist sie auch gar nicht eure FDJ-Sekretärin?« frage ich.

Der Bursche lacht sich halb krumm, der Gedanke muß ihm zu komisch vorkommen, er prustet heraus, daß mir jemand einen mächtigen Bären aufgebunden hat, der Sekretär ist nämlich er selber. Und zwar seit über zwei Jahren, wie sich herausstellt, vom ersten Studientag an, Lola hat eigenartige Reden geführt. Aber genug von dem Unsinn, ich sehe, wie Frau Ramsdorf den Kopf ins Zimmer steckt, wir lächeln uns zu und einigen uns über den Lärm hinweg mit Handbewegungen auf ein Tänzchen. Wir machen das gemächlicher als die anderen, sie sieht Lola ähnlich, ein paar Falten kommen dazu und das Haar kürzer, sie wird vierzig sein, kaum älter. Ich glaube, sie mag mich.

»Vor lauter Küchendienst kommen Sie gar nicht zum Geburtstag«, sage ich.

»Das ist so«, sagt sie.

Wir drehen ein paar stumme Runden, sie riecht nach irgendeinem teuren Parfüm, die Nase ist mir ein wichtiges Organ, da ist nichts von Speisenzubereitung. Daß sie eine gute Figur hat, ist mir schon längst aufgefallen, aber wenn man sie so hält, merkt man das viel deutlicher.

»Haben Sie heute abend überhaupt schon was getrunken?« frage ich.

»Ja, vorhin einen Schluck Wein.«

»Soll ich Ihnen etwas holen?«

»Nein, nein, ich muß gleich wieder in die Küche. Die Bowle ist noch nicht fertig.«

Im Nebenzimmer ruft jemand, daß es schneit, und die meisten stürzen an die Fenster. Frau Ramsdorf fragt mich, ob ich nicht auch den ersten Schnee in diesem Herbst sehen will, wir gehen zum Fenster und sehen auf die Straße. Es ist nicht der Rede wert, mehr Regen als Schnee, im kleinen Kreis um die Laternen herum sind die Flocken noch zu erkennen, aber nur in der Luft, auf der

Erde werden sie sofort zu Wasser. Als ich mich wieder umdrehe, tanzt Frau Ramsdorf mit ihrem Mann, ich fülle mein Glas nach und gehe zurück auf den Teppichplatz. Der Sekretär ist verschwunden, aber bald steht Elvira vor mir, sieht auf mich herunter, ihr Rocksaum ist in Höhe meiner Augen, keine zwanzig Zentimeter entfernt, an ihren Beinen gibt es nichts auszusetzen. Ich sage: »Warum müssen wir denn unbedingt tanzen? Hier ist es so schön bequem, setzen Sie sich doch her. Hier können wir die Sache viel besser klären.«

»Welche Sache?« fragt sie und setzt sich neben mich.

Ich zucke mit den Schultern, sie riecht verschwitzt, doch das hat nichts mit mangelnder Hygiene zu tun, es ist genau die Sorte Schweiß, die meine Nase liebt.

»Ein großer Tänzer sind Sie wohl nicht«, sagt sie.

»Das könnte man so sagen.«

»Und sonst?«

Ich zucke wieder mit den Schultern, woher soll ich wissen, was sonst noch mit mir los ist. Die Ramsdorfs kommen dicht an uns vorbeigetanzt, ich höre den Alten sagen: »Laß doch die dämliche Bowle.«

Elvira trinkt auch Kognak, sie steckt sich eine Zigarette in den Mund, ich gebe ihr Feuer. Wir mustern uns eine Weile, mit ganz ernsten Gesichtern, als ob jeden Augenblick der Gong zur ersten Runde ertönen könnte. Bis sie sagt: »Ein großer Redner sind Sie wohl auch nicht?«

»Darüber würde ich schon streiten.«

»Es scheint aber so.«

»Da fällt mir gerade was ein«, sage ich. »Kennen Sie zufällig eine gewisse Elvira?«

»Elvira? Wer soll denn das sein?«

»Keine Ahnung, ich weiß nur ihren Namen.«

»Warten Sie«, sagt sie, »Lola und ich haben neulich einen Film gesehen, in dem kam eine Elvira vor. Ein Liebesfilm. Sie hat blendend ausgesehen und die Männer gleich bündelweise verschlungen.«

»Und die war FDJ-Sekretärin?«

»Du lieber Gott, der Film war aus England.«

»So was«, sage ich. Mir fällt wirklich nichts weiter ein, worüber ich mit ihr reden könnte, ich bin kein Moralapostel, das kann ich jederzeit beweisen, aber mit Lola in einem Seminar, das geht beim besten Willen nicht. Elvira macht die beiden obersten Knöpfe ihrer Bluse auf, pustet sich in den Ausschnitt und flattert ein paarmal mit dem Seidenstoff. Mir ist auch heiß, sehr sogar, doch ich will mir jetzt nicht die Jacke ausziehen, ich könnte sie sonst zu falschen Schlüssen verleiten.

»Sie sind doch Gregor?« fragt sie.

»Ja.«

»Hätte mich sonst auch gewundert.«

»Was hätte Sie sonst gewundert?«

»Lola hat mir manchmal von Ihnen erzählt. Es gibt Tage, da fühlen wir uns wie Freundinnen.«

»Und Freunde kennen keine Geheimnisse?«

»So ist es.«

»Aber was hätte Sie sonst gewundert?«

Zu meiner Überraschung sieht sie plötzlich ganz verlegen aus, trotz grüner Birne, da ist irgend etwas, und ich weiß nicht was, ich muß dasselbe noch einmal fragen.

»Na ja«, sagt sie, »vorhin in dem Zimmer.«

Ich brauche einen Moment Zeit, um ihre sparsame Antwort in Ruhe durchzurechnen, die drei Gläser machen mir schon Schwierigkeiten. Also: manchmal fühlen sie sich wie Freundinnen, Lola hat ihr von mir erzählt, Elvira hätte sich nach diesen Berichten gewundert, wenn Lola mit einem anderen als mit Gregor in dem Zimmer gewesen wäre, ich bin Gregor. Soweit ich es überblicken kann, hat alles seine beste Ordnung, vorausgesetzt, mir ist kein Fehler bei meiner Rechnung unterlaufen.

»Was war denn vorhin in dem Zimmer?« frage ich.

Sie tut mir nicht noch einmal den Gefallen, verlegen zu werden, sie sagt: »Vermutlich habt ihr miteinander geschlafen?«

»Richtig. Hat sie Ihnen auch erzählt, daß ich sie von ganzem Herzen liebe?«

»Das nicht direkt.«

»So ist sie, redet und redet, aber das Wichtigste vergißt sie immer«, sage ich.

Dann tanzen wir doch miteinander, kurze Zeit später gelingt es mir, Lola davon zu überzeugen, daß uns hier niemand vermissen würde.

Von dem Schnee gibt es keine Spur mehr, der verdammte Schlüssel steckt wie gewöhnlich. Frau Sauerbier gratuliert ihr zum Geburtstag, und Lola bedankt sich überschwenglich für den schönen Rahmen. Frau Sauerbier sagt: »Aber das war doch nicht der Rede wert.«

III

Am nächsten Morgen weckt mich Lola, leider ist es schon so spät, daß wir sofort aufstehen müssen. Während ich mich rasiere, badet sie, während sie sich schminkt, bade ich, dann trinken wir Kaffee und fahren in unsere Fakultäten.

Der Vorlesungssaal ist leer, an der Tür entdecke ich einen Zettel: »Treffpunkt im Seminarraum«. Der liegt eine Treppe höher, auf dem Flur steht Thomas Puhl und winkt mir schon von weitem, daß ich mich beeilen soll.

»Was ist los?« frage ich. »Fällt die Vorlesung aus?«

»Westeinsatz.«

Der letzte fand vor etwa drei Monaten statt, sie hatten mich damals in Neukölln mit fünf anderen verhaftet, die obligatorische Protestdemonstration wurde an der Uni schon vorbereitet, aber nach sechsunddreißig Stunden ließen sie uns wieder laufen. Westeinsätze sind bei manchen beliebt und bei manchen weniger, ich zähle mich zu den ersteren, sie scheinen mir nützlicher als Worte auf Versammlungen, außerdem lüften sie für viele das Geheimnis, wie es um ihren Mut steht. Der Polizist, der mich damals abführte, war ein junger Bursche, er war ehrlich empört, wir hatten einen großen Auflauf mit Verkehrsstauung am Hermannplatz verursacht, Freiheit für die KPD. Ich erinnere mich, daß er mir auf dem Weg zum nahen Revier zornig sagte, der Krieg wäre noch keine fünfzehn Jahre vorbei, wir hätten alle am eigenen Leibe gespürt, was die Faschisten angerichtet haben, und jetzt fingen wir schon wieder damit an, so sagte er, das muß man sich mal vorstellen.

Aber heute paßt mir der Einsatz schlecht in mein Konzept, ausgerechnet heute, weil ich für den Nachmittag verabredet bin. In einem Verlag, ich habe eine Skizze für was Größeres hingeschickt, wahrscheinlich wollen sie mir die Gründe für eine Ablehnung nennen.

»Wann soll es denn losgehen?«

»In einer Stunde«, sagt Puhl.

Das hört sich schon besser an, wenn nichts Unvorhergesehenes geschieht, kann ich bequem am Nachmittag zurück sein. Jeder von uns bekommt einen kleinen Stoß Flugblätter, ungefähr dreißig Stück, die SED lädt zu einer Großveranstaltung über eine ganze Reihe von Zuständen in Westberlin ein. Nach Möglichkeit sollen wir sie nicht in Briefkästen stecken, sondern an Passanten verteilen, Flugblätter in Briefkästen sind zwar risikoärmer, aber sie haben so etwas Konspiratives, das ist auch meine Ansicht, lieber den Leuten ins Gesicht sehen. Dann stecken wir die Köpfe über einen Stadtplan, heute geht es in Richtung Tegel. Wir teilen die Straßen untereinander auf, wenigstens ungefähr, damit wir nicht nachher alle an derselben Ecke stehen und eine Flugblattschwemme erzeugen.

Keine Stunde später fahre ich mit undurchdringlichem Gesicht, wie es Gary Cooper nicht besser könnte, in der Untergrundbahn, in einem Wagen mit mir das halbe fünfte Semester. Neben mir sitzt Gerhard Neunherz, den ich nicht leiden kann, er mich übrigens auch nicht, ich halte ihn für einen Streber, ich höre richtig sein Herz schlagen. Er steckt sich fahrig eine Zigarette in den Mund und fragt mich leise, ob ich Feuer habe. Ich sage ihm: »Hier ist Nichtraucher.«

Carola Leistikow, die uns gegenübersitzt, muß laut lachen, weil er die Zigarette so schnell und ängstlich zurück in die Schachtel tut.

An der Station Seestraße steigen wir aus, ab jetzt kennt niemand mehr den anderen, natürlich bin ich auch nervös, wir begeben uns in unsere Zielgebiete. Mein Planquadrat liegt ein ganzes Stück die Seestraße hinauf, ich war noch nie in dieser Gegend. Als ich angelangt bin, bleibe ich vor dem Schaufenster eines Delikatessenladens stehen und sehe mich erst einmal um. Die Straße ist einigermaßen belebt, nicht gerade übervoll, doch für halb zehn Uhr morgens kann man nicht mehr erwarten. Auf der anderen Seite erkenne ich Puhl, er muß sicher noch einige Ecken weiter, mit hochgeschlagenem Mantelkragen, von Polizisten weit und breit keine Spur.

Ich fühle die Flugblätter in der Tasche, die Handschuhe habe ich schon ausgezogen, es gibt zwei Methoden der Verteilung. Zum einen kann man sie einzeln herausholen und den Eindruck zu erwecken versuchen, als hätte man zufällig dieses eine nur und kein anderes abzugeben. Und zum zweiten nimmt man sie alle in die Hand und verteilt sie, wie die Leute gerade an einem vorbeikommen. Man kann dann nur hoffen, daß nicht eben ein Polizist unter ihnen ist, groß tun können sie einem wohl nichts, aber es gibt doch Ärger. Ich entscheide mich für die zweite Methode, es geht erheblich schneller so, außerdem nimmt sich, wie ich finde, ein einzeln aus der Tasche gezogenes Flugblatt mickrig aus. Man könnte sogar laut dabei rufen: »Großkundgebung der SED in Westberlin! Greifen Sie zu, meine Damen und Herren!« Aber so weit wage ich doch nicht zu gehen.

Ich nehme die Flugblätter also in die linke Hand, alle dreißig Stück, und warte ungefähr eine Minute, bis die Leute, die eventuell gesehen haben könnten, wie ich sie aus der Tasche zog, weit genug entfernt sind. Solange betrachte ich das Schaufenster, frische Sprotten aus Kiel, südafrikanische Weintrauben, Hafermastgänse aus Schlesien. Die zwei Verkäuferinnen hinter der Scheibe sehen mich einen Augenblick lang einladend an, erkennen aber bald mit geübtem Blick, daß mit mir keine Geschäfte zu machen sind.

Dann fange ich endlich an, das erste Opfer, das ich mir aussuche, ist eine junge Frau, die einen Kinderwagen schiebt. Ich halte ihr mein Flugblatt mit einem freundlichen »bitte« hin, sie nimmt es und steckt es, ohne einen Blick darauf zu werfen, zwischen die Päckchen in ihrem Einkaufsnetz, zu Hause wird sie sich wundern, daß nicht von einem neuen Waschmittel die Rede ist. Die beiden nächsten landen bei zwei Jungs, die einen Zettelverteiler entdeckt haben, sie kommen auf mich zu und strecken die Hände aus, wahrscheinlich sammeln sie Prospekte, ich kann sie ihnen schlecht verweigern. Dann, nach einigen Mißerfolgen, kommt ein älterer Mann an die Reihe, dem ich das Ding fast aufdrängen muß. Er bleibt stehen, überfliegt die wenigen Zeilen, ein böser Blick trifft mich, der Mann sieht sich um, wohin er den lästigen Dreck werfen kann. Sogar im Zorn achtet er noch auf Reinlichkeit, am Straßenrand, keine zehn Schritte entfernt, steht ein Papierkorb. Tatsächlich habe ich die Ungeschicklichkeit begangen, mich direkt neben einem Papierkorb zu postieren, der reine Mangel an Erfahrung, ich gehe fünfzig Meter weiter, das heißt, vorher sagt der Mann noch zu mir: »Mach ja, daß du hier wegkommst, Rotzjunge!«

»Warum?« frage ich.

»Darum!« schreit er, so laut, als wollte er einen Auflauf. Ich kann keinen Auflauf gebrauchen, ich gehe wie gesagt fünfzig Meter weiter.

Die nächsten zehn werde ich ohne Komplikationen los, gemischtes Publikum, dann setzt ein leichter Nieselregen ein. Der Passantenstrom wird dünner, ich stecke den Rest zurück in die Manteltasche und mache Halbzeitpause. Ich zünde mir eine Zigarette an, vor meiner Nase hängt ein Plakat, das mich interessiert, nächste Woche spielt Dave Brubeck mit seinem Quartett. Brubeck und Paul Desmond machen eine Musik, der ich lange zuhören kann, wenn ich es nicht vergesse, werde ich mit Lola hingehen. Der Regen nimmt zu, um halb eins sollen wir uns im Seminarraum zurückmelden, die Zeit drängt also nicht. Wenn ich Westgeld hätte, würde ich jetzt etwas Warmes trinken, ich stelle mich in einem Hauseingang unter, warum drucken sie eigentlich keine Plakate für die Kundgebung, den Litfaßsäulen macht Regen nichts aus.

Gerhard Neunherz geht dicht an die Häuser gedrückt, dort, wo man nicht nur ein paar harmlose Tropfen abkriegt, sondern ganze Kübel voll aus schadhaften Dachrinnen und von Fensterblechen. Den Blick hat er auf den Boden gerichtet, er streift mich fast in meiner Haustür, ohne mich zu bemerken. Wo will er hin, seine Schritte wirken zielgerichtet, ich stecke den Kopf in den Regen und sehe, daß er wenige Häuser weiter um eine Ecke verschwindet. Am Ende hat er Verwandte oder Bekannte in der Seitenstraße, will womöglich das Angenehme mit dem Nützlichen verbinden, es geht mich absolut nichts an, aber ich laufe ihm hinterher. Einmal habe ich mit Hensel, einem alten Mann, der bei uns im Hinterhaus ein Zimmer mit Toilette auf halber Treppe bewohnt und den ich manchmal besuche, darüber gesprochen. Über die Frage, wo man sich raushalten soll und wo nicht, und wir haben uns darauf geeinigt, daß nur Idioten sich vornehmen, ihre Nasen niemals in die Angelegenheiten anderer Leute zu stecken. »Manche halten das für Rücksicht, aber ich sage dir, es ist die blanke Dummheit«, hat Hensel damals gesagt.

Vielleicht sind dort meine Gründe zu suchen, vielleicht laufe ich ihm aber auch hinterher, weil ich ihn nicht leiden kann und jetzt nichts Sinnvolleres zu tun ist, Neunherz geht in eine Toreinfahrt. Er hat sich die Hausnummer nicht vorher angesehen, das heißt, entweder kennt er die Gegend sehr genau, oder er kennt sie gar nicht, und alle Einfahrten sind für seine Zwecke geeignet. Ich renne die letzten Meter, blicke vorsichtig um die Ecke, der Durchgang ist leer. Auf dem Hof entdecke ich ihn bei den Abfalltonnen. Er öffnet eine, nimmt seine schönen sauberen Flugblätter heraus und übergibt sie der Westberliner Müllabfuhr, er hat keine Verwandten hier. Der Einsatz ist für ihn ohne Komplikationen beendet, alle an den Mann gebracht, ich kann es ja ruhig sagen, der Beginn unserer Antipathie ist genau feststellbar. Vor ungefähr einem Jahr hatten wir in unserer Fakultät ein Tanzvergnügen, auf den Eintrittskarten stand »Juristenball«. Wer eine Freundin besaß, konnte sie gerne mitbringen, ich hatte gerade keine bei der Hand, ich kam alleine. Anders Neunherz, er war besser dran als ich, viel besser, er brachte Lola mit. An diesem Abend sah ich sie zum erstenmal, und ich hoffe, Neunherz sah sie nie wieder, der Rest ist sonnenklar. Hinterher erst fing ich an, seinen Charakter als unangenehm zu empfinden, ihm wird es nicht anders ergangen sein.

Aus meinem sicheren Versteck heraus rufe ich mit verstellter Stimme über den Hof: »Was treiben Sie denn da?«

Er blickt erschrocken an den Häuserwänden hoch und macht sich dann eilig vom Hof. Ich lasse ihn unbemerkt passieren, ich bleibe noch ein bißchen in dem Flur und warte den Regen ab. Eine Zigarette und der stille Portier helfen mir über die Zeit, in dem Haus wohnt eine Familie, die heißt Schwänzlein.

Dann gehe ich zurück zu meiner Seestraße, die Sonne kommt sekundenweise hervor, und die Kunden werden wieder zahlreicher. Die Untergrundarbeit geht jetzt flink von der Hand, keine fünfzehn Minuten, und alle Flugblätter haben ihre Liebhaber gefunden. Beim letzten herrscht sogar ein gewisser Andrang, zwei Hausfrauen strecken die Hände aus, und ich muß mich schnell für die hübschere entscheiden.

Ich sehe auf die Uhr, viertel zwölf erst, auf dem Weg zur Bahnstation leiste ich mir einen kleinen Schaufensterbummel. Dabei passiert es. Jemand tippt mir auf die Schulter, ich drehe mich um, hinter mir steht die hübschere der beiden Hausfrauen mit einem Polizisten.

»War es der?« fragt der Polizist.

»Ja, der war es«, sagt die Frau, sie gibt dem Polizisten das Flugblatt.

Ich sehe mich nach einem möglichen Fluchtweg um, bis zur Station sind es mindestens noch dreihundert Meter, schneller laufen als er kann ich bestimmt. Aber dann würde so eine blöde Geschichte mit »haltet ihn!« losgehen, irgend jemand könnte mir ein Bein stellen, einer findet sich meistens, ich kann mich nicht entschließen.

»Haben Sie der Frau das Flugblatt hier gegeben?«

»Nein.«

»Er lügt«, sagt die Frau, sie ist wirklich hübsch, auch wenn man sie länger ansieht.

»Zeigen Sie bitte Ihren Ausweis.«

»Ich habe keinen bei mir«, sage ich.

»Dann kommen Sie mal mit.«

»Wieso denn?« sage ich. »Ich muß dringend nach Hause, ich habe es eilig.«

»Sie kommen mit«, sagt der Polizist. Er gibt der Frau Notizbuch und Bleistift und bittet sie, ihren Namen und die Adresse aufzuschreiben, in Blockschrift, falls irgendwelche Rückfragen anfallen. Sie tut es, dann sagt der Polizist zu mir: »Kommen Sie.«

Wir gehen die Seestraße entlang, er ist ein älterer Mann, Mitte fünfzig, schätze ich, er muß gerade vom Dienst kommen, denn er trägt eine Aktentasche unter dem Arm, und für den Dienstbeginn sieht er zu müde aus.

»Wohin gehen Sie mit mir?« frage ich.

»Zum Revier.«

»Ich sage Ihnen, Sie machen sich lächerlich, die Frau irrt sich. Oder sie spinnt einfach.«

»Das lassen Sie mal meine Sorge sein.«

»Sie sind doch überhaupt nicht im Dienst? Oder?« frage ich.

Er antwortet nicht, wir gehen und gehen, in seiner Aktentasche klappert etwas, vermutlich Thermosflasche und Brotbüchse.

»Was steht denn überhaupt in dem Flugblatt drin?«

»Stellen Sie sich nicht dumm, das wissen Sie besser als ich«, sagt er.

33

»In dubio pro reo«, sage ich.

»Was?«

»Nichts.«

Als ich mich einmal umdrehe, sehe ich, daß Gerhard Neunherz uns in respektvollem Abstand folgt. Todsicher kommt er sich jetzt sehr schlau vor, bei seiner Methode sind solche Schwierigkeiten, wie ich sie jetzt habe, ausgeschlossen. Und mir fällt ein, daß die Schwierigkeiten gar nicht so klein sind, vor drei Monaten hatten sie mich schon einmal, bestimmt steht mein Name auf irgendeiner zentralen Liste, und das heißt dann Rückfall. Ich muß weg, die Scheißsonne scheint immer freundlicher und macht die Straße voll, ich müßte unbedingt weg.

»Hier rein«, sagt der Polizist und bleibt vor einer Haustür stehen. Ich lese auf einem Schildchen, daß sich das Revier im Hof links befindet, wir gehen in den Hausflur, der Polizist hinter mir.

»Warten Sie einen Moment«, sage ich und bleibe stehen.

»Was ist?« fragt er.

Ich stehe einige Sekunden ruhig und horche, außer den Straßengeräuschen kann ich nichts hören, keine Schritte im Haus, keine Stimmen, ich hole aus und gebe ihm mit aller Kraft einen Kinnhaken. Er ist kein Herkules und fällt zum Glück sofort um, ich habe das noch nie vorher ausprobiert und bin überrascht, wie reibungslos die Sache vor sich geht. In den Filmen kam es mir immer wie eine verbindliche Abmachung vor, wenn der eine das tut (ans Kinn schlagen), tut der andere das (umfallen), doch wie ich nun selbst erlebe, entspricht diese Prozedur der lauteren Wahrheit. Irgendwo regt sich auch Mitleid, Mitte fünfzig, anstrengenden Dienst hinter sich und dann solche schmerzhaften Zwischenfälle, aber ich habe keine Zeit für aufwendige Gefühle. Ich stürze auf die Straße, in der Haustür renne ich Neunherz mit den großen Augen fast um, der eben hereinkommen wollte und nachsehen, wie die Dinge stehen.

»Los, weg hier!« rufe ich leise und rase, so schnell ich kann, zur Bahnstation, ich drehe mich nicht ein einziges Mal um, wechsle die Straßenseite, schon auf halbem Weg habe ich die Fahrkarte in der Hand.

Auf dem Vorplatz der Universität ist es erst zwölf, ich setze mich auf eine Bank und rauche eine, der Kinnhaken hätte sehr unangenehme Folgen haben können. Nach einigen Minuten kommt Gerhard Neunherz, er muß erst den nächsten Zug erwischt haben. Er setzt sich neben mich, dabei sind alle anderen Bänke auch frei, er sagt: »Mann, bist du wahnsinnig?«

»Warum?«

»Hast du dir das wirklich vorher überlegt?«

»Nein.«

»Weißt du, was das war? Widerstand gegen die Staatsgewalt in Tateinheit mit Körperverletzung.«

»Und das ist noch nicht alles.«

»Was denn noch?«

»Du hast illegale Verteilung von Flugblättern vergessen«, sage ich.

Er sieht mich an, als wüßte er nicht genau, ob ich mich über ihn lustig machen will, dann sagt er: »Mach mal ruhig deine Witze. Jedenfalls hätte das gut und gerne zwei Jahre geben können.«

»Jedenfalls bist du gut und gerne ein Arschloch«, sage ich.

Er steht auf und sieht auf mich herunter, er muß sich erst sammeln, Neunherz ist verwirrt.

»Na ja, heute hast du dich schon geprügelt«, sagt er. »Aber wenn du wieder mal Bedarf hast, ein Wort genügt.«

Ich denke, ein besseres Wort als Arschloch fällt mir in hundert Jahren nicht ein, er geht weg, er ist ein ordentliches Stück größer als ich und wahrscheinlich auch stärker. Ich bleibe bis halb eins auf der Bank sitzen, bis es Zeit ist, sich im Seminarraum zurückzumelden.

IV

Pünktlich um vier bin ich in dem Verlag, wegen eines Mannes mit schlechten Zähnen. Ich bin mir keineswegs sicher, ob die Geschichte Hand und Fuß hat, das sage ich rundheraus, mein Mann hat Zahnschmerzen und geht, als er es nicht mehr aushält, zum Arzt. Der besieht sich den Schaden und entscheidet nach gewissenhafter Prüfung: der Zahn muß raus. Mein Mann ist zuerst dagegen, er ist stolz auf sein lückenloses Gebiß, aber die Schmerzen sind ein handfestes Argument, nach einiger Zeit gibt er klein bei und läßt sich den Zahn ziehen. Normalerweise wandern gezogene Zähne in den Mülleimer, doch in unserem Fall läßt ihn die Sprechstundenhilfe versehentlich auf einem Tischchen liegen, und als sie nach Feierabend die Praxis verlassen will und das Licht löscht, sieht sie, daß das Ding in der Dunkelheit leuchtet wie ein Klumpen Phosphor. Sie erschrickt mächtig und sagt es am nächsten Tag dem Arzt, der hat so was auch noch nie erlebt, man gibt den Zahn meines Mannes zur Untersuchung ins Labor. Als der Befund kommt, ist die gesamte Fachwelt konsterniert, denn es stellt sich heraus, daß dieser Zahn nicht die gewöhnliche Konsistenz von Zähnen hat, er besteht vielmehr aus einem völlig unbekannten Material, aus einem Element, das es nach bisherigen Erkenntnissen gar nicht geben dürfte. Die Untersuchungen gehen weiter, und es erweist sich auch noch, daß das besagte Material verblüffende Eigenschaften hat und für die Volkswirtschaft von erheblicher Bedeutung sein könnte, selbst in kleinsten Mengen. Mein Mann ahnt von alledem nichts, ist glücklich, daß er die verfluchten Zahnschmerzen los ist, eines Tages bekommt er einen Brief mit der Aufforderung, vor einer ärztlichen Kommission zu erscheinen. Er geht hin, sie begutachten ihn von oben bis unten, am Ende kriegen sie heraus, daß alle seine Zähne von der gleichen Art sind, ansonsten ist er kerngesund. Bald darauf besucht ihn ein Herr in offiziellem Auftrag und fragt meinen Mann, ob er bereit wäre, sich von einigen seiner Zähne zu trennen. Mein Mann fragt bestürzt, wozu, und da klärt ihn der Herr endlich auf, welche Kostbarkeit er in seinem Mund mit sich herumträgt. Er spricht von der großen Bedeutung dieses Materials, vom gesellschaftlichen Interesse an den

Zähnen meines Mannes, auch von dem Vorsprung vor anderen, den man sich mit Hilfe dieser Zähne sichern könnte. Aber mein Mann stellt sich auf die Hinterbeine und lehnt ab, sonst wäre es ja keine Geschichte, er behauptet, auf seine Zähne nicht verzichten zu können. Er braucht sie zum Essen, sagt er, zum Kauen und Beißen, zum Lachen, er braucht sie zum Schönaussehen, er will gerade heiraten, sagt er, und ohne Zähne würde seine Braut sich einen anderen suchen. Der Herr muß unverrichteter Dinge wieder abziehen, aber von jetzt an rennen sie meinem Mann die Tür ein. Sie lassen ihn kaum Atem schöpfen, geben sich die Klinke in die Hand, von früh bis abends muß er sich anhören, daß er sein schäbiges privates Wohlbehagen über die Interessen der Allgemeinheit stellt. Und das geht so lange, bis sie ihm mit Argumenten, Versprechungen und Prämien alle Zähne abgeschwatzt haben, einen nach dem anderen. Da hat die liebe Seele Ruhe, mein Mann atmet ein wenig auf, weil der nervenaufreibende Trubel vorbei ist, allerdings kommt er sich schrecklich unansehnlich vor. Er läßt alle Spiegel aus der Wohnung schaffen und kann nur noch vorgekautes Zeug essen. Das Gemeinwesen blüht, und in den Zeitungen steht zu lesen, welch wichtigen Beitrag mein Mann dazu geleistet hat, doch als zahnloses Männlein hat er nicht die rechte Freude daran.

Das ungefähr habe ich hingeschickt und um ihre Meinung gebeten, ob sich etwas daraus machen ließe, vor einer Woche kam ein Brief, heute um vier ergäbe sich die Gelegenheit für eine persönliche Aussprache, hochachtungsvoll Lieber. Ich frage den Pförtner, in welchem Zimmer ich Herrn Lieber finde, er sieht in einem Büchlein nach und sagt: »Erste Etage, Zimmer sechsundzwanzig.«

Ich gehe die Treppe hoch, meine ersten Schritte in einem Verlag, an der Zimmertür steht geschrieben: ›Winfriede Lieber, Lektorin‹. Von drinnen höre ich eine Stimme, ich klopfe dreimal kurz, zwischen zwei Sätzen sagt die Stimme: »Herein.«

Ich gehe in das Zimmer, sie telephoniert wie erwartet, mit einer Handbewegung deutet sie auf das Sesselchen vor ihrem Schreibtisch. Ich setze mich.

Während sie telephoniert, malt sie mit einem Rotstift wirre Muster auf einen Zeitungsrand, ich kann sie also ungeniert betrachten. Sie hat eine schwarze Hornbrille in die Stirn geschoben, ihre Haare sind kurz und schwarz gefärbt, der schwarze Pullover dehnt sich über ansehnlichen Brüsten. Und weil ich dabei bin, ihre Schuhe, die unter dem Schreibtisch hervorgucken, sind schwarz, die Strümpfe grün, ihren Rock kann ich nicht sehen. Ich stelle mir vor, daß sie gar keinen anhat, nachher kommt sie mit Pullover, grünen Strümpfen und ohne Rock hinter dem Schreibtisch zum Vorschein, das hat es natürlich noch nie gegeben, solange die Welt sich dreht, aber das ist meine Sache. Ich muß noch erwähnen, der einzige Schönheitsfehler, den ich auf Anhieb feststellen kann, ist, daß sie kaum merklich schielt, doch was heißt Makel, in meiner Armeezeit hatten wir einen auf unserer Stube, der wäre meilenweit dafür gelaufen.

Als sie mit dem Telephonieren fertig ist, läßt sie ihre Brille auf die Augen herunter und fragt: »Ja, bitte?«

»Mein Name ist Bienek«, sage ich, stehe auf, wir geben uns die Hand. Sie weiß gleich, wer ich bin, auf einem kleinen Blätterstapel liegen meine beiden Seiten obenauf, sie schiebt sie vor sich zurecht.

»Darf ich fragen, was Sie von Beruf sind?«

»Student«, sage ich, »Jura.«

»Schreiben Sie schon lange?«

»Ach Gott, lange«, sage ich, »eine ganze Weile, aber ich habe noch nie was fertiggemacht, falls Sie das meinen. Ich weiß auch nicht, warum, ich habe immer nur Einfälle aufgeschrieben oder Sachen, die ich für Einfälle hielt.«

»Weil Sie Angst hatten, nach der vielen Mühe könnte es keiner nehmen?«

»Kann sein. Vielleicht war ich auch bloß zu faul.«

Sie setzt ein Gesicht auf, als wären die Vorreden jetzt abgeschlossen, als sollten wir jetzt zur Sache kommen, und sie scheint die Sache irgendwie komisch zu finden, sie lächelt. Sie lächelt auf meine zwei Seiten herunter, sie lächelt mich an, sie sagt: »Ihre Idee ist lustig, ich kann mir durchaus ein Stück Prosa daraus vorstellen. Wissen Sie schon, was es werden soll? Ein Roman? Eine Novelle?«

»Ich kenne mich in den Genres nicht so aus«, sage ich. »Ich würde sagen, eine längere Erzählung.«

Sie bietet mir, immer noch lächelnd, eine Zigarette an, hier scheint sich ein positiver Bescheid anzubahnen, ich fingere aufgeregt meine Streichhölzer aus der Hosentasche.

»Aber Sie müssen mir etwas erklären«, sagt sie.

»Ja?«

»Wenn ich Sie recht verstehe, wollen Sie hier«, sie tippt auf meine Seiten, »eine Parabel erzählen? Eine Art Gleichnis?«

»Ja, das könnte man so sagen.«

»Wo spielt Ihre Geschichte? Auch wenn sie gewissermaßen surreal ist, muß sie doch einen erkennbaren Rahmen haben. Spielt sie bei uns oder in irgendeiner fiktiven Gesellschaft oder in der kapitalistischen oder wo?«

»Hm«, sage ich.

Sie lächelt und lächelt, sie sagt: »Also?«

»Also schön, ich kann mir vorstellen, daß sie bei uns spielt.«

»Und Sie wollen erzählen, daß die Freiheiten des einzelnen beschnitten werden, und zwar unter dem Vorwand, das Wohl der Allgemeinheit verlange es so?«

»Wenn Sie es so auffassen.«

»Wie fassen Sie es denn auf?«

»In Ordnung«, sage ich, »das will ich erzählen.«

»Weil Sie der Ansicht sind, im Gegensatz zu anderen Gesellschaftsformen werden in der unseren die Rechte des Individuums übermäßig gekürzt?«

»Wie kommen Sie auf den Gegensatz?«

»Nicht ich komme auf ihn, sondern wenn Sie so über uns schreiben, stellt er sich dem Leser zwangsläufig dar.«

»Aber man kann doch in einer Geschichte nicht alles über alles schreiben«, sage ich. »Mit dem Westen habe ich nichts zu tun, ich lebe hier aus freiem Entschluß, und mich beschäftigen vor allem Dinge, die sich in meiner Umgebung abspielen. Finden Sie das nicht logisch?«

Ihr Telephon klingelt, sie hebt den Hörer ab, meldet sich, horcht einen Augenblick, dann sagt sie: »Rufen Sie bitte morgen an, ich bin jetzt in einer wichtigen Besprechung.«

»Mit dem Gegensatz haben Sie wohl recht«, sagt sie, »man liest ihn schon aus alter Gewohnheit mit. Aber weiter. Die Wunderzähne im Mund Ihres Helden symbolisieren Rechte, eins nach dem anderen wird ihm gezogen. Rechte im Allgemeinen gibt es nicht, es gibt nur Rechte im Besonderen. Welche meinen Sie?«

Mit soviel Klartext hatte ich nicht gerechnet, sonst wäre ich besser vorbereitet hergekommen, eher mit einem Gespräch, das sich um die Frage ja oder nein und warum nicht bewegt, ich fürchte, ich fange an herumzustottern. Ich sage etwas von Meinungsäußerung, Information, Kritik, ich merke selbst, daß es ein bißchen nach Rias-Kommentar klingt, und fühle mich nicht wohl dabei, die Frau hört nicht auf zu lächeln. Als ich endlich fertig bin, Freizügigkeit habe ich auch noch untergebracht, nehme ich mir die dritte Zigarette vom Tisch.

»Für meinen Geschmack hat Ihr Mann zu viele Zähne«, sagt sie. »Aber das ist Ihre Sache. Richtig ist, daß wir an kritikwürdigen Zuständen keinen Mangel leiden, doch hüten Sie sich vor bequemen Pauschalurteilen. Vergessen Sie nicht, daß alle Leute, die bei uns den Sozialismus machen, dies zum erstenmal tun, ohne eine einzige Ausnahme. Ich habe in letzter Zeit so viel über freie Meinungsäußerung diskutiert, daß es mir schon zum Halse heraushängt. Ich kann Ihnen nur sagen, ich finde es völlig in Ordnung, daß beispielsweise mein Verlag nicht das druckt, was sich am besten verkaufen läßt, sondern das, wovon er glaubt, es könnte die Leser verändern. Es steht Ihnen völlig frei, jede Geschichte zu schreiben, die Sie schreiben wollen. Und uns steht es frei, sie zu drucken oder nicht. Oder sehen Sie eine bessere Lösung?«

»Nein«, sage ich und stehe auf, dabei hatte es so verheißungsvoll angefangen.

»Wollen Sie schon gehen?« fragt sie.

»Es ist alles gesagt«, sage ich.

»Noch nicht alles. Ich dachte, Sie sind vor allem deswegen hergekommen, um eine Geschichte bei uns loszuwerden?«

»So ist es. Und Sie haben mir klipp und klar bewiesen, daß ich mir was Schlaueres ausdenken muß.«

Sie nimmt das Lächeln, das ihr vorübergehend entglitten war, wieder auf, doch ich kann versichern, es hat nichts Gönnerhaftes.

Sie sagt: »Kinder nein, sind Sie empfindlich. Das werden Sie sich als Dichter abgewöhnen müssen. Wir haben doch erst über die eine Seite der Angelegenheit gesprochen.«

Ich setzte mich wieder und frage: »Gibt es eine andere?«

»Wir möchten gerne, daß Sie die Geschichte für uns aufschreiben, wir halten die Idee für interessant und versprechen uns vage einen neuen Autor. Denn es scheint uns nicht ausgeschlossen, daß Sie Talent haben könnten. Hier, lesen Sie sich das mal bitte durch.«

Sie hält mir einen bedruckten Bogen hin, ich nehme ihn in die Hand, und die fette Überschrift läßt mir das Blut eimerweise in den Kopf steigen: VERTRAG. Ich zwinge mich, wie albern es auch aussehen mag, zu großspuriger Gelassenheit, ich versuche zu spielen, ich überfliege ein paar belanglose Zeilen. Da steht, ich schreibe für sie eine Erzählung mit dem vorläufigen Titel »Zähne«, der Umfang beträgt etwa fünfzig Seiten, jedoch stellt dies keine Grenze nach oben oder unten dar. Über Annahme oder Ablehnung wird nach fertiger Arbeit entschieden, vorgeschlagen ist der dreißigste Juni 1960, dann wird auch gegebenenfalls ein neuer Vertrag mit mir abgeschlossen. Mit dem vorliegenden bekundet der Verlag lediglich sein prinzipielles Interesse an dem Projekt und zahlt mir als einmaliges Förderungshonorar dreihundert Mark. Das Geld wird nach Eingang des unterschriebenen Vertrages auf mein Konto überwiesen.

Ich lese wohl sehr lange, irgendwann fragt die Lektorin Lieber: »Sind Sie einverstanden?«

»Meinetwegen«, sage ich, es muß sich irrsinnig komisch anhören, weil es so gar nicht zu meinem verklärten Gesicht paßt. Ich unterschreibe den Vertrag und noch eine Kopie.

»Tragen Sie bitte hier Ihre Kontonummer ein«, sagt sie.

»Ich bin Student«, sage ich, das klingt schon besser.

»Entschuldigung. Wir überweisen das Geld an Ihre Adresse, die haben wir ja.«

Sie klärt mich noch auf, daß sie in unregelmäßigen Abständen Anthologien mit Arbeiten junger Autoren veröffentlichen, falls aus der Sache was wird, könnte ich in so einer erscheinen. Aber das muß nicht sein, sagt sie, und sollte ich zwischendurch irgendwelchen Problemen in Zusammenhang mit Zähnen begegnen, könnte ich sie getrost anrufen. Als ich mich verabschiede, steht sie zum erstenmal auf, selbstverständlich trägt sie einen Rock, er ist schwarz.

Draußen auf dem Korridor lese ich das Schriftstück noch einmal, es ist ziemlich dunkel, ich suche mir eine Lampe. Merkwürdig schnell läßt meine Freude nach, was heißt das, prinzipielles Interesse an dem Projekt? Über Annahme oder Ablehnung wird nach fünfzig oder mehr oder weniger Seiten entschieden, die liegen jetzt vor mir, aber ich will gerecht sein, für ein Blankoeinverständnis ist der Name Gregor Bienek im Moment noch zu nichtssagend. Auf alle Fälle sind dreihundert Mark mehr als ein ganzes Stipendium, zum Beispiel Miete für exakt zehn Monate, in wenigen Tagen klingelt der Briefträger, und ich schwimme im Geld.

Der Korridor ist schmal, ich wachse mich zu einem Verkehrshindernis aus, denn plötzlich öffnen sich viele Türen, die Leute haben Feierabend und müssen an mir vorbei. Und ich habe noch nicht zuende gelesen, hinter mir entdecke ich die Tür für Herren, ich gehe hinein und kann ungestört die Lektüre fortsetzen. Dabei stand in meinen zwei Seiten nichts von einer Überschrift, der Titel »Zähne« stammt von Winfriede Lieber oder einem anderen findigen Kopf, aber sie schreiben ja ausdrücklich was von vorläufig, mir wird schon noch ein besserer einfallen. »Ein Zahn wie kein zweiter« oder »Zahnverfall« oder »die Prothese«, richtig, ich darf nicht vergessen, daß der Mann für seine gezogenen Zähne Ersatz benötigt, ein passables Gebiß.

Ich falte den Vertrag zusammen und stecke ihn ein, jetzt erst wird mir bewußt, in was für einen Raum es mich verschlagen hat, die saubere, gekachelte Umgebung stimuliert mich irgendwie, ich muß pinkeln. Ganz dringend, und während ich es tue, stelle ich mir die Frage, wie viele bedeutende Schriftsteller schon vor diesem unscheinbaren Becken gestanden haben mögen. Sanitär sind sie hier völlig auf der Höhe der Zeit, neben dem Handtuch hängt ein Gebläse an der Wand, ich lasse es dreimal ablaufen, die Hände sind schon nach dem erstenmal trocken, es macht einen Höllenlärm, aber ich bin so einem Ding noch nie begegnet.

Auf der Straße steigt meine Lektorin gerade in einen Trabanten,

jetzt ohne Brille, dafür mit einem schwarzen Mantel. Sie sieht mich auch, sie sagt: »Kann ich Sie vielleicht ein Stück mitnehmen?«
»Ich muß zur Marienburger Straße«, sage ich, »das ist oben an der Prenzlauer Allee.«
»Da komme ich vorbei, ich fahre nach Weißensee.«
Ich steige ein, ihrer angespannten Haltung entnehme ich, daß sie den Wagen noch nicht lange hat, er sieht auch ziemlich neu aus. Sicherheitshalber stütze ich mich mit der Hand gegen das Armaturenbrett, ohne Bremsen wird sie bis zur Prenzlauer Allee nicht auskommen, und das könnte ihr zu heftig geraten.
»Das brauchen Sie nicht«, sagt sie, »ich bin inzwischen mit dem Bremspedal vorsichtig geworden.«
Ich will sie nicht kränken und nehme die Hand weg, im nächsten Augenblick fliege ich mit dem Kopf gegen die Frontscheibe.
»Dieser Idiot hat mir doch glatt die Vorfahrt genommen!« sagt sie wütend. »Haben Sie sich weh getan?«
»Nein, nein«, sage ich und könnte mich ausschütten vor Lachen, aber das mit der Vorfahrt stimmt.
»Sie sollten sich hinten anlehnen, sonst kriegen Sie auf die Dauer Rückenschmerzen«, sage ich, als wir über eine schlimme Kreuzung hinweg sind.
Sie lehnt sich zurück und sagt: »Das vergesse ich immer wieder. Fahren Sie auch Auto?«
»Ich habe es bei der Armee gelernt.«
Dann halte ich lieber den Mund, um sie nicht abzulenken, obwohl man sicher über allerhand mit ihr reden könnte. Sie sagt auch nichts, die vielen Fußgänger und die Kurven, ich betaste die langsam wachsende Beule auf meiner Stirn. Und ich grüble, ob ich es riskieren kann, sie auf einen Plausch und eine Tasse Kaffee aus Frau Sauerbiers Vorräten einzuladen, weil sie etwas mit Prosa zu tun hat oder weil sie hübsch aussieht, wer will das auseinanderhalten. Ich denke darüber nach, bis wir in der Prenzlauer Allee sind, und komme auf Höhe der Immanuelkirchstraße zu dem Resultat, daß ein wahrscheinliches »nein, danke« aus ihrem Mund ein unglücklicher Beginn für meine literarische Karriere wäre. Ich sage, an der nächsten Ecke kann sie mich rausschmeißen.
Aber sie biegt ein, fragt mich nach der Nummer und bremst erst

genau vor meinem Haus, samtweich. Vielleicht bemerkt sie mein Zögern beim Aussteigen, vielleicht ist sie eine Hellseherin, vielleicht hat sie eigene Gründe, von denen man nichts weiß, jedenfalls sagt sie: »Hätten Sie Lust, mit mir eine Tasse Kaffee zu trinken?«

»Na klar.«

»Ehrlich?«

Ich sage noch einmal: »Na klar«, plötzlich steht Frau Sauerbier, die gerade vom Einkaufen kommt, neben dem Wagen, die Tür ist noch offen.

»Guten Abend, Herr Bienek.«

»Guten Abend, Frau Sauerbier.«

Sie neigt ein wenig den Kopf, Winfriede Lieber muß es sich gefallenlassen, kritisch gemustert zu werden, ich sehe sofort, hier werden Lolas Interessen wahrgenommen.

»Fahren wir«, sage ich.

Da der Kaffeevorschlag nicht von mir stammt, muß ich mich nicht nach dem Wohin erkundigen, die Sache liegt in ihrer Hand, ich lehne mich zurück und überlasse ihr die Wahl der Örtlichkeit. Hoffentlich stimmt es nicht, daß man von einem bestimmten Alter an sein Stammlokal hat.

»Wer war denn die Frau Sauerbier?«

»Meine Wirtin.«

»Sie hat mich so feindselig fixiert.«

»Das tut sie immer«, sage ich, »sie braucht eine Tarnkappe für ihr weiches Herz.«

Sie fährt nach Weißensee, vorbei an allen Stammlokalen, bis auf einen Hof mit vielen Garagen. Der Wagen wird eingesperrt, dann gehen wir wieder auf die Straße, drei Häuserblocks weiter. Vor einem Neubau kramt sie den Schlüssel aus ihrer Handtasche und sagt: »Da sind wir.«

Ihre Wohnung besteht fast nur aus Andeutungen, Kochnische, Schlafnische, Duschecke, Sitzecke, wir hängen unsere Mäntel in die Kleiderecke und treten in den einzigen nennenswerten Raum. Ich soll einen Moment warten, sie will nur fix den Kaffee zubereiten, trotz der Enge ist es nicht ungemütlich, die Einrichtung zeugt von Sinn und Verstand. Ich sehe mich am Bücherregal fest,

Proust, Keller, Dostojewski, Bredel, ich greife mir einen »Wende-
kreis« von Miller, nach vier Seiten wird das Tablett herein-
getragen.

»Er muß noch einen Augenblick ziehen«, sagt sie.

Wir sitzen uns gegenüber, ich in einem Sesselchen und sie auf dem
Sofa, sie hat auch Zigaretten mitgebracht, sie lächelt wie ganz
am Anfang, und mir fällt nichts Besseres ein als mitzumachen,
ich fühle Verlegenheit in mir hochsteigen.

»Es ist ein bißchen eng«, sagt sie, »aber was soll man machen.«

»Wollen Sie Musik hören?« fragt sie. Sie steht auf, schaltet das
Radio ein, überall nur Kommentare, Wetterbericht und Betrach-
tungen um diese frühe Abendzeit, sie beginnt, in ihren Platten
zu suchen.

»Haben Sie zufällig etwas von Brubeck da?«

»Nein, aber viel Bach.«

»Das ist ja fast dasselbe«, sage ich.

Sie läßt eins der Brandenburgischen Konzerte erklingen, inzwischen hat auch der Kaffee genug gezogen, die Musik ist nicht so
laut, daß sie Anspruch auf Ausschließlichkeit erhebt, nur für den
Hintergrund gedacht. Man sollte irgend etwas sagen, aber mir
fehlen die geeigneten Worte, ich sehe den Polizisten im Hausflur
fallen, noch zwei Minuten Schweigen, und sie hält mich für einen
Reinfall. So weit sollte es nicht kommen, ich frage: »Woher haben
Sie denn diese furchterregenden Masken?«

»Die hat mir mein Mann aus Indien mitgebracht. Gefallen sie
Ihnen nicht?«

Damit sind die nächsten Sätze sichergestellt, ich sage: »Sie sind
verheiratet?«

Und schon habe ich das wortreichste Kapitel ihres Lebens angerührt, sie erzählt mir nach dem holprigen Anlauf die ausführliche
Geschichte ihrer geschiedenen Ehe mit dem Ingenieur Roland
Lieber. Wie sie heirateten, er wohl einige Jahre zu alt, wie sie
keine Kinder kriegten, die beide so gerne wollten, er scheuchte
sie immerfort zum Arzt, der keinen Hinderungsgrund finden
konnte, und sie war sicher, es lag an ihm. Wie er zwischendurch
immer mal nach Kalkutta oder sonstwohin fuhr, wie sie sich plötzlich nichts mehr zu sagen wußten. Und vor sechs Monaten der

gütliche Schlußstrich unter sieben bedauernswerte Jahre, die eheliche Wohnung wurde gegen diese hier und noch eine zweite ge-
tauscht, so verhält sich die Angelegenheit. Sie dreht den Bach auf
die Rückseite und fragt mich, ob ich etwa Hunger habe.
»Nein, nein«, sage ich.
»Und Durst?«
»Das schon eher«, sage ich.
Sie holt Gläser und Wodka aus dem Schrank, gestern Ramsdorfs
Kognak, heute ihren Wodka, ich komme mir vor wie einer, der
alles durcheinander trinkt. Plötzlich weiß ich nicht mehr, ob ich
für heute oder für morgen mit Lola verblieben bin, ich möchte
das klären, bevor die Flasche leer ist, ich frage, ob sie ein Telephon
hat. Sie bückt sich, holt den Apparat unter dem Sofa hervor, stellt
ihn auf den Tisch und dreht die Platte leiser. Ich wähle Lolas
Nummer, niemand meldet sich, dann rufe ich bei mir an, Frau
Sauerbier.
»Ich bin es«, sage ich, »war irgendwas los?«
»Nein.«
»Kein Besuch und kein Anruf?«
»Nein.«
Ich sehe meine neue Bekannte noch einmal gründlich an und sage:
»Bei mir kann es heute etwas später werden, Frau Sauerbier. Auf
Wiedersehen.«
»Amüsieren Sie sich gut«, sagt Frau Sauerbier giftig.
Ich lege auf, Winfriede Lieber verstaut das Telephon wieder unter
dem Sofa, ihre Augen verraten, daß meine Auskunft, es könnte
heute etwas später werden, auch ihren Vorstellungen entspricht.
Zweifellos klingt es mächtig abgedroschen, trotzdem fühle ich
mich, als ob wir uns schon eine ganze Weile kennen würden, sie
hat so etwas Wohnliches.
»Was macht Ihr ehemaliger Mann denn immerzu in der weiten
Welt?«
»Angeblich versteht er einiges von Kraftwerken.«
Als unsere Gläser leer sind, gieße ich nach, als der Bach abgelaufen
ist, findet sie im Radio tausend bunte Takte, dann zieht sie die
Schuhe aus und streckt die Beine auf das Sofa, grün bis in die
Zehenspitzen. Spätestens jetzt ahne ich, wohin der Dampfer läuft,

aber ich nehme mir vor, die Dinge geduldig abzuwarten. Ich bin neu in Weißensee und im Verlagswesen.

»Wie sind Sie ausgerechnet auf Jura gekommen?« fragt sie.

»Weil die Chancen, immatrikuliert zu werden, dort am günstigsten standen.«

Sie meint, wenn ich mein Studium beende und weiterhin schreiben will, läge es eigentlich auf der Hand, daß ich Kriminalschriftsteller werde. Ich sage, dem stehen zwei Hindernisse im Weg, zum einen kann ich nicht logisch denken, zum anderen glaube ich nicht, daß ich noch zwei Jahre BGB und StGB und StPO aushalte. Ob das mein Ernst ist. Ich sage, natürlich fürchte ich mich, einfach aufzuhören, aber ebenso fürchte ich mich davor, irgendwann Jurist zu sein, Anwalt oder Justitiar oder Richter, allein schon der Gedanke.

Da geht das Licht aus, Lampe und Radio, in der Wohnung über uns gibt es einen lauten Bums, als wäre jemand entsetzlich aufs Maul gefallen, wir müssen beide lachen.

»Ist es die Sicherung?« frage ich.

»Mal nachsehen. Haben Sie Streichhölzer?«

Unsere suchenden Hände berühren sich auf dem Tisch, wir wollen Flasche und Gläser nicht umwerfen, ich finde die Streichhölzer als erster, zünde eins an und will ihr die Schachtel geben.

»Leuchten Sie«, sagt sie.

Wir gehen zusammen hinaus in den winzigen Flur, sie kann die Sicherungen nicht finden, sie sagt dreimal: »Verdammt, irgendwo müssen sie doch sein.«

Es klopft, ich leuchte die Tür an, draußen steht eine Frau mit Taschenlampe und erkundigt sich: »Ist bei Ihnen auch das Licht ausgegangen?«

Da brauchen wir nicht länger zu suchen, eine Kerze wird herbeigeschafft und auf den Tisch gestellt, nur die Musik könnte fehlen. Aber auch da weiß sie Hilfe, in der Schublade findet sich ein Kofferradio, bei Kerzenlicht und leiser Musik trinken wir Wodka. Sie hat vorhin den Miller in meiner Hand gesehen, sie fragt mich, was ich von ihm halte. Ich sage, er schreibt selbst für Intellektuelle sehr verworren, vielleicht ist seine Rücksichtslosigkeit das Imposanteste an ihm, er lotet die Dinge mitunter erstaunlich tief aus, doch habe ich bisher seinen Standpunkt nicht gefunden, das heißt die Perspektive seiner Urteile, man muß wissen, daß ich bis auf die vier Seiten noch nie eine Zeile von Miller gelesen habe.

Nach Miller kommen wir auf uns zu sprechen, wir reden zwar noch über Gott und die Welt und Dostojewski, aber der Tonfall unserer Stimmen verrät, daß wir gedanklich schon viel weiter sind. In dem Kerzengeflacker sieht sie aus wie ein junges Mädchen, ich glaube, direkter Lichtschein steht fast allen Frauen gut, jeder weiß, welche verblüffenden Folgen Lagerfeuer häufig haben. Doch ich will nicht alles auf den Stromausfall schieben, schon in ihrem Büro machte ich mir meine Gedanken, und da brannte schließlich das Deckenlicht. Ihre Augen sezieren mich, während sie von der transzendenten Faszination erzählt, die Raskolnikow auf den Leser ausübt. Dabei vergißt sie nicht, unsere Gläser nachzufüllen, die Flasche hat ausgespielt.

»Ach was«, sage ich und setze mich neben sie auf das Sofa. Nur kurz bewegt mich die Frage, wie peinlich es wäre, sollte ich alle Indizien falsch gedeutet haben, das kann nicht sein.

»Hallo«, sagt sie leise.

»Hallo«, kommt mein geistloses Echo.

»Da sind Sie ja.«

Noch nie hat eine weibliche Person, an die ich so dicht geraten war, Sie zu mir gesagt, das erschüttert mich fast, aber es ist nicht schlecht. Kurz und gut, im nächsten Moment schließt sie die Augen und stellt ihr Mundwerk ein, ich mache mich an die Leidenschaft. Wir küssen uns, was das Zeug hält, stärken uns nach einigen Minuten mit dem letzten Schluck Wodka, dann weiter. Sie ist griffig und biegsam, das kann bestimmt mancher bestätigen, es gelingt mir nach kurzer Mühe, irgendeinen Patentverschluß zu öffnen. Mein erster Blick im Büro trog mich nicht, als ich ihre Brüste zu Gesicht bekomme, empfinde ich nur das Angenehmste. Und auch sie läßt die Hände nicht im Schoß ruhen, sie nestelt und knöpft an mir herum, wobei einer meiner Hosenknöpfe daran glauben muß.

»Oje!« sagt sie.

»Halb so schlimm.«

»Den nähe ich Ihnen nachher an.«

Noch ein paar Handgriffe, und wir sind die hinderlichen Kleider

los, da muß jeder helfen, es ist ganz unglaublich, auch ihre Wäschegarnitur ist schwarz. Ich nehme mir vor, nachher zu fragen, was
es mit dieser düsteren Farbe auf sich hat, doch im Moment bewegen mich andere Sorgen, ein Berg von Problemen türmt sich
auf, die Liebe stockt. Hensel, der Alte aus meinem Haus, hat mir
einmal erzählt, daß er nie konnte, wenn er betrunken war, aber
ich komme mir trotz der halben Flasche nicht betrunken vor, ich
würde eher sagen, ich bin irrsinnig nüchtern. Womöglich bin ich
zu sensibel für solche hastigen Ereignisse, die Aussicht auf einen
Reinfall hemmt meine Unternehmungslust gewaltig, ich bin mehr
mit mir als mit Winfriede Lieber beschäftigt. Anders sie, rastlos
und unermüdlich arbeitet sie auf einen glücklichen Ausgang hin,
aber es will und will nicht werden.

Und in diesem verdammten Augenblick geschieht etwas, das aller
ihrer Mühe ein Ende setzt, der mißratene Strom fließt wieder, das
Zimmer erstrahlt zu meinem Entsetzen in hellstem Licht. Nach
einer Schrecksekunde stehen wir auf, mein Unvermögen gerät gewissermaßen ins Scheinwerferlicht, ich würde sonstwas darum
geben, wenn ich einen sofortigen Weg zur Beseitigung des Defekts
wüßte. Enttäuscht sehen wir beide an mir herunter, ach Lola,
wenn du das nur erleben könntest.

Mit lächelndem Gesicht zieht sie ihren Pullover an, sie weiß
genausogut wie ich, daß der Spaß unwiderruflich vorbei ist. Dann
greift sie meine Hose, findet auch gleich den Knopf, das hat sie
nicht vergessen, aus dem Schrank nimmt sie Faden und Nadel und
näht. Ich mache mich derweilen nützlich, indem ich die überflüssige
Kerze auspuste und das Kofferradio abschalte, das andere spielt
inzwischen wieder. Ich zünde mir eine Zigarette an und warte
auf die Hose.

Sie näht den Knopf so fest an, als müßte er gewaltigen Belastungen
standhalten, prüft noch einmal durch Rütteln, dann beißt sie den
Faden ab.

»Der Schaden wäre behoben«, sagt sie.

»Danke.«

Ich schlüpfe in die Hose und setze mich, weil ich es unschicklich
fände, jetzt sofort aufzubrechen, irgendwie scheint mir Haltung
angebracht.

49

»Hoffentlich gelingt Ihnen die Geschichte besser«, sagt sie.

Also schön, ich lache, soll ich vielleicht weinen, sie lacht auch. Sie sagt: »Wenn Sie Lust haben, können Sie mich gerne wieder besuchen.«

»Meinen Sie?«

»Warum nicht?«

Für dieses Angebot bin ich ihr dankbar. Sie geht hinaus, um einen neuen Kaffee zu kochen, den haben wir beide nötig, ich suche im Radio Nachrichten und komme zu dem Schluß, daß sie mir ausgesprochen sympathisch ist.

V

Gelbach ist ein Mann zwischen fünfzig und siebzig Jahren, wenn
man ihn von links betrachtet, könnte man ihn für noch älter halten, denn diese Gesichtshälfte ist im Gegensatz zur anderen mit
Furchen überzogen. Ich halte ihn für ein echtes Wunder an Asym-
metrie, zweifellos hätte er auf dem Jahrmarkt neben der Dame
ohne Unterleib seine Chancen. Auf kurzen Beinen sitzt ein zier-
licher Rumpf, auf dem ein unmäßig großer Kopf, worin sämtliche
Paragraphen, Verordnungen und Bestimmungen reichlich Platz
haben, dazu noch die einschlägigen Präzedenzfälle. Bis das Dritte
Reich ausbrach, soll er ein Strafverteidiger mit Zukunft gewesen
sein, dann steckten sie ihn ins Konzentrationslager, weil seine
Abstammung nicht den Notwendigkeiten entsprach, heute müht
er sich ab, verstockte Burschen wie mich im Strafrecht herumzu-
führen. Seine Vorlesungen sind relativ beliebt, man pilgert
nicht gerade hin wie an einen Wallfahrtsort, aber wenn ich an so
einem Morgen aufwache, denke ich wenigstens nicht: »Ach du
lieber Gott.«
»Wer einen Diebstahl oder eine Unterschlagung gegen Angehörige,
Vormünder oder Erzieher begeht, oder wer einer Person, zu der
er im Lehrlingsverhältnis steht, oder in deren häuslicher Gemein-
schaft er als Gesinde sich befindet, Sachen in unbedeutendem Werte
stiehlt, oder unterschlägt, ist nur auf Antrag zu verfolgen. Die
Zurücknahme des Antrages ist zulässig. Und jetzt halten Sie für
einen Moment Ihr anderes Ohr, aus dem alles wieder hinausgeht,
zu, und versuchen Sie, sich mit mir die Frage zu stellen: Welche
gesetzgeberische Absicht steckt dahinter?«
Ich würde mich nicht wundern, wenn Neunherz, der wenige Bänke
vor mir sitzt, tatsächlich sein anderes Ohr zuhielte, anstellig wie
man ihn kennt, daß er es nicht tut, spricht nur dafür, daß er heute
ausnahmsweise nicht ganz bei der Sache ist. Mein Hintermann tippt
mir auf die Schulter, reicht mir einen zusammengefalteten Zettel
und flüstert: »Von Christa.«
Christa Naujocks ist weit und breit das schönste Mädchen in
unserem Studienjahr, gleich nach der Immatrikulation war sie mir
schon aufgefallen. Ich hatte mir damals auch vorgenommen, mit

ihr irgendwie ins Gespräch zu kommen, sie ins Kino einzuladen oder sonstwas, aber sie hat mich ständig so abweisend angesehen, daß ich es lieber bleiben ließ. Und seit ich mich nicht mehr um sie kümmere, werden ihre Blicke immer freundlicher und aufmunternder, sie scheint sich schon lange zu wundern, daß man ihr über solche Zeiträume hinweg widerstehen kann. Ich an ihrer Stelle würde mich auch wundern.

Auf dem Zettel steht: »An deinem Rücken hängt ein Zettel.« Ich schreibe einen zweiten Zettel: »Was steht drauf?« und schicke ihn zurück. Bald kommt die Antwort: »Auf dem Zettel steht: Ich bin ein faules Schwein.« Mein letzter Zettel: »Den soll der Idiot abmachen, der ihn angenagelt hat.«

Als Christa die Nachricht haben müßte, drehe ich mich um, sie strahlt mich an. Studentenspäße, mit solchen Ochsen sitzt man nun auf einer Bank, ganz abgesehen davon, daß das mit dem faulen Schwein zutrifft, juristisch gesehen.

»Wer eine Notentwendung gegen einen Verwandten absteigender Linie oder gegen seinen Ehegatten begeht, bleibt straflos.«

Einmal hatte mich Gelbach zu sich nach Hause eingeladen, mitten im zweiten Semester, als er mich noch für talentiert hielt. »Besuchen Sie doch am Sonntagnachmittag eine Kapazität des Strafrechts.« Er gab mir seine Adresse, ein Häuschen am Stadtrand, zuerst war ich mehr erschrocken als geschmeichelt. Mein Vater, von dem ich mir einen Anzug für die Reise borgte, hielt meine Laufbahn für gesichert, »alle Opfer haben sich gelohnt«, sagte er, er versorgte mich mit einem Haufen unerläßlicher Ratschläge, einer davon lautete, ich sollte dem Professor nicht unentwegt ins Wort fallen und überhaupt so wenig wie möglich reden, das machte einen guten Eindruck. Außerdem gab er mir zehn Mark, davon sollte ich Blumen für die Frau Gemahlin kaufen, was Besonderes. Ich sagte, so wie der aussieht, hat er nie im Leben eine Frau, aber mein Vater sagte: »Sicher ist sicher, Junge. Am besten nimmst du Narzissen.«

Als ich am Sonntagnachmittag vor Gelbachs Haus aufkreuzte, sah ich ihn über den Zaun hinweg in seinem Garten, er trug eine Schürze und goß mit dem Schlauch riesige Bestände an Tulpen und Narzissen, wie ein Prominenter aus der Illustrierten. Die

Ähnlichkeit mit einem Gartenzwerg war verblüffend. Ich wollte meine albernen Narzissen auf der Straße liegenlassen, aber es ging nicht mehr, er hatte mich schon gesehen.

»Kommen Sie herein, Bienek, die Tür ist offen«, rief er.

Kaum hatte ich die Pforte hinter mir geschlossen, schoß ein gewaltiger Hund hinter dem Haus hervor, bellte mir die Ohren voll und wollte mich nicht vorbeilassen. Mein Vater hatte bei seinen Ratschlägen nichts davon erwähnt, daß ich keinem Hund in den Arsch treten sollte, aber das wußte ich auch so, ich stand still mit fliegendem Puls. Gelbach rief mir zu, ich brauchte keine Angst zu haben, Gottlieb wäre ein gutmütiges Tier, dann forderte er Gottlieb mit scharfer Stimme und mit Erfolg auf, zurück ins Haus zu verschwinden.

Ich sah ihm ungefähr zwei Minuten beim Blumengießen zu, näher konnte ich nicht kommen, weil er den Strahl genau in meine Richtung lenkte, ich hätte einen großen Bogen machen müssen, und das kam mir irgendwie übertrieben vor.

»Ich bin gleich fertig«, sagte Gelbach. »Wenn Sie Lust haben, können Sie solange den Rasen mähen.«

Auf der anderen Seite des Weges, auf einer tennisplatzgroßen Rasenfläche, stand ein Handrasenmäher, er machte einen sehr für mich hingestellten Eindruck. Von Lust konnte keine Rede sein, trotzdem zog ich die Jacke meines Vaters aus, legte sie zusammen mit den Narzissen auf einen Gartenstuhl und begann mit der Arbeit. Nach etwa einer halben Stunde, auf die möglicherweise meine Abneigung gegen die Jurisprudenz zurückzuführen ist, das müßte ein Tiefenpsychologe untersuchen, hatte Gelbach ein Einsehen mit mir. Er sagte, er wäre nun fertig.

Ich nahm Jacke und Blumen und folgte ihm auf die Terrasse, Sonnenschirm, Tischchen und bunte Stühle, er forderte mich auf, Platz zu nehmen, ich war halbtot. Gleich kam eine alte Frau im Küchenkittel und fragte: »Soll ich hier draußen decken?«

»Ja, lieber hier«, sagte Gelbach.

Ich stand auf, stellte mich ihr vor und überreichte ihr den Strauß.

»Das ist aber nett von Ihnen.«

Ich hatte den Eindruck, daß sie sich ehrlich freute, sie nahm mir die Jacke aus der Hand und ging zurück ins Haus.

»Sie haben ihr wirklich eine Freude gemacht. Aus dem Garten werden nämlich keine Blumen gepflückt«, sagte Gelbach.

Ich dachte, wenn ich seine Frau wäre und Blumen gerne hätte, würde ich mir solche Anordnungen nicht gefallenlassen, da sagte Gelbach: »Ich glaube, Sie täuschen sich. Ich bin Junggeselle, Rosalinde ist meine Haushälterin. Rauchen Sie?«

»Ja«, sagte ich.

Auf dem Tisch lag ein ledernes Beutelchen, eine ausrangierte Damenhandtasche, er öffnete sie, nahm zwei Zigarren mit Bauchbinde, Streichhölzer und eine kleine Schere heraus, kappte die Spitzen, drückte mir dann eins der beiden Ungetüme in die Hand und gab mir Feuer. Ich war stark damit beschäftigt, nicht laienhaft loszuhusten, auf der Binde las ich »Romeo y Julietta«.

Gelbach lehnte sich zurück, den Blick in weite Fernen gerichtet, er schien die sonntägliche Ruhe zu genießen. Er lauschte den Vögeln, oder er blies Rauchringe, der Wind war so still, daß jeder von ihnen gelang. Ein Wort von mir hätte in diesem Moment wie eine Handgranate gewirkt, also schwieg ich, ganz abgesehen davon, daß ich sowieso nichts zu sagen wußte. So vergingen ungefähr zwanzig Stunden, bis Gelbach plötzlich brüllte: »Rosalinde!«

Als erster kam der Hund, er rollte sich unter Gelbachs Stuhl zusammen, hatte aber unentwegt ein Auge auf mich gerichtet, wenn ich die Asche von der Zigarre abschnipste, spitzte er die Ohren. Ihm folgte Rosalinde mit dem Tablett. Jetzt sah ich, was so lange gedauert hatte, nicht die Zubereitung, Rosalinde war in andere Kleider geschlüpft. Nichts mehr vom Küchenkittel, sie trug einen dunkelblauen Rock und eine weiße Bluse mit gerüschten Manschetten, auch die Frisur kam mir irgendwie anders vor, auf ihren knochigen Backen prangte ein unverkennbarer Hauch von Puder. Und das alles für mich, für den Studenten Soundso, der Tip meines Vaters mit den Narzissen zahlte sich doppelt und dreifach aus, ich wäre für Rosalinde durchs Feuer gegangen. Sie stellte die Kaffeekanne in die Mitte des Tisches, daneben eine Kuchenplatte, drei Tassen, drei Teller, drei Gabeln, sie goß ein und setzte sich. Gelbach sagte: »Greifen Sie zu, Bienek.«

Ich trank, endlich hatte ich einen Vorwand, die verfluchte Zigarre auszumachen, ich aß den trockenen Kuchen der Gelehrsamkeit und stellte mir die Frage, wozu um alles in der Welt er mich eingeladen hatte.

»Schmeckt Ihnen der Kuchen?« fragte Rosalinde.

»Oh ja, wunderbar«, sagte ich.

Sie sah mich an, als wäre sie über meine Antwort sehr verwundert, und Gelbach sagte: »Lügen Sie nicht, er schmeckt ganz abscheulich. Sie quält mich damit seit acht Jahren.«

»Nein, wirklich«, sagte ich und nahm mir fest vor, ein zweites Stück auf den Teller zu legen, sollte ich jemals mit dem ersten fertig werden.

»Bienek, Sie sind im Begriff, den guten Eindruck zu verwischen, den ich bis dato von Ihnen hatte. Es hat mir schon mißfallen, wie widerspruchslos Sie meinen Rasen gemäht haben.«

»Dann war das mit der Zigarre wohl auch ein Test?« fragte ich.

»Wie meinen Sie das?« fragte er verwundert zurück.

»Ach, nichts.«

»Er meint es so, daß deine Zigarren eine Plage für alle Leute sind«, sagte Rosalinde. »Hier, möchten Sie?«

Sie holte, Gott weiß woher, ein Zigarettenetui hervor, hielt es mir hin, und ich griff dankbar zu. Gelbach sagte: »Sagen Sie, Bienek, stimmt es, was sie da behauptet?«

Ich wollte ihm unter keinen Umständen ein zweites Mal mißfallen und antwortete: »Ja.«

»Und merke dir endlich, das heißt nicht Bienek, das heißt Herr Bienek«, sagte Rosalinde.

Ich war ziemlich überrascht, was für ein lockerer Ton in diesem Haus herrschte, warum eigentlich, Rosalinde bekleidete hier sicher mehr als nur die Stellung einer Haushälterin. Gelbach sah mich hilfesuchend an.

»Ich habe nicht damit angefangen«, sagte Rosalinde. »Wenn du Besuch hast, könntest du dir getrost die Gartenschürze abbinden. Herr Bienek muß einen schönen Eindruck von uns haben.«

Und man wird es nicht glauben, Gelbach stand auf, band sich die Schürze ab, warf sie hinter sich auf die Terrasse, zu einem karierten Hemd trug er viel zu weite Shorts, seine spindeldürren Beine verloren sich fast darin.

»Gefalle ich dir so besser?« fragte er gekränkt.

»Nein«, sagte Rosalinde, »aber es sieht wenigstens manierlich aus.«
Es folgte die letzte Kampfhandlung, die er sich an diesem Tag
gegen sie erlaubte, zumindest in meiner Gegenwart, er nahm sein
halbes Stück Kuchen vom Teller und legte es vor den Hund Gottlieb auf die Erde. Dazu knurrte er: »Da gehört es hin. Es ist
Hundekuchen.«
Danach entwickelte sich ein ganz normaler Besuch bei einem Professor, er fragte mich ein bißchen aus, Neigungen, Pläne, über
sich erzählte er kaum etwas. Bald gingen wir ins Haus, weil es
kühler wurde, in einen großen Raum mit Kamin, Zinnkrügen und
Dolchen an den Wänden. Rosalinde zog sich zurück, damals war
ich noch fest überzeugt davon, die acht Semester durchstehen zu
können, Gelbach riet mir, vom ersten Moment an mein Augenmerk auf die Rechtspflege zu richten. Gar nicht erst mit dem Gedanken zu spielen, später einmal in die Wirtschaft zu gehen, das
wäre die Laufbahn der Unschöpferischen, das Strafrecht, meinte
er, wäre der Schlüssel zu allen Problemen. Er forderte mich auch
auf, ihn bei Gelegenheit wieder einmal zu besuchen, aber nur ganz
allgemein, eine konkrete Einladung folgte nie mehr, dafür muß
ich doch einen zu belanglosen Eindruck hinterlassen haben.
»Diese Bestimmungen finden auf Teilnehmer oder Begünstiger,
welche nicht in einem der vorbezeichneten persönlichen Verhält-
nisse stehen, keine Anwendung. Ich kommentiere.«
Die Vorlesung hat lange genug gedauert, nicht nur ich denke so,
im Saal herrscht eine Atmosphäre tiefster Interessenlosigkeit. Ich
höre aus allen Richtungen Flüstern, heute ist Sonnabend, ich sehe
Zeitungen unter den Tischen, kaum einer schreibt mehr mit, Neunherz bildet in meinem Umkreis die einzige sichtbare Ausnahme.
Gelbach könnte jetzt die ungeheuerlichsten Dinge von sich geben,
ohne die geringsten Folgen damit auszulösen. Er merkt es auch,
mitten in einem Satz bricht er ab, blickt ein paar Sekunden auf
das Auditorium und sagt: »Für heute ist das alles.«
Dabei sind noch gut zehn Minuten Zeit bis zum planmäßigen
Ende, er klettert von seinem Stuhl und überläßt uns unserer Un-
ruhe. Er muß keine Sachen zusammenpacken, stets kommt er ohne
Buch und ohne Konzept, ein Witzbold unter uns hat irgendwann
gesagt, Gelbachs Vorlesungen wären in Wirklichkeit Vorreden.

Ich habe den Nachmittag mit Lola schon im Kopf, auf dem Gang vor dem Hörsaal spricht mich Carola Leistikow an: »Du sollst mal zum Professor kommen.«

»Zu Gelbach?«

»Ja doch, Mann.«

»Wozu denn?«

»Das wird er dir sagen, wenn du drin bist.«

Daß ihm nach so langer Zeit meine Begabung wieder ins Auge gesprungen sein könnte, halte ich für ausgeschlossen, ich nehme den Zettel von meinem Rücken und klopfe an, ohne jede Ahnung von Gründen.

»Ja, ja, kommen Sie herein, Bienek«, höre ich.

Sein Zimmer wird gerade renoviert, die Bücherregale sind etwa einen Meter von den Wänden abgerückt und mit Packpapier behangen, überall stehen Farbtöpfe herum, dazwischen einige Pinsel, nur der Schreibtisch scheint unberührt. Gelbach sitzt dahinter und raucht schon Zigarre.

»Setzen Sie sich, ich möchte mit Ihnen sprechen«, sagt er.

Auf dem einzigen Stuhl, der in Frage käme, liegen zwei Malerkittel, ich werfe sie über die Lehne, setze mich auf die vordere Kante und warte auf seine Eröffnung.

»Bienek, ich beobachte Sie schon seit geraumer Zeit. Ich will Ihnen nicht verschweigen, daß ich von Herzen unzufrieden bin.«

»Mit mir?«

»Denken Sie, mit mir? Ihre letzten Arbeiten, die zu lesen ich die traurige Pflicht hatte, kommen mir höchst dürftig vor. Mein Assistent Nowotka, dieser Ignorant, setzt zwar gute Zensuren darunter, aber mich können Sie nicht täuschen. Was Sie da schreiben, ist nie und nimmer das Resultat von Wissen, sondern Sie beweisen höchstens einen gewissen Sinn für Improvisation und für gefällige Formulierungen. Damit kommen Sie nicht durch.«

»Es tut mir leid, daß Sie diesen Eindruck haben«, sage ich.

»Das sollte Ihnen nicht leid tun, sondern es sollte Ihnen zu denken geben. Ohne Schnörkel, Bienek, es scheint mir im Augenblick, als absolvierten Sie hier recht und schlecht ein lästiges Pflichtpensum, ohne jegliche innere Beziehung. Habe ich recht oder nicht?«

Ich könnte ihm die Frage auf den Tisch legen, was das ist, eine innere Beziehung, doch wozu Wortklaubereien, im Kern der Sache hat Gelbach zweifellos recht, also sage ich: »Sie haben recht.«

»Und warum ist das so?«

»Ich weiß nicht.«

»Das glaube ich Ihnen nicht, Bienek.«

Flüchtig beschäftigt mich der Gedanke, daß er in einem freundlicheren Ton mit mir reden würde, wenn Rosalinde dabei wäre, zumindest würde er Herr Bienek sagen, er macht eine Pause und schaut aus dem bekleckten Fenster hinaus auf die kahlen Bäume. So lange, daß man meinen könnte, er hätte vergessen, wozu er mich überhaupt gerufen hat, vielleicht könnte ich jetzt leise aufstehen und gehen, ohne daß er es bemerkt.

»Mir ist zu Ohren gekommen, Bienek«, sagt er endlich, »warum lächeln Sie?«

Ich zucke mit den Schultern und mache wieder mein ernstes Gesicht.

»Mir ist zu Ohren gekommen, daß Sie sich mit der Absicht tragen, Ihr Augenmerk auf die Schriftstellerei zu richten. Entspricht das den Tatsachen?«

Dabei wechsle ich mit den Studenten kaum Worte, meistens nur technische Mitteilungen, Privates so gut wie nie, ich kann mir nicht vorstellen, auf welchem Wege meine Ambitionen in seine Ohren gelangt sein könnten. Ich sage: »Ja, das stimmt.«

»Und Sie versprechen sich davon einiges für die Zukunft?«

»Ich mache mir Hoffnungen.«

»Haben Sie bedacht, daß Hoffnungen so beschaffen sind, daß sie sich meistens zerschlagen? Ich will damit sagen, wenn man über eine halbwegs intakte Intelligenz und über ein notwendiges Quantum an Fleiß verfügt, dann reicht das gewöhnlich hin, um ein diskutabler Jurist zu werden. Um Schriftsteller zu sein, genügen diese meßbaren Faktoren nicht.«

»Das weiß ich«, sage ich.

»Mein jüngerer Bruder wollte auch Schriftsteller werden. Ganz abgesehen davon, daß er vergast wurde, glaube ich nicht, daß es ihm jemals gelungen wäre. Es fehlte ihm an Originalität, an Phantasie und an der undefinierbaren Fähigkeit, bis auf den Grund der Dinge zu sehen. Anfangs gab er mir seine Gedichte zu lesen, jedesmal mußte ich ihn kränken, da suchte er sich leichtgläubigere Rezensenten. Er fand sie auch, aber ein Verleger war nicht darunter.«

»Bei mir bis jetzt auch nicht.«

»Ich kenne Sie zuwenig, Bienek, um mir ein Urteil über Ihre außerjuristischen Fähigkeiten zu erlauben. Ich schätze trotz der eklatanten Mißerfolge zuletzt Ihre Möglichkeiten, ein brauchbarer Rechtspfleger zu werden, nicht ungünstig ein, das sollen Sie wissen. Hielten Sie es da nicht für sinnvoller, in der nächsten Zeit die nötige Konzentration für das Studium aufzubringen? Ich will mich auch nicht in Ihre persönlichen Belange mischen, aber es wäre bedauerlich, wenn kein Mensch Ihnen ein Achtungsschild vor die Nase setzte.«

Er sagt immer nur Sätze, auf die sich kaum antworten läßt, nur ja oder das wäre bedenkenswert, zu einer reuigen Haltung oder zu offenkundigen Einsichten kann ich mich nicht entschließen. Trotzdem bin ich von seiner Anteilnahme beeindruckt, sie kommt gewiß aus derselben verborgenen Ecke wie damals seine Einladung, Professorengefühle.

»Ich habe mir selbst schon oft diese Frage gestellt«, sage ich, weil er so deutlich auf eine Entgegnung wartet. »Es lief immer auf dasselbe hinaus. Wenn ich Schriftsteller werde, kann es mir passieren, daß ich vor Hunger sterbe, das ist möglich. Wenn ich Anwalt oder Richter werde, wird es mir passieren, daß ich vor Langeweile sterbe. Das ist sicher. Welchen Weg würden Sie einschlagen?«

»An Langeweile stirbt es sich nicht so schnell, wie Sie vielleicht denken. Natürlich, ich weiß gut, daß ich Ihnen nicht mit einem Ratschlag imponieren kann, der lautet: langweilen Sie sich ruhig, es ist nicht lebensgefährlich. Aber über zwei Punkte müssen wir reden, Bienek. Erstens, ob es ganz und gar ausgeschlossen ist, daß der Appetit beim Essen kommt, das heißt auf unseren Fall bezogen, beim tieferen Eindringen in die Materie. Und zweitens, inwieweit es sinnvoll ist, eine tatsächlich vorhandene Chance aus der Hand zu geben, ohne sich vorher eine Alternative zu sichern. Ich betone das Wort sichern, denn Hoffnung ist in den seltensten Fällen eine Alternative.«

59

»Gewiß kann der Appetit beim Essen kommen«, sage ich, »aber das ist ziemlich unwahrscheinlich. Ich esse jetzt schon knappe fünf Semester, und mir wird immer schlechter.«

»Das sind offene Worte«, sagt er betrübt. Er stützt den mächtigen Kopf in eine Hand, mit der anderen, die die Zigarre hält, trommelt er düstere Takte auf den Tisch, er schneidet Grimassen, aus denen ich auf zwiespältige Überlegungen schließe. Die Asche fällt ihm auf die Finger, aber er merkt es nicht, ihm will die Medizin nicht einfallen, mit der er einem Todkranken vom Sterbebett aufhelfen könnte.

»Bienek, Bienek, Bienek«, sagt er.

Ich fürchte fast, er macht sich größere Sorgen um mich, als ich sie mir jemals gemacht habe. Aber Aufwand ist nicht gleich Erfolg, das ist einer von Gelbachs Vorlesungssätzen, er scheint mit seiner ganzen freundlichen Mühe dort angelangt zu sein, wo ich schon lange bin, mitten in der Ratlosigkeit.

»Na gut«, sagt er, »gegen alle Erfahrung und wider besseres Wissen gebe ich Ihnen jetzt einen Rat. Führen Sie die Behörden weiterhin in die Irre, studieren Sie in drei Teufels Namen zuende, mit Ihrer Gerissenheit werden Sie das Examen schon schaffen. Studieren Sie zuende, und betrachten Sie das Diplom als Notgroschen. Sonst kann es Ihnen passieren, daß Sie eines Tages vor dem konkreten Nichts stehen, soweit sollte es nicht kommen. Wenn Sie sich später als lebensfähiger Literaturproduzent erweisen, können Sie die Juristerei immer noch als verfehltes Kapitel Ihrer Vergangenheit betrachten. Aber werfen Sie nichts weg, Bienek, bevor nicht erwiesen ist, daß Sie es niemals wieder brauchen können. Mehr weiß ich Ihnen auch nicht zu sagen.«

Er hält mir zum Abschied die Hand hin, Bekehrung war geplant, und ein dürftiges Ersuchen ist herausgekommen, bekümmerte Augen verfolgen mich, wie ich unbelehrbar sein Zimmer verlasse.

VI

Die Ramsdorfs besitzen ein Segelboot, ein Wassergrundstück, ein Wochenendhäuschen, das alles ein Stück nach Osten aus der Stadt hinaus, hinter Erkner. Für den heutigen Sonnabend war vorgesehen, daß Lola und ich die Wohnung für uns alleine haben, ihre Eltern wollten hinausfahren und die ganze Geschichte winterfest machen, das war bis in den Dezember hinein versäumt worden. Doch als ich verabredungsgemäß nach dem Mittagessen komme, ergibt sich eine neue Sachlage. Ramsdorf liegt mit geschwollenen Mandeln und Kopfschmerzen im Bett, seine Frau macht ihm kalte Umschläge, Lola führt mich gleich in ihr Zimmer und sagt:
»Sei leise, es geht ihm wirklich schlecht.«
»Und was jetzt?« frage ich.
»Kannst du Auto fahren?«
»Das weißt du doch.«
»Ja, aber bloß deine Armeedinger«, sagt sie. »Kannst du auch Papas Wartburg fahren?«
»Klar, wenn mir jemand zeigt, wo die Gänge liegen. Aber wozu?«
Sie unterbreitet mir den Vorschlag, mit ihr zusammen anstelle der Eltern hinauszufahren, es wäre schon abgesprochen, mit dem Boot ist alles in Ordnung, es steht bereits im Schuppen, aber alles mögliche Zeug ist noch zu holen, Decken, Lebensmittel, Radio, an die zwanzig Bücher, nicht einmal das Wasser ist abgestellt, und jede Nacht haben wir schon leichten Frost. Aber nur, wenn ich Lust habe.
»Einverstanden«, sage ich, obwohl ich mir den Sonnabend gemütlicher vorgestellt habe, das Autofahren ist ganz reizvoll. »Wann soll es losgehen?«
»Jetzt gleich. Aber vorher mußt du noch mit ihm reden.«
Wir gehen in das Krankenzimmer, wie gesagt ein leidender Ramsdorf und seine besorgte Frau. Lola sagt: »Er hat nichts dagegen, Papa.«
»Das ist lieb«, sagt Frau Ramsdorf. »Sie sehen ja, Bernhard kann beim besten Willen nicht. Ganz plötzlich hat es angefangen.«
Ramsdorf krächzt mühsam: »Wann haben Sie das letzte Mal ein Lenkrad gehalten?«
»Vor drei Jahren«, sage ich.

»Das ist eine ganze Weile. Ich bin zwar vollkasko versichert, aber trotzdem wäre ich Ihnen dankbar, wenn Sie . . .«

»Ist schon klar«, sage ich, »ich sehe mich vor.«

»Passen Sie besonders auf der Straße von Friedrichshagen nach Rahnsdorf auf, da wimmelt es von Schlaglöchern. Wissen Sie überhaupt den Weg? Na ja, Lola kennt ihn genau.«

Ich erkundige mich nach den Gängen, um mir langes Probieren zu ersparen, er erklärt sie mir, besonderen Wert legt er auf den Rückwärtsgang, rausziehen, nach vorne und runter, rausziehen, nach vorne und runter, er stirbt jeden Augenblick.

»Haben Sie Ihren Führerschein bei sich?«

»Ja, der ist in meinem Ausweis.«

Frau Ramsdorf nimmt aus seiner Jacke, die über einem Stuhl hängt, die Wagenpapiere und den Schlüssel und gibt sie mir, dann verabschieden wir uns, ich wünsche gute Besserung.

»Danke«, sagt Ramsdorf matt. »Und vergessen Sie nicht: rausziehen, nach vorne und runter.«

Gleich vor dem Haus steht der hellblaue Wartburg, die ersten Meter fallen ziemlich holprig aus, Winfriede Lieber hätte ihre helle Freude daran, nach meinen diversen Ratschlägen. Aber bald rollt es besser, ich halte mich für einen Menschen mit technischem Verständnis, höchstens fünf Kilometer, und ich komme mir vor wie ein alter Kapitän auf der Kommandobrücke. Ich finde Zeit, nach links zu sehen, nach rechts zu sehen, der verängstigten Lola zu sagen: »Na bitte.«

»Du fährst einen falschen Weg«, sagt sie.

»Wir müssen erst zu mir nach Hause«, sage ich.

»Damit dich Frau Sauerbier am Steuer sieht?«

»Das auch. Aber vor allem muß ich den Führerschein holen, für den langen Weg ist das besser.«

Der ist sofort gefunden, Frau Sauerbier steckt den Kopf aus dem Fenster und winkt ihrem Untermieter nach und seiner Freundin, dieser glänzenden Partie. Wir rollen Richtung Osten, Kupplung und Gaspedal gehorchen mir schon aufs Wort, ich sage: »Mach uns mal Musik.«

»Paß lieber auf«, sagt Lola.

»Ich sitze auf deines Vaters Platz, verdammt noch mal! Mach Musik.«

Sie macht Musik, aber erst als wir aus dem gröbsten Stadtverkehr heraus sind, wage ich es, meinen rechten Arm um ihre Schulter zu legen.

»Bist du übergeschnappt?«

»Warum?«

»Mann, nimm den blöden Arm weg. Sitzt zum erstenmal in einem Auto und spielst den Zirkuskünstler.«

Ich nehme den Arm wieder weg, es war wirklich übertrieben, fast hätte mir ein Skoda die Vorfahrt genommen, oder ich ihm, jedenfalls brauche ich meinen ganzen Körper. Und Lola sagt keine Silbe, sie sitzt da wie ein Kaninchen vor der Schlange, ich fahre absichtlich langsamer, um ihren Blutdruck nicht zu ruinieren. Erst an einer Kreuzung in Erkner meldet sie sich: »Jetzt mußt du links abbiegen.«

Ich fahre links, nach einer Weile wieder links, wir kommen auf einen ungepflasterten Weg, das letzte Grundstück, wo Wald und See zusammenstoßen, gehört den Ramsdorfs.

»Ich mache das Tor auf, fahr gleich rein«, sagt sie.

Im letzten Sommer war ich schon einigemal hier, die Lage ist bewundernswert, zwischen hohen Kiefern steht ein stabiles Holzhaus, eine Art Blockhütte, wie man sie aus Filmen über Kanada kennt. Dahinter beginnt eine abschüssige Wiese, die bis zum Ufer reicht, das ist mit mannshohem Schilf zugewachsen, ein etwa zehn Meter langer Holzsteg führt durch das Schilf hindurch in tiefes Wasser. Das gegenüberliegende Ufer ist gut vierhundert Meter entfernt, hügelig und voller Wald, über den Baumspitzen steht eine kleine Kirche mit gelbem Dach.

Ich steige aus und frage Lola: »Redest du jetzt wieder mit mir?«

»Wenn etwas anfällt«, sagt sie. Sie geht auf das Haus zu, wahrscheinlich hat sie den Kopf schon voller Decken und Wasserabstellen, plötzlich bleibt sie stehen, verharrt so lange unbeweglich, daß ich Probleme wittere, mitten im Schritt.

»Was ist los?«

Sie dreht sich um, das Gesicht in schönstes Lächeln gekleidet, langsam kommt sie auf mich zu. Ihre Arme legen sich um meinen Hals, und sie küßt mich.

»Richtig«, sage ich, »das hattest du bis jetzt vergessen.«

Sie küßt mich noch einmal, irgend etwas ist nicht in Ordnung, ihr Mund berührt mein Ohr, als ob wir das nicht gut und gerne im Häuschen erledigen könnten. Sie haucht: »Gregor?«

»Ja?«

»Ich habe noch etwas anderes vergessen.«

»Und zwar?«

»Den Schlüssel.«

Ich überlege kurz, ob ich es komisch oder ungeheuerlich finden soll, ich mache sie von mir los und will sie mit einem Anflug von Zorn betrachten, aber sie sieht so jämmerlich aus, daß die Entscheidung schon gefallen ist.

»Es gibt Männer, die dich jetzt an Ort und Stelle erschlagen würden«, sage ich.

»Aber du nicht«, sagt sie. »Du liebst mich jetzt bloß noch mehr.«

»Was denn sonst? Komm, wir fahren zurück.«

»Können wir nicht einbrechen?« fragt sie.

Ich sehe mir die Tür an, das einfache Schloß müßte sich mit einem Dietrich öffnen lassen, aber da gibt es außerdem noch ein Vorhängeschloß, ich sage: »Nichts zu machen. Oder willst du, daß ich die Tür zerschlage?«

»Der Schlüssel für das Sicherheitsschloß hängt an den Autoschlüsseln mit dran«, sagt Lola. »Gib mal her.«

Ich gebe ihr das Täschchen, sie probiert ein paar Sekunden und befreit die Tür tatsächlich von dem Vorhängeschloß, ich sage: »Wo kriegen wir ein Stück dicken Draht her?«

Denn der Rest ist eine Frage meiner Fingerfertigkeit, aber sie zuckt mit den Schultern, kein Gerümpelhaufen in dem ordentlichen Garten, im Kofferraum nur Wagenheber und das übliche Werkzeug nebst Reserverad.

»Na los, überlege mal. Wir brauchen Draht.«

Ich höre, wie im Haus das Telephon schrillt, ich sehe Lola an, die lacht. Je öfter die Glocke ertönt, um so lauter kreischt sie, nähert sich fast einem kleinen Anfall, ich frage erschrocken: »Um Gottes willen, was hast du?«

»Weißt du, wer da anruft?« sagt sie mühsam in einer Lachpause. »Meine Mutter! ... Meine logische Mutter! ... Sie hat den Schlüssel gefunden!... Ich höre sie richtig sagen... Kind, du hast ja den Schlüssel vergessen!«

»Verdammt noch mal, wir brauchen Draht!«

Aber sie beruhigt sich erst, nachdem ihre Mutter längst aufgelegt hat, wir müßten ein Stück zurückfahren, dort wäre eine Kneipe, an jedem Sommerwochenende Limonade und ein halber Kasten Bier, der Wirt wäre die einzige Hilfe weit und breit, vielleicht hat er auch Draht.

Wir scheinen seine ersten Kunden seit Wochen zu sein, er überschüttet uns mit Geschwätzigkeit, will uns zu Klarem und Likörchen einladen, wenn wir wüßten, was für ein verrücktes Ding Ende Oktober passiert ist, keine drei Kilometer entfernt. Aber ich sehe Lola dringlich an, sonst kommt uns noch die Dunkelheit in die Quere, sie trägt ihm unser Anliegen vor.

»Das haben wir gleich«, sagt er und verschwindet nach hinten. Lola kichert wieder, immer noch der mütterliche Anruf, ich sehe mir derweilen drei Grands Ouverts an, die sich in diesem Raum zugetragen haben, gerahmt und hinter Glas an der Wand neben dem Schanktisch.

»Hier, suchen Sie sich selber den richtigen raus«, sagt der Wirt. Er hält mir einen Zigarrenkarton hin, in dem sich Dietriche der verschiedensten Größen befinden, etwa zehn Stück, die Tür ist so gut wie offen.

»Aber machen Sie keine Reklame damit«, sagt er.

»Wo denken Sie hin«, sage ich. Ich kann mich für keinen entscheiden, so genau habe ich mir das Schloß nicht angesehen, ich sage: »Würden Sie uns die ganze Kollektion borgen? Wir bringen sie nachher gleich zurück.«

»Aber nur, wenn ihr dann einen mit mir kippt«, sagt er.

»Ist doch klar.«

Dann sitze ich auf dem Klappbett und rauche eine, es ist zwar hundekalt, aber das elektrische Öfchen surrt schon, für den kleinen Raum braucht es höchstens zehn Minuten. Lola steht im Mantel und kocht Tee.

»Wollen wir nicht erst das Zeug einladen?« frage ich.

»Hat noch Zeit«, sagt sie. »Ruf bei mir zu Hause an und sage, daß wir reingekommen sind.«

Das tue ich, ihre Mutter ist am Apparat und bestätigt: »Gott sei Dank, der Schlüssel liegt nämlich im Nachttisch, ich hatte vorhin schon angerufen, aber es meldete sich niemand. Ich weiß, das war sehr dumm.«

Lola stellt den Tee auf den Tisch und setzt sich neben mich, ich lege gleich den Arm um sie, denn mit der Wärme ist es noch nicht soweit, ihre Haare riechen himmlisch.

»Zitrone gibt es nicht«, sagt sie.

Wir schlürfen den heißen Tee, sofort steigt auch die Temperatur, wir können bald die Mäntel ausziehen. Bei der zweiten Tasse bekomme ich Lust, noch mehr auszuziehen, gegen Lola ist kein Kraut gewachsen, das habe ich schon lange eingesehen, aber als ich deutlicher werde, sagt sie: »Das schlag dir aus dem Sinn.«

Ich will es nicht wahrhaben, da wird sie rabiater, greift meine aufdringlichen Hände und knallt sie auf den Tisch, links und rechts von der Teekanne. So kann nur ein Streit anfangen, ich rücke ein Stück von ihr ab, lehne mich zurück und spiele beleidigt, das hat meistens Erfolg, sie ist beim Einlenken immer die erste. Ich spekuliere darauf, daß ihre Entschädigungen keine Grenzen kennen.

»Blas dich nicht so auf, du Fatzke«, sagt sie, »dazu sind wir nicht hergekommen.«

»Wozu sonst?«

»Zum Wegräumen und zum Teetrinken.«

»Das hättest du mir vorher sagen müssen.«

Sie nimmt sich meinen Arm und zieht mich zu sich heran wie eine Puppe, sie rückt mich so lange zurecht, bis mein Kopf auf ihrem Schoß liegt. Aber in ihren Augen sind irgendwelche Sorgen, nichts von aufsteigenden Gefühlen, anstatt mich zu küssen, fährt sie mit dem Finger kreuz und quer in meinem Gesicht herum.

»Willst du eine Zigarette?« fragt sie.

»Ja.«

Sie zündet sie an, weil sie selbst nicht raucht, tut sie das immer mit gespitzten Lippen, und steckt sie mir in den Mund. Mehrere Züge hindurch sieht sie mich aus der Höhe an, bläst manchmal den aufsteigenden Rauch weg, ihr Finger kommt in meinem Gesicht nicht zur Ruhe. Trotzdem könnte ich es stundenlang so aushalten.

»Wir sind schwanger, Gregor«, sagt sie.

In mindestens der Hälfte aller Filme, die ich in letzter Zeit sah, stürzte der Held nach dieser Mitteilung in den jeweils nächsten Blumenladen, kaufte einen großen Haufen Rosen, legte sie seiner Angebeteten, die inzwischen auf dem Sofa saß und Strampelhosen strickte, zu Füßen und bereitete von da an immer das Frühstück. Aber ich, du liebes bißchen, was bin ich für ein mißratener Held, wo ist das Leuchten in meinen Augen, ich mache sie zu, liege fassungslos da und denke: Himmel, Arsch und Zwirn. Noch nie war mir diese Möglichkeit auch nur für den Bruchteil einer Sekunde in den Sinn gekommen, Babys werden in einer anderen Welt als in meiner geboren, von Lola hatte ich denselben Eindruck.

Nur langsam ordnen sich die Fäden in meinem Kopf, ich höre ihre Worte zehnmal ab, wir sind schwanger, Gregor, ich überlege, wie sie geklungen haben. Wie redet sie sonst, wenn sie sich freut, wie hört es sich an, wenn sie traurig ist, aber keins von beiden will passen, ihr Tonfall verriet sie nach keiner Richtung hin, die reine Sachlichkeit.

»Sehr begeistert scheinst du nicht zu sein«, sagt sie.

»Bist du es denn?«

»Nein.«

Wenigstens das ist in Ordnung, ich muß keine Freude heucheln, für Lola hätte ich es getan, irgendwann sogar angefangen, die Freude für echt zu halten, aber sie ist ein Ausbund an Vernunft. Sie sagt: »Wir dürfen uns nicht aufregen, wir müssen jetzt ganz genau überlegen.«

Wir tauschen die Stellungen, ich setze mich aufrecht und nehme nun ihren Kopf auf die Knie, sie hat es nötiger als ich. Allmählich setzt die Dämmerung ein, die Kiefern nehmen uns das letzte Licht, ich mache die Stehlampe an. Doch Lola greift blind nach hinten und knipst sie wieder aus, vielleicht sollte ich jetzt gar nichts tun, weil ihr so nach Gegenteil ist. Vielleicht will sie nur nicht deutlich gesehen werden.

»Seit wann weißt du es?« frage ich.

»Stell nicht solche dämlichen Routinefragen, ist doch völlig egal, seit wann ich es weiß. Begreifst du nicht, ich bin schwanger!«

»Seit wann weißt du es?« frage ich.

»Seit gestern.«

Die Regel war ihr schon das zweite Mal ausgeblieben, beim ersten Mal hatte sie es noch nicht tragisch genommen, erzählt sie, das kann vorkommen. Deswegen behelligte sie mich auch nicht damit, wie sie sagt, aber dann war ihr einige Tage hindurch schlecht, sogar ein kurzer Ohnmachtsanfall, und vor fünf Tagen das zweite vergebliche Warten. Da ist sie zum Doktor gegangen, der hat sie untersucht, befühlt und getestet, gestern dann das positive Resultat.

»Bei was für einem Doktor?« frage ich.

»Unwichtig«, sagt sie, »ich war privat.«

Das ist ein deutlicher Anhaltspunkt, trotzdem wage ich es nicht, sofort den Faden aufzugreifen, ich könnte mich getäuscht haben, etwas ganz anderes meinen und auf unheilvolles Gebiet vorstoßen.

»Ja, du brauchst mich nicht so anzusehen«, sagt sie. »Ich will es nicht haben.«

Dabei habe ich sie überhaupt nicht angesehen, nur gestreichelt und aus dem Fenster hinaus zum grauen Himmel geschaut, ich an ihrer Stelle wäre jetzt auch ungerecht, mir gegenüber.

»Ich habe Angst. Du mußt mir helfen«, sagt sie nach einer langen Weile.

Alles schön der Reihe nach, zuerst brauchen wir einen Arzt, dann brauchen wir Geld, auf der Welt gibt es genug von beidem. Aber wie finde ich es, Geld hatte ich schon oft keins, wenn auch nie in diesem Ausmaß, die Sorge mit dem Arzt ist völlig neu.

»Der Doktor, bei dem du warst«, sage ich, »ist da was drin?«

»Ausgeschlossen.«

»Kennst du sonst einen?«

»Nein.«

Mir geht eine heikle Möglichkeit durch den Kopf, in meinem Seminar gibt es einen, dessen Vater ist Arzt, wenn mich nicht alles täuscht, sogar Frauenarzt, ob der sich zu solchen gesetzwidrigen Handlungen hergibt, ob sein Sohn den vertrauten Vermittler spielt, vor wenigen Tagen erst hat er mir Prügel angeboten. Egal, ich werde alles herunterschlucken, ein scheißfreundliches Gesicht aufsetzen und mit Gerhard Neunherz reden, Lola hat Angst und bittet um Hilfe.

»Es gibt vielleicht einen Weg,« sage ich. »Aber das muß ich erst rauskriegen.«

»Sag schon«, sagt Lola.

»Die Sache ist kompliziert.«

Ich weiß nicht, wie ich es ihr beibringen soll, seit dem Juristenball damals habe ich nie mit ihr über Neunherz geredet, weiß also auch nicht, was zwischen ihnen vorgefallen ist, ich will mir durch überflüssige Fragen nicht die Illusionen nehmen lassen, obwohl es so schlimm nicht gewesen sein kann. Als ich ihm Lola ausspannte, war sie immerhin noch Jungfrau, aber auch sie hat kein Wort darüber verloren.

»Du sollst reden. Oder meinst du, es geht mich nichts an?« sagt sie ungeduldig.

»Ich habe einen Bekannten an der Uni. Sein Vater ist Arzt, vielleicht kann der uns helfen.«

»Wie heißt er?« fragt sie sofort.

»Du kennst ihn nicht. Nowotka.«

»Dann ist es gut.«

»Du kommst vielleicht auf komische Ideen«, sage ich.

Ich setze keine allzu großen Stücke darauf, wahrscheinlich und mit vollem Recht wird mich Neunherz fragen, ob ich nicht ganz normal bin, so wie wir zueinander stehen, und kein Mensch könnte es ihm verübeln. Dann bleibt mir noch Manfred Kolk, wir haben zusammen das Abitur gemacht, aber im Gegensatz zu mir hat er die Armee links liegenlassen und gleich studiert, heute ist er Mediziner im neunten Semester. Wir sehen uns manchmal in der Mensa und haben es schon lange aufgegeben, uns gegenseitig einzuladen, nie ist einer gekommen, vielleicht weiß der etwas.

»Hast du Geld?« fragt Lola.

»Keinen Pfennig.«

»Ich habe zweihundert Mark.«

»Und deine Eltern?«

»Bist du wahnsinnig? Die würden mich umbringen, die dürfen von der ganzen Sache am allerwenigsten merken.«

»Das heißt«, sage ich, »nächste Woche bekomme ich was. Dreihundert Mark vom Verlag.«

»Wofür denn das?«

»Erzähle ich dir später.«

»Was kostet so was überhaupt?« fragt sie.

»Denkst du, die Preise stehen in der Zeitung?«

Ich küsse sie auf die Nase und zur Kontrolle auch auf die Augen, von Tränen keine Spur, ich sage ihr, in gut zwei Wochen, wenn Weihnachten ist, wird die ganze elende Geschichte begraben und vergessen sein. Das hat Erfolg, wenn einer Zuversicht verbreiten will, dann ist er bei Lola genau an der richtigen Adresse, in ihren Fingern wird jeder Strohhalm im Handumdrehen zu einem ausgewachsenen Baumstamm. Die Augen strahlen schon wieder, dafür ist es gerade noch hell genug.

»Du hast vielleicht einen Kummer mit mir, was?« sagt sie leise. Und als ich väterlich schweige, fügt sie etwas lauter hinzu: »Ich übrigens mit dir auch.«

Wir bleiben noch ein wenig sitzen und liegen, gewissermaßen zum Ausklingen, denn das Thema ist für den Augenblick erschöpft. Endlich mache ich das Licht wieder an, Lola spült das Teegeschirr ab und gibt mir Anweisungen, was alles eingeladen werden muß. Es ist kaum der Rede wert, zum Schluß stellen wir das Wasser ab, nur das elektrische Öfchen brennt noch, ich will es ausschalten, da sagt Lola: »Gehst du etwa schon?«

Sie kann Fragen stellen, daß es einem heiß und kalt den Rücken herunterläuft, ich drehe mich überrascht um, weil wir doch angeblich nicht dazu hergekommen sind. Nun doch, Lola steht auf einem Bein, an der Spitze des anderen hängt ihr Schuh, sie schießt ihn mir zu wie einen Fußball.

»Nachdem nun alles geklärt ist«, sagt sie.

Wenn sie so redet, gibt es für mich keine Rettung, ich habe mir schon oft die Frage gestellt, woran das liegt. Denn im Grunde fürchte ich mich davor, jemandem so ausgeliefert zu sein, ob sich in meiner Kindheit dieses berühmte Erlebnis zutrug, von dem sich alles herleiten läßt, ob ich also irgendwelche verdrängten Sexualkomplexe habe, oder ob ich ganz einfach ein geiler Bock bin, für mein Alter eine sehr unangenehme Vorstellung. Jedenfalls braucht Lola nur mit dem kleinen Finger zu winken, schön, man kann mir entgegenhalten, bei anderen Gelegenheiten genügt auch ein kleiner Finger, aber das streite ich entschieden ab. Da ist Eitelkeit mit im Spiel, dieses stupide Bedürfnis nach Vollzähligkeit, nach großer Anzahl, da kann ich aussteigen, wann die Situation es verlangt. Und ich lasse mich hängen, wenn hier irgendwelche Ähnlichkeiten mit Lola bestehen, die hat mich soweit, daß ich mir manchmal wie ein lausiger Betrüger vorkomme, die beherrscht den Markt. Aber was heißt herrschen, wahrscheinlich ahnt sie gar nichts davon, setzt nicht etwa ihre Machtmittelchen ein, sie ist einfach so beschaffen.

Nach etwa einer Stunde sitzen wir im Auto, auf dem Rücksitz klappern die Dietriche in der Zigarrenkiste. Lola pfeift fröhlich, sie hat vergessen, Angst vor meinen Fahrkünsten zu haben, sie pfeift sogar weiter, als sie sich ein Stück Schokolade in den Mund steckt.

»Wir machen es aber kurz in der Kneipe«, sage ich.

»Warum? Er hat uns doch zum Likörchen eingeladen.«

»Aber nur zu einem. Außerdem will ich keine Trunkenheit am Steuer.«

»Dann bestellen wir dir ein Malzbier, und du paßt gut auf mich auf«, sagt sie.

Ich denke, die wird doch ihre schönen zweihundert Mark nicht versaufen wollen, zuerst lädt er ein, dann laden wir ein, dann wieder er, und das geht munter so weiter. Ich sage: »Denke daran, wir sind knapp bei Kasse.«

»Wir sind halbe Millionäre.«

Sie öffnet das Handschuhfach, nimmt einen Fünfzigmarkschein heraus und flattert mir damit vor der Nase herum.

»Den hat Papa hier immer deponiert, für alle Fälle. Klauen können wir ihn nicht, das wäre Veruntreuung, aber Likörchen in der Kneipe sind alle Fälle.«

»Nimm das dämliche Geld weg, ich fahre noch gegen einen Baum.«

Der Wirt heißt Wenzel Sobirei, sein Lokal heißt »Zum edlen Tropfen«, als wir die Tür öffnen, kommt er sofort mit freudigem Gesicht hinter der Theke hervor. Ich halte ihm den Karton hin und sage: »Hier sind Ihre . . .«

»Ja, ja, schon gut«, unterbricht er mich mit einem bedeutungsvollen Blick in die Tiefe des Raumes, wo inzwischen im Halbdunkel einige Gäste sitzen, junge Bauern aus dem nahen Ort. Er nimmt die Dietriche und bringt sie nach hinten.

»Komm, setzen wir uns«, sagt Lola. Sie nimmt an einem Tisch Platz, ich trotte hinterher und setze mich auch, in der Mitte ein gußeiserner Aschenbecher mit einer kleinen Standarte darauf: Stammtisch.

»Mach nicht so ein Gesicht«, sagt sie, »es ist mordsgemütlich hier. Sieh dich doch mal um.«

Ich sehe mich um, die Grands Ouverts an den Wänden, dazu Bilder von Berühmtheiten mit Autogramm, exakt fünf junge Bauern, die ihr Gespräch unterbrochen haben und geschlossen auf Lola starren, buntkarierte Gardinen.

»Kennst du das elektrische Klavier?«

Sie läßt sich zwei Groschen geben, geht zu einem schwarzen Monstrum, das mir bisher entgangen war, gleich darauf ist der Raum voll verstimmter Musik.

»Na?«

»Herrlich«, sage ich.

»Das ist der Donauwellenwalzer.«

»Im Ernst?«

Sie boxt mir vor die Brust, weil ich so griesgrämig bin, da kommt Wenzel Sobirei mit einem Tablettchen und setzt sich zu uns. Vor Lola das Likörchen, vor mich und ihn die Klaren, er sagt: »Na, dann wollen wir mal.«

»Ich muß Auto fahren«, sage ich.

»Na, den einen.«

Wir stoßen an und trinken auf unser aller Wohl, Lola macht es wahr und bestellt gleich die nächsten, und für mich ein Malzbier. Sobirei will sich lange Wege sparen, deswegen stellt er zwei Flaschen auf den Tisch, Kirschlikör und Kümmel. Ich warte, daß er damit herausrückt, was für ein seltsames Ding Ende Oktober passiert ist, keine drei Kilometer entfernt, aber er denkt nicht daran, er fragt: »Wie geht es dem werten Herrn Vater?«

Sie trinken darauf, daß die Mandelentzündung bald vorbeigeht, daß das Wetter im kommenden Sommer besser wird als im vergangenen, das nächste elektrische Klavier spendiert er. Und ich mit meinem Doppelkaramel, Sobirei macht sich an seine Lebensgeschichte, an einen wichtigen Teil davon, er kommt aus dem Sudetenland. Noch heute, in schlaflosen Nächten, wenn der Mond in sein Zimmer scheint, sieht er die sanftgeschwungenen Höhen vor sich, die saftig grünen Wälder, das wogende Korn auf den Äckern, wie die weiße Milch auf die Heidelbeeren gießt, und dann Zucker obendrauf, nein, nein, das sind bleibende Eindrücke, die sitzen tief in der Brust, da gibt es nichts.

Irgendwann sage ich zu der vergnügten Lola: »Du, es ist Zeit, wir müssen.«

»Kannst du denn überhaupt fahren?« fragt sie ungläubig.

»Ja, es wird schon gehen.«

VII

Nach einem Seminar zu Problemen des Historischen Materialismus richte ich es so ein, daß Gerhard Neunherz unmittelbar nach mir auf die Straße tritt. Am Morgen war er etwas zu spät gekommen, in der Pause saß er auf dem Klosett oder stand mit anderen zusammen, deswegen war bisher noch keine Gelegenheit, mein peinliches Wort an ihn zu richten. Bis zur Mensa lasse ich ihn hinter mir herlaufen und kann mich nicht entschließen, den Schritt zu verlangsamen, ich versuche, mir einzureden, meine Einwände gegen ihn wären zumeist Vorurteile, aber es hilft nichts. Als wir endlich angelangt sind, steht für mich fest, daß ich es doch lieber zuerst bei Kolk versuche.

Natürlich ist er nicht da, es wäre auch ein großer Zufall, ich gehe in die Ecke, in der gewöhnlich die Mediziner sitzen und frage den ersten besten: »Kannst du mir hier einen aus dem neunten Semester zeigen?«

Er blickt sich um, hält den Zeigefinger an die Nase, ich denke schon, es ist umsonst, da sagt er: »Der Lange da, zwei Tische weiter, mit dem blauen Hemd der.«

»Danke.«

Ich gehe hin, tippe dem beschriebenen Langen auf die Schulter und frage: »Kennst du zufällig Manfred Kolk?«

»Ja, wieso?«

»Hast du eine Ahnung, ob er heute noch herkommt?«

»Wieso?«

»Wahrscheinlich will ich ihn sprechen.«

»Er war schon über eine Woche nicht in der Vorlesung.«

»Wieso?« frage ich.

»Wahrscheinlich ist er krank«, sagt er grinsend.

Sollte er tatsächlich krank sein, dann hätte er sich einen besseren Zeitpunkt aussuchen können, sollte er nach dem Westen abgehauen sein, hätte er sich auch einen besseren Zeitpunkt aussuchen können, also Neunherz.

Er steht in der Schlange vor dem Essenschalter, ich drücke ihm einfach meine Marke in die Hand, Augen zu und durch, ich sage: »Bring meins mit, ich hole Besteck und halte für uns zwei Plätze frei.«

Viel Verwunderung in seinem Blick, doch er scheint nicht unangenehm berührt zu sein, er wird mir wohl verzeihen, was ich ihm angetan habe, für den Anfang kann man nicht mehr verlangen. Ich hole Messer und Gabeln, auch zwei Löffel, weil ich nicht weiß, was auf dem Speiseplan steht, ich setze mich und warte auf meinen neuen Freund. Ich sage: »Nein, hier ist besetzt.«

Neunherz kommt mit zwei Tellern Szegediner Goulasch anbalanciert, seine Aktentasche unter den Arm geklemmt, die hätte ich ihm vorhin ruhig abnehmen können, wir schieben die überflüssigen Löffel zur Seite und essen. Ich weiß jetzt schon, daß mir kein guter Anfang einfallen wird, jeder mögliche muß ihm sofort die Gründe meiner scheinbaren Freundlichkeit erhellen, spätestens nach drei Sätzen weiß er Bescheid. Aber eins kann ich gewiß tun, ich kann mich zwingen, daß meine Stimme nicht gereizt klingt, wenigstens das.

»Erkläre mir mal, warum ich von heute auf morgen kein Arschloch mehr bin«, sagt er.

»Weißt du das nicht?«

»Doch ich weiß es. Aber ich würde gerne hören, wie du darauf gekommen bist.«

Was soll ich da nun sagen, wie bringe ich einem Arschloch bei, warum es plötzlich keins mehr ist, dazu muß ein Klügerer als ich kommen, ich sage: »Vergessen wir das doch.«

»Das sagst du so einfach.«

»Hast du noch nie zu einem gesagt, er ist das und das, und hinterher hat es dir leid getan?«

»Es tut dir leid?«

Am liebsten würde ich ihn auf der Stelle weiter beschimpfen, ihn vor das Schienbein treten oder etwas anderes Herzhaftes tun, wie er sich so unnütz wichtig nimmt, aber da ist andauernd Lola, ich kaue auf einem Brocken Knorpel herum und sage: »Ja doch, es tut mir leid.«

»Du mußt ganz schöne Sorgen haben«, sagt er.

Offensichtlich ist es auch für ihn unvorstellbar, daß ich meinen Sinn geändert haben könnte, das spricht eigentlich für ihn. Mit seiner Kombinationsfähigkeit ist alles in Ordnung, und der Herr im Himmel wird keine Ärzte der benötigten Art herunterregnen lassen, damit muß ich mich abfinden. Also herunter mit dem Knorpel, und her mit der Wärme ins Gesicht, die von Reue über begangene Missetaten kündet.

»Ist es nicht albern«, sage ich, »wenn man jahrelang nebeneinanderher studiert und sich nur mitzuteilen hat, wie blöd man sich findet?«

»Ich habe nicht damit angefangen«, sagt er.

»Ja, ich weiß, das war nicht in Ordnung.«

Mir wird richtig übel, als ich meine verlogene Stimme höre, das Mundwerk gleitet mir durch die Finger, ich schiebe den halbvollen Teller weg und zünde mir eine Zigarette an. Doch Neunherz scheint alles vorzüglich zu schmecken, der Goulasch und meine unappetitlichen Geständnisse, er teilt sich das Essen genau ein, auf jede Gabel ein wenig Kartoffeln, ein wenig Sauerkraut und ein Stückchen Fleisch.

»Hast du keinen Hunger mehr?«

»Nein«, sage ich. »Aber es ist nicht meine Schuld, wenn ich sehe, wie du die Flugblätter in die Mülltonne steckst. Da war ich eben wütend.«

Die gefüllte Gabel bleibt ihm in der Luft stehen, er sieht mich lange aus verwunderten Augen an, mir kam dieser Satz ganz plötzlich in den Sinn, vielleicht als bessere Verhandlungsbasis.

»Du bist mir hinterhergelaufen«, sagt er.

»Quatsch. Genau vor meiner Nase bist du in die Einfahrt geschlichen, es hat geregnet, ich wollte mich unterstellen. Da habe ich es eben gesehen, purer Zufall.«

Er ißt weiter, nach zwei Bissen fragt er: »Warst du es auch, der über den Hof gerufen hat?«

»Was gerufen?«

»Unwichtig.«

Er weiß genau, daß ich gerufen habe, er füllt sorgsam Gabel für Gabel, sieht mich nicht mehr an, vergräbt den Blick in dem schwindenden Häufchen Sauerkraut.

»Wahrscheinlich hattest du ganz recht«, sage ich. »Irgendwie war es viel zu riskant an dem Tag, ich weiß auch nicht. Hast ja selbst gesehen, mich haben sie geschnappt, und um ein Haar wäre es schiefgegangen.«

»Mir sind einfach die Nerven durchgegangen«, sagt er.

»Kann jedem passieren.«

Bestimmt würde er wert auf meine Versicherung legen, daß die anderen nichts davon erfahren, aber aus eigenem Antrieb werde ich sie ihm nicht geben, er muß schon selbst darum ersuchen, das ist schön unangenehm. Außerdem finde ich, wir haben jetzt lange genug über ihn geredet, meine Sorgen liegen noch auf der langen Bank, die sind nun langsam an der Reihe.

»Was ganz anderes, Gerhard, dein Vater ist doch Arzt«, sage ich.

»Und?«

»Was für einer? Chirurg oder Zahnarzt oder was?«

»Haut und Liebe.«

Das nenne ich dicht am Ziel vorbei, obwohl, so genau weiß ich das nicht, ich habe mich noch nie mit den Geltungsbereichen der einzelnen Medizinersparten beschäftigt. Neunherz steckt den letzten Bissen in den Mund, plötzlich sprengt ihm ein Lächeln das Gesicht fast auseinander, sein Unbehagen löst sich auf, ich denke, er ahnt die Zusammenhänge. Aber er ahnt sie doch nicht, er kommt höchstens in deren Nähe, er sagt: »Jetzt wird mir alles klar. Mensch, brauchst du einen langen Anlauf. Warum sagst du das nicht gleich?«

»Was soll ich gleich sagen?«

»Daß du eine Ladung Penicillin in den Hintern haben willst. Um deinen Tripper wegzukriegen.«

Alle Feindseligkeit ist gewichen, er redet wie ein uralter Freund, ich habe sofort das Gefühl, er wird die Angelegenheit mit meinem Tripper spielend regeln, wenn ich doch bloß einen hätte.

»Du schätzt die Lage falsch ein, Gerhard. Ich bin gesund wie ein Stier.«

»Was denn sonst?«

Die Vorsicht ist wieder da, die mißtrauische Zurückhaltung, hat sich vergaloppiert in kameradschaftlichen Vermutungen, das macht die Augen nur noch kleiner. Wie genußreich wäre es, wenn ich nun sagen könnte, nichts weiter, Gerhard, absolut nichts, wollte mich nur nach deinem Vater erkundigen, die reine Neugier, also dann, bis zum nächsten Mal, Gerhard. Und ihn sitzenlassen könnte in seinen Zweifeln, unsere Zuneigung ist ohnehin ein für allemal

77

verspielt, wenn ich aufstehen könnte in der Gewißheit, ein lustiges kleines Unheil angerichtet zu haben.

»Ich brauche eine Abtreibung«, sage ich.

Neunherz sieht sich hastig nach allen Seiten um, wie damals in der Untergrundbahn Richtung Westen, mit der Tasche voller verbotener Flugblätter. Sein Rundblick endet auf mir, auf dem Kerl, der ihm das Leben so schwermacht, er hätte jetzt sicher auch Lust, das Gespräch zu meinen Ungunsten zu beenden, aber er tut es nicht, er sieht mich nur braunäugig an und schweigt.

»Hat es dir die Sprache verschlagen?« frage ich.

»Komm, wir gehen lieber raus.«

Ich werte das als günstiges Zeichen, nein kann man auch vor ungebetenen Ohren in der Mensa antworten, er wird nicht ungestört mit mir sein wollen, um mitzuteilen, daß ich ihn in Ruhe lassen soll mit meinem Kram. Wir spazieren in Richtung Friedrichstraße, es ist kühl, um null Grad herum, ein lästiger Wind bläst uns entgegen. Ich schlage den Mantelkragen hoch und stecke beide Hände in die Taschen, Neunherz muß eine draußen behalten, wegen der Aktenmappe, man sieht uns aus zehn Meilen an, daß wir Studenten sind.

»Na, was ist?«

»Handelt es sich um Lola?«

Zum ersten Mal erwähnt er mir gegenüber diesen Namen, ich hätte es lieber gesehen, wenn der Vorgang anonym abgelaufen wäre, doch Neunherz ist auch nur ein Mensch, er kann sich nicht gegen seine Vermutungen wehren, dafür habe ich Verständnis.

»Wo denkst du hin«, sage ich. »Wenn es um Lola gehen würde, wäre ich doch nicht ausgerechnet zu dir gekommen. Das Mädchen heißt Inge. Interessiert dich auch der Familienname?«

»Ist die Sache zwischen dir und Lola vorbei?«

Er will meine Notlage, wie es scheint, zu einer Art Verhör ausnutzen, das ist beschwerlich und muß verhindert werden, wenn auch nicht zu grob, ich werde ihm auf Fragen, die nicht zur Sache gehören, nur noch diese eine Antwort geben, die lautet: »Nein, zwischen Lola und mir ist es nicht vorbei, das ist ja eben mein Problem. Wir sind immer noch ein Herz und eine Seele, und ich möchte auch, daß es noch lange so bleibt. Aber da kommt mir diese blöde Geschichte dazwischen, mit dieser Inge, an sich ganz belanglos, du weißt, wie das ist, nach einer durchsoffenen Nacht sind alle Katzen grau. Am nächsten Morgen denkst du schon nicht mehr daran, und bums ist sie schwanger. Lola darf auf keinen Fall davon erfahren, daß du mich da nicht reinlegst.«

»Nein, nein«, sagt er nachdenklich.

»Also was ist?«

»Mein Vater macht so etwas nicht«, sagt Neunherz.

Das kann unmöglich alles sein, das ängstliche Umsehen nach Lauschern, der Spaziergang in der Kälte, er will mich veralbern oder sich rächen oder sonstwas, oder er hält mit seinem Ausweg noch hinterm Berge, ich sage: »Und um mir das zu sagen, latschst du mit mir durch den windigen Dezember?«

»Natürlich nicht.«

Ich erfahre, Neunherz stand einmal vor dem gleichen Problem, und was lag näher, als sich seinem sachkundigen Vater anzuvertrauen, der hat ihm dann auch geholfen. Wenn auch nicht in der vermuteten Art und Weise, zwei Tage später gab er ihm eine Adresse nebst Begleitbrief, selbstredend mit der Bitte um absolute Verschwiegenheit. Und wieder zwei Tage später einen Haufen Geld, als alles erledigt war und die Bezahlung ausstand.

»Eins mußt du mir versprechen, Gregor. Wenn du hingehst, darfst du ihm nicht verraten, woher du seinen Namen weißt. Wenn es rauskommt, macht mich mein Alter fertig.«

»Erinnerst du dich noch, wieviel es gekostet hat?« frage ich.

»Achthundert Mark.«

Meine Knie werden fast weich bei dieser Summe, aber verstehen muß ich sie schon, für ein Butterbrot setzt keiner seine Existenz aufs Spiel, die Gesetze sind nun einmal die Gesetze. Zweihundert Mark von Lola, dreihundert vom Verlag, falls die Preise inzwischen nicht geklettert sind, bleibt das beträchtliche Defizit von dreihundert, die stehen vorerst in den Sternen. Aber hübsch einen Fuß vor den anderen, zuerst die Adresse, wir kommen gerade am Presse-Café vorbei, und ich sage: »Wollen wir uns nicht auf ein Glas Tee reinsetzen?«

Neunherz ist auch durchgefroren, wir finden einen freien Tisch.

»Es ist irrsinnig nett von dir, daß du mir helfen willst«, sage ich, und ich meine das ehrlich, eine ungeahnte Welle der Herzlichkeit steigt plötzlich in mir hoch, ich kann sie kaum bändigen.

»Eine Hand wäscht die andere«, sagt er. Ich habe keine Ahnung, was er damit meint, er nimmt Kugelschreiber und Notizbuch aus der Tasche und schreibt etwas auf. Dann reißt er den Zettel heraus und gibt ihn mir, ich lese den Namen des Arztes, Dr. Petri, und zwei Adressen.

»Das eine ist die Praxis und das andere die Privatadresse«, sagt Neunherz. »Am besten gehst du zuerst in seine Wohnung und beredest mit ihm den Fall.«

»Werde ich tun.«

»Hast du Geld?«

Ich winke ab und sage: »Das ist das Wenigste.«

»Damit du Bescheid weißt, er will es normalerweise vorher haben. Aber das wird er dir selbst sagen, falls er sich überhaupt darauf einläßt.«

»Hoffentlich.«

Nachdem wir den Tee ausgetrunken haben und wieder auseinandergehen wollen, sagt Neunherz, während wir uns zum ersten Mal seit ewiger Zeit die Hände schütteln: »Bestell Lola einen schönen Gruß von mir.«

VIII

Da Lolas Zustand keinen Aufschub duldet, gehe ich gleich am frühen Abend zu Dr. Petri. Er wohnt in einem uralten Mietshaus, die einzige Wohnung in der ersten Etage, als ich auf den Klingelknopf drücke, beginnt drinnen ein Hund zu bellen. Ich höre gleich, es muß ein kleiner sein, und eine Frauenstimme, die sagt: »Sei doch still, Senta.«

Als die Tür aufgeht, ist die Frau etwa Anfang dreißig, enganliegende Hosen, viel Schminke und weiße Pompons auf den Pantöffelchen, der kleine Hund ist in einem der vielen Zimmer verschwunden.

»Sie wünschen?«

»Ich möchte Dr. Petri sprechen.«

»In welcher Angelegenheit bitte?«

»Dürfte ich ihm das selbst sagen? Es ist eine rein persönliche Geschichte.«

Sie betrachtet mich einige Augenblicke, ich mache jede Wette, daß sie bestens informiert ist, schon wie sie das Lächeln zurückhält, endlich tritt sie zur Seite und sagt: »Gehen Sie bitte in das Zimmer dort. Mein Mann kommt sofort.«

Ich gehe in das Zimmer dort, sie schließt die Tür hinter mir, ein Mittelding zwischen Bibliothek und Behandlungsraum. Oder doch mehr Bibliothek, alle Wände voller Bücher, Rauchtisch, zwei abgeschabte Klubsessel, in der Mitte, unter einer achtarmigen Deckenlampe, das Unding von einem Stuhl, wie er wohl zur Untersuchung von Patientinnen gehört.

Ich zünde mir eine Zigarette an, trete ans Fenster und sehe hinaus auf die Straße, gegenüber ist ein Speiserestaurant, die Hälfte der Neonbuchstaben brennt nicht. Ich kann gar nicht sagen, wie gerne ich hier bin, ein Hilferuf von Lola hat mich auf Wanderschaft geschickt, Neunherz versah mich mit einer prächtigen Adresse, wenn ich mich mit diesem Petri geeinigt habe, muß ich weiterziehen. Die Geldsuche steht vor der Tür, die wird zu meinen Eltern führen, das nächste Problem meines heillosen Lebens. Einer sagt »geh da lang«, ich gehe, einer sagt »und jetzt dort«, ich gehe, der Nächste sagt »und jetzt links um die Ecke«, ich marschiere links um die Ecke, so geht das immer weiter. Und wenn Moritz nun doch geboren wird? Wenn Lola vorerst auf die Lehrerin verzichtet und ich auf die Rechtsgelehrsamkeit, an der mir ohnehin nichts liegt, wenn wir Moritz zur Welt bringen, uns beim Wohnungsamt in die Warteliste einschreiben und gelassen abwarten, was aus allem wird, solche frevelhaften Fragen wandern mir durch den Kopf. Sie führen zu nichts, ich gehe weg vom Fenster und von dieser gottverlassenen Straße, ich setze mich in einen der Sessel und schlage die Beine übereinander, doch ich muß sofort wieder aufstehen, Petri kommt herein. Er ist dick, kahlköpfig und fast doppelt so alt wie seine Frau, ich habe ihn beim Essen gestört, im Halsausschnitt seines Pullovers steckt eine grüne Stoffserviette.

»Behalten Sie Platz«, sagt er und setzt sich, ohne mir die Hand zu geben, in den zweiten Sessel. »Was führt Sie zu mir?«

»Mein Name ist Bienek, ich bin Student«, sage ich und habe das Gefühl, man sollte sofort offen mit ihm reden, lange Einleitungen sind hier unerwünscht. Ich habe noch mehr Gefühle, kein Freund von Traurigkeit, Pferde stehlen, vertrauenerweckend, ich sage: »Meine Freundin ist auch Studentin, sie ist im dritten Monat schwanger.«

»Ich gratuliere«, sagt dieser verrückte Kerl.

»Wir können in unserer Lage nichts mit einem Kind anfangen. Ich habe gehört, daß Sie uns da vielleicht helfen könnten.«

»Von wem?«

»Von einem Bekannten.«

»Seinen Namen bitte.«

»Den kann ich Ihnen nicht sagen. Er hat mich gebeten . . .«

»Bevor Sie mir nicht den Namen nennen, ist jedes weitere Wort überflüssig.«

Ich zögere, da gibt es einen unerwarteten Freundschaftsdienst und ein Versprechen, vielleicht war die eine Hand, die angeblich die andere wäscht, auch auf diesen Fall bezogen, die Notlagen nehmen kein Ende.

»Also?« sagt er.

»Verstehen Sie mich doch, ich mußte ihm hoch und heilig versprechen . . .«

»Meinen Sie, ich frage aus purer Neugierde? Muß ich Ihnen wirklich erklären, daß es hierbei nicht nur um Sie geht?«

Das kommt mir wie ein stichhaltiges Argument vor, ich sage: »Er heißt Neunherz.«

Er überlegt kurz, dann fragt er: »Der Arzt Neunherz?«

»Ja.«

»Also schön. Im dritten Monat, sagen Sie?«

»Ja.«

»Ist sie ansonsten gesund? Herz, Kreislauf, alles in Ordnung?«

»Soviel ich weiß, ja.«

Er erhebt sich und sagt: »Schicken Sie Ihre Freundin nächste Woche zu mir. Am Fünfzehnten. Abends, so wie jetzt, hierher in meine Wohnung. Ich werde sie untersuchen und dann entscheiden, ob und wann wir den Eingriff vornehmen.«

»Kann ich auch erfahren«, muß ich fragen, »wieviel ...«

»Neunhundert Mark.«

Als ich wieder auf den Flur komme, stürzt der Hund aus einem der Zimmer und fängt von neuem an zu bellen, aber er wahrt respektvoll Abstand. Es ist ein kleiner weißer Spitz mit einer roten Schleife um den Hals, sein Name ist viel zu groß für ihn, die Frau ruft: »Du sollst herkommen, Senta!«

»Also am Fünfzehnten abends«, sage ich.

»So ist es.«

»Vielen Dank für Ihre Hilfe.«

»Ja, ja, schon gut«, sagt Dr. Petri.

IX

Meine Eltern wohnen in Blankenburg, am entgegengesetzten Ende der Stadt, in einem Häuschen, das ursprünglich einmal als Wochenendlaube in die Welt gesetzt worden war, im Laufe der Jahre aber so viele Anbauten und Veränderungen über sich ergehen lassen mußte, daß Schritt für Schritt eine dauerhafte Behausung aus ihm wurde. Bis zu meiner Armeezeit habe ich auch darin gewohnt, jetzt besuche ich sie einmal oder zweimal im Monat, ein Bett ist ständig für mich gemacht. Es ist schön dort, besonders im Sommer, ruhig und gute Luft, nur selten steht der Wind so ungünstig, daß man an die nahen Rieselfelder erinnert wird.

Unser Verhältnis ist schwer zu treffen, es bewegt sich zwischen übergroßer Herzlichkeit, Familiensolidarität und kopfschüttelndem Unverständnis, die Ratschläge meines Vaters, die noch vor zwei Jahren in verschwenderischer Anzahl erteilt wurden, sind mittlerweile einer wohlwollenden Resignation gewichen. Nur wenn er ein paar Schnäpse getrunken hat, was nicht selten geschieht, schwingt er sich noch zu Lebensweisheiten auf, aber auch dann beginnt er mit: »Ich weiß zwar, daß es keinen großen Sinn hat, doch ich sage es dir trotzdem.« Er ist zweiundsechzig Jahre alt, gebürtiger Behördenangestellter, sechs Jahre vorzeitig haben sie ihn pensioniert, aus Gründen der Gicht.

Meine Mutter war, solange ich mich erinnern kann, ständig auf Ausgleich bedacht. Daß wir uns nur nicht streiten, Vater und ich, was meine Wäsche macht, ob ich genügend Vitamine zu mir nehme, nie haben in Gesprächen mit ihr Dinge eine Rolle gespielt, die nicht mein nacktes physisches Wohlergehen betrafen. Sie liebt mich mehr als irgend jemanden sonst, das steht außer Frage, seit ich aus ihrem Blickfeld geraten bin, hat sie den Kopf voller unterdrückter Sorgen. Bei jedem Abschied steckt sie mir heimlich Geld zu, zwischen zwanzig und fünfzig Mark, wie sie gerade mit dem Wirtschaftsgeld hingekommen ist, manchmal bitte ich sie um kleine Hilfen, das tut ihr gut, ich liebe sie auch.

Fünfhundert Mark muß ich mir borgen, ohne Aussicht auf absehbare Rückzahlung, vorhanden sind sie, denn mein Vater ist ein großer Meister in Notgroschen, aber wozu brauche ich eine so gewaltige Summe, auch wenn mir ein plausibler Grund einfallen sollte, weiß ich nicht, ob ich den erforderlichen Mut aufbringe. Einmal erst wollte ich mir von ihnen etwas pumpen, und da war jede Geheimniskrämerei überflüssig, ich brauchte zweihundert Mark für eine Zeltreise an die Ostsee. Mein Vater ließ mich ungefähr zehn Minuten zappeln, dann ging er zum Wohnzimmerschrank, holte seine kleine Stahlkassette heraus, zählte mir zweihundertfünfzig Mark auf den Tisch vor und erklärte sie als elterliche Zuwendung, Mutters und meine Augen strahlten.

»Läßt du dich auch wieder mal sehen«, sagt mein Vater und legt seinen Roman aus der Hand, als ich mit der Mutter ins Zimmer komme. Ich gebe ihm einen Kuß und setze mich, Mutter fragt: »Hast du schon Abendbrot gegessen?«

»Nein.«

»Wir auch nicht, ich mache gleich was. Tee oder Kaffee?«

»Heut mal Kaffee«, sagt mein Vater.

Sie geht hinaus, ich lese auf dem Tisch den Buchrücken, »Mont-Oriol« von Maupassant. Beim letzten Mal waren es die Derbdrolligen Geschichten, dabei hat er bis zu seiner Pensionierung nur Zeitungen und Journale gelesen, neu entdeckte Genüsse am Lebensabend.

»Komm schnell mit«, sagt er, »aber sei leise.«

Er hält einen Finger vor den Mund, das muß auf Mutter gezielt sein, er steht auf und schleicht zur Zimmertür, winkt mit dem Kopf, daß ich ihm endlich folgen soll, ich werde schon sehen. Wir gehen die schmale Treppe hoch, in der Abstellkammer greift er mich am Arm und flüstert aufgeregt: »Aber kein Wort zu Mama, verstanden?«

»Was ist denn los?«

»Ein Weihnachtsgeschenk. Die wird vielleicht Augen machen.«

Hinter dem Regal mit eingemachtem Obst, auf jedem Glas ein Etikett mit Inhaltsangabe und Einweckdatum in Vaters Handschrift, zeigt er auf einen großen Karton und fordert mich auf, einen Blick hineinzuwerfen. Er hat einen Fernsehapparat gekauft, letzte Woche hat er ihn hierhergeschmuggelt, während Mutter einkaufen war, natürlich ist es schade um die vielen schönen Sendungen, die ihnen bis Heiligabend verlorengehen, aber sonst wäre es ja keine Überraschung mehr. Während er den Karton wieder schließt und eine alte Decke zur besseren Tarnung darauflegt, will er hören, was ich dazu sage.

»Die wird vor Staunen umfallen«, sage ich, »das Ding muß ja ein Vermögen gekostet haben.«

»Billig war er nicht gerade, ich habe auch lange überlegt. Aber erstens, weißt du, die langen Abende, wir gehen ja nie aus dem Haus. Und zweitens, was soll man sonst mit dem Gesparten anfangen, zum Leben reicht es allemal.«

»So ist es«, sage ich.

Wir schleichen wieder ins Zimmer, als Mutter zum Tischdecken hereinkommt, sitzen wir da, als wäre nichts geschehen, er zwinkert mir hinter ihrem Rücken zu.

»Soll ich dir helfen?« frage ich sie.

»Du kannst das Tablett hereintragen.«

Ich gehe mit ihr in die Küche, sie nimmt noch eine Fischbüchse aus der Speisekammer und läßt sie mich öffnen, sie fragt: »Was habt ihr oben gemacht?«

»Nichts weiter.«

»Hat er dir den Fernseher gezeigt?«

»Ja«, sage ich und denke, wahrscheinlich kennt sie die nächsten hundert Überraschungen, die er ihr bereiten will, auch schon längst.

»Ich liege ihm seit einem Jahr damit in den Ohren«, sagt sie. »Du weißt ja, wie schwer sich Papa von seinem Geld trennt, als ob Kleister daran wäre. Die Kulickes nebenan haben sich neulich auch einen gekauft, wir waren ein paarmal drüben, das ist ja richtig wie im Kino. Es muß ihm so gefallen haben, daß er sich nun endlich doch entschlossen hat, vielleicht kommst du uns jetzt öfter besuchen, der Bus fährt jetzt alle zehn Minuten.«

Wir essen Abendbrot und trinken Kaffee, mein Vater sieht häufig in die Ecke neben dem Klavier und versucht, auch meinen Blick dorthin zu lenken, vermutlich will er mir zeigen, auf welchem Platz der Fernseher seinen Standort haben wird. Die Mutter bemerkt natürlich nichts, sie greift über den Tisch und legt auf mein Brot noch eine Scheibe Schinken.

»Ihr müßt doch jetzt bald Semesterferien bekommen?«

»Ja, nächste Woche.«

»Möchtest du dann nicht ein paar Tage bei uns wohnen?«

»Vielleicht, mal sehen, wie es mit der Zeit hinkommt.«

»Aber Weihnachten bist du bestimmt hier?«

»Versteht sich.«

»Bist du eigentlich immer noch mit diesem Mädchen zusammen, von dem du erzählt hast, wie hieß sie doch rasch, Lola?«

»Ja, das geht immer noch gut.«

»Und deine Wirtin, kommt ihr immer noch miteinander aus?«

»Ja, alles bestens.«

»Man sieht dich ja so selten.«

Den Rest des Abendbrots über rechne ich Gleichungen mit vielen Unbekannten, der Fernseher hat mir allerhand Wind aus den Segeln genommen, man müßte die Möglichkeit haben, einen klärenden Blick in seine Stahlkassette zu werfen. Viel wird nicht mehr drin sein, für meine Zwecke könnte es reichen, aber sie haben schließlich auch eigene Zwecke, ich kann keine Hilfe bis zur völligen Erschöpfung verlangen. Eine leise Wut auf Lola packt mich, was heißt das, ihre Eltern dürfen nichts erfahren, sie würden sie sonst umbringen. Sagt mir so ein bequemes Sätzchen, und ich irre ratlos durch die Weltgeschichte. Ihr Vater schwimmt in Geld, nicht meiner, der ist pensionierter Behördenangestellter, soll sie sich doch eine verdammte Ausrede einfallen lassen, irgendeinen faulen Vorwand, ich muß es ja auch tun, und nirgendwo steht geschrieben, daß ich Spezialist für Ausreden bin. Im Gegenteil, wenn man zwischen so viel gutem Einkommen aufgewachsen ist wie sie, dann wirken plötzliche kostspielige Bedürfnisse weit glaubhafter als bei mir mit meinem Kleineleutemilieu.

»Hast du irgendwelche Sorgen, Gregor?« fragt die Mutter.

»Nein, nein, ich habe bloß an was gedacht.«

»Bestimmt nicht?«

»Wenn er etwas auf dem Herzen hat, wird er es uns schon sagen«, sagt mein Vater.

»So ist es«, sage ich.

Natürlich ist noch kein fertiger Beschluß gefaßt, am Ende können sie mir doch auf wunderbare Weise helfen, ohne sich restlos zu verausgaben, aber wie verschaffe ich mir ohne plumpe Fragen

Klarheit? Wenn die Weihnachtsüberraschung ein erstklassiger Kleiderstoff gewesen wäre, könnte ich hemmungslos reden, am besten, Vater hätte noch gar nichts gekauft, er hätte mich fragen sollen, ob ich ihm nicht raten könnte, was man ihr zum Fest schenkt. Mir wäre eine hübsche Wäschegarnitur eingefallen oder ein kariertes Seidentuch, bei Lage der Dinge fällt mir nichts ein, ich sehe es kommen, daß der weite Weg nach Blankenburg auf einen Routinebesuch bei den Eltern hinauslaufen wird.

Nach dem Essen, als der Tisch bis auf die Tassen abgeräumt ist und die Mutter wieder sitzt, ihr Strickzeug auf den Knien, fragt sie: »Erfüllst du mir heute wieder einen Wunsch?«

»Welchen denn?«

»Du weißt schon.«

Ich weiß, ich habe nämlich vier Jahre lang Klavierstunden bekommen, sie waren ein wesentlicher Bestandteil des Planes, unser Sohn soll es einmal besser haben, kein Kraut war dagegen gewachsen. Vier Jahre lang schien draußen die liebe Sonne, oder Frau Holle schüttete ihre Betten auf, daß es nur so stob, und ich saß auf dem Drehstuhl vor dem braunen Instrument und klimperte Czerny-Etüden. Initiator war mein Vater. Wie ich nach und nach erfuhr, hatte ihm der erste Weltkrieg sein geliebtes Schifferklavier genommen, er schaffte sich danach kein zweites mehr an, aber eine verklärte Sehnsucht war ihm geblieben, besonders als die Gicht ihn zu plagen begann, die wurde dann auf mich abgewälzt. Die schwachen Äußerungen meiner Interessenlosigkeit blieben ungehört, ich war ein schüchternes Kind, auch meine Mutter redete mir gut zu. Zum Glück starb nach vier Jahren der Klavierlehrer, der einzige weit und breit, ich hätte zum nächsten mit dem Omnibus und dann mit der Straßenbahn fahren müssen, das war unzumutbar. Seit dieser Zeit habe ich nie wieder ein Klavier angerührt, nur wenn ich hier zu Besuch bin, und das auch nur auf ausdrücklichen Wunsch. Mein Vater fragte mich mehrmals, ob ich es nicht in mein möbliertes Zimmer mitnehmen könnte, damit ich nicht aus der Übung käme, aber ich habe ihm die Örtlichkeiten so beschrieben, daß bei Frau Sauerbier kein Platz ist. Ich soll vorspielen.

»Was willst du hören?« frage ich.

»Du weißt schon.«

Meine Frage ist reichlich übertrieben, denn mein Repertoire besteht nur aus drei holprigen Stücken »La Paloma« für Vater und zwei Beethoven-Kompositionen, dem »Albumblatt für Elise« und Variationen über »Ach, du lieber Augustin«, meine Mutter kann sich an dem Albumblatt nicht satthören. Ich setze mich also ans Klavier, klappe den Deckel hoch, nehme das grüne Filztuch von den Tasten, ich drehe mich noch einmal um und empfange das aufmunternde Kopfnicken der Mutter. Dann geht es los, ich muß meine ganze Aufmerksamkeit den ungelenken Fingern zuwenden, kein virtuoser Blick zwischendurch zum Publikum, doch auch so weiß ich recht genau, was hinter meinem Rücken geschieht. Vater nimmt nach spätestens zehn Takten sein Buch wieder zur Hand, die Musik ist ja ganz nett, aber für seinen Geschmack zu gefühlvoll, er wird später einen Wunsch äußern. Mutter stellt den Korb mit Nadeln und Wolle auf den Tisch, ihr Schoß bleibt ganz und gar den gefalteten Händen vorbehalten, ein zufriedenes Lächeln überzieht ihr Gesicht, was für gelungene Töne unser Junge diesem Instrument entlockt. Jedenfalls lauscht sie voller Hingebung, es kann sogar sein, daß ihr ein paar Tränen die Augen füllen, vielleicht an der Stelle, wo es sanft bergauf geht und dann allmählich in die Rechtskurve, die hat sie besonders gerne. Ich höre, wie sie flüstert: »Hör doch mal zu.«

»Denkst du, ich bin taub?« höre ich den Vater.

»Pst!«

Im neuen Jahr, vermute ich, wird es solche Probleme nicht mehr geben, dann steht der Fernseher in der Ecke, spendet seine abwechslungsreichen Bilder und läßt das Verlangen nach stümperhaften Hauskonzerten hoffentlich in Vergessenheit geraten. Aber bis dahin ist noch viel Zeit, als ich das Albumblatt glücklich hinter mir habe, meldet sich mein Vater zu Wort, ich gebe also auch »La Paloma«. Bis mir die ungeübten Finger weh tun, ich sage: »Schluß für heute.«

»Schön hast du gespielt«, sagt die Mutter.

Ich lege das lange Filzband wieder zurecht und schließe den Kasten, noch eine Tasse Kaffee und eine Zigarette, dann werde ich gehen. Das Stipendium fällt mir ein, zweihundert Mark noch vor den Ferien, aber die sind verplant für Paprikaspeck, Miete und Fahrgeld. Lola bekommt keins, ihre Eltern verdienen zuviel, unser nächstes Zusammensein morgen wird verdrießlich. Geldangelegenheiten werden zur Sprache kommen, vielleicht auch nicht verdrießlich, wenn sie ein Einsehen hat und Wege zum väterlichen Portemonnaie erkundet, es bleibt keine andere Wahl.

»Das Wichtigste habe ich dir noch gar nicht erzählt«, sagt meine Mutter plötzlich. »Stell dir vor, der Udo heiratet Sylvester. Tante Hildchen hat geschrieben, es soll ein sehr gescheites Mädchen sein. Stenotypistin.«

»Das ist ein Ding«, sage ich.

»Sie wohnen vorläufig bei Hildchen, aber das ist auf die Dauer keine Lösung.«

Wir verbleiben bis spätestens Heiligabend, ich gebe Vater den Abschiedskuß und gehe hinaus, die Mutter bringt mich zur Tür. Sie sagt: »Warte einen Moment.«

Während ich den Mantel anziehe, holt sie aus der Küche ein Töpfchen Schmalz, selbstgemachtes aus Gänseliesen, mit Pergament zugebunden, das drückt sie mir in die Hand. Durch das Papier hindurch rieche ich nahe Genüsse, aufs Kochen versteht sie sich wie keine zweite, solche mitgegebenen Töpfchen haben mir schon viele einsame Abende erleichtert.

»Diesmal kann ich dir kein Geld geben«, sagt sie bedauernd. »Wahrscheinlich steckt der Fernseher dahinter, er hat für Dezember weniger rausgerückt als sonst.«

»Aber Mama.«

X

»Habe ich dich schon jemals um einen Gefallen gebeten?« frage ich.

»Eigentlich nicht«, sagt Hensel.

»Und du mich?«

»Auch nicht.«

»Bist du sicher? Ist das vielleicht kein Gefallen, wenn ich hier jede Woche dreimal sitze und mir stundenlang deine Geschichten anhöre?«

»Sind die wirklich so langweilig?«

Hensel ist siebenundsiebzig Jahre alt, so behauptet er jedenfalls, anhanglos, und er besitzt die seltene Fähigkeit, nie etwas übelzunehmen. Manchmal nutze ich das aus, ihn stört es nicht, und mir hilft es, wenn irgendwelcher Kummer ansteht, besuche ich ihn im Hinterhaus, schimpfe kreuz und quer durch die Landschaft, und weil er gewöhnlich anderer Ansicht ist als ich, beschimpfe ich ihn auch gleich mit, davon wird mir auf unerklärliche Weise wohler. Wir haben uns während meines Einzuges kennengelernt, genauer gesagt kurze Zeit davor, ich war zu ersten Verhandlungen hingefahren, sah Hensel durch den Hausflur hinken, es war so düster, daß man das Namensverzeichnis an der Wand nicht lesen konnte, und die Treppenbeleuchtung funktionierte nicht. Ich fragte ihn, in welchem Stock eine gewisse Frau Sauerbier wohnt, er fragte zurück, ob ich etwa der arme Student wäre, der bei ihr einziehen wollte, und als ich ja sagte, sah er sehr mitleidvoll aus. Aber nie hat er erläutert, was dahintersteckte, bis heute kein weiteres Wort aus seinem Mund über Frau Sauerbier, und auch wenn ich bei ihr das Gespräch auf Hensel zu bringen versuche, bekommt sie kleine Augen. Ihre schmalen Lippen kräuseln sich, und sie sagt: »Reden wir doch lieber von etwas anderem, Herr Bienek«, ich vermute eine mißglückte Liebesaffäre, obwohl mir jeder Beweis dafür fehlt.

Gleich am ersten Abend bei ihm eine erstaunliche Geschichte, Hensel erklärte mir lang und breit sein steifes Bein, er hält sich für eins der letzten Kriegsopfer, wenn nicht gar für das allerletzte. Am achten Mai 1945 hörte er im Radio von der bedingungslosen

Kapitulation, nach eigenen Angaben eine Nachricht, auf die er schon sehnsüchtig gewartet hatte, die Freude war so groß, daß er aus dem Vertiko eine Flasche Schnaps holte, Kräuterlikör, der dort über viele Monate hinweg eigens für diesen Anlaß aufgehoben worden war. »Ich hatte ja keinen Menschen, mit dem ich anstoßen konnte«, also trank er die Flasche alleine leer, geriet in Siegestaumel. »Niederlagentaumel, das war kein Unterschied«, plötzlich fiel ihm auf, daß seine beiden Fenster noch verdunkelt waren. Er holte die Leiter aus der Küche, riß das schwarze Papier von den Scheiben, beim ersten Fenster ging alles gut, doch beim zweiten fiel er von der Leiter, brach sich ein Bein, es blieb steif für alle Zeiten. Die Reihenfolge, Junge, es gibt kaum etwas Wichtigeres als die Reihenfolge, wenn er doch damals bloß zuerst entdunkelt und dann gesoffen hätte.

»Du mußt mir fünfhundert Mark borgen«, sage ich.

»Machst du Witze?« sagt Hensel.

»Ich brauche sie dringend.«

»Und ich bin ein alter Rentner, dem das Wasser bis zum Hals steht. Weißt du, wieviel ich im Monat kriege? Hundertzweiundneunzig. Davon leg ich mir dreihundert zurück für alle Fälle.«

»Du hast ein dickes Konto, Hensel. Du säufst jeden Monat für so viel, daß es gar nicht anders zu erklären ist.«

»Das geht dich einen Scheißdreck an.«

»Und weiter?«

Hensel zieht die Tischschublade auf, kramt mit beiden Händen darin herum, räumt Lappen zur Seite, Pillenröhrchen, Scharniere, Zettel, Leukoplast, endlich bringt er ein dünnes Heft zum Vorschein und wirft es vor mich auf den Tisch, sein Bankbuch. Er sagt: »Sieh nach.«

»Aber wozu denn?« sage ich. »Es geht mich ja wirklich einen Scheißdreck an. Wenn du sagst, es geht nicht, dann geht es eben nicht.«

»Sieh nach.«

Ich muß eine ganze Weile blättern, bis ich beim neuesten Kontostand angelangt bin, ich komme mir schäbig dabei vor, aber das ist wohl der Sinn der Sache, die letzte Eintragung lautet auf den Pfennig genau siebentausendfünfzig Mark. Damit war nicht zu rechnen, Hensel hält immer neue Überraschungen bereit, auf einmal ist er verkappter Millionär, es müßte mit dem Teufel zugehen, wenn ich ohne Darlehen sein Zimmer verlasse.

»Na?« sagt Hensel und hebt dabei das Kinn, es hört sich an wie die Frage: »Hast du nun auch eingesehen, daß ich dir nichts borgen kann?«

Ich sage: »Bis jetzt habe ich gehofft, daß du mir was pumpst, aber jetzt bin ich sicher. Daß du mir von deinen Siebentausend nichts abgeben willst, das kann ja wohl bloß ein Ulk sein.«

»Schöner Ulk«, sagt Hensel und seufzt und seufzt. »Hör gut zu, ich mache dir jetzt eine Rechnung auf, und wenn du einen einzigen Fehler drin findest, zeig ihn mir. Ich brauche jeden Monat dreihundertfünfzig Mark zum Leben. Du kannst mir tausendmal sagen, das ist zuviel, ich brauche sie, und damit Schluß. Rund zweihundert kriege ich von Staats wegen, das heißt, ich muß Monat für Monat hundertfünfzig vom Konto abheben. Siebentausendfünfzig geteilt durch hundertfünfzig macht genau siebenundvierzig. Stimmt es? Für siebenundvierzig Monate reicht mein Geld auf der Bank. Das sind keine vier Jahre, wenn die Zinsen dazukommen, vielleicht etwas drüber. Dann bin ich einundachtzig, älter will ich nicht werden, aber bis dahin ist alles gesichert. So. Und wenn ich dir fünfhundert gebe, weißt du genausogut wie ich, daß ich sie nie wiedersehe. Wovon will mir ein armer Schlucker wie du fünfhundert Mark zurückzahlen? Die Frage lautet also, ob ich es mir leisten kann, fünfhundert Mark zu verschenken, und ich finde, ich kann es nicht.«

»Rede keinen Mist, denkst du ernsthaft, in vier Jahren schaffe ich es nicht, dir die paar Kröten zurückzuzahlen?«

»Das denke ich«, sagt Hensel. »Wofür brauchst du das Geld überhaupt?«

»Das hätte ich dir nicht mal verraten, wenn du es mir geben würdest. Entschuldige die Störung.«

Ich stehe auf und gehe, er soll ruhig merken, wie enttäuscht ich bin, ich höre noch, wie Hensel sagt: »Bitte, bitte, geh doch . . .«

Auf dem Hof ist Vollmond, man vernimmt ein leises Stimmengewirr, von Radiosprechern, Fernsehakteuren und von Menschen, auch Musik klingt dazwischen, der Schlüssel steckt.

Frau Sauerbier, guten Abend, guten Abend, Zähneputzen, als ich fünf Minuten zornig im Bett liege, höre ich ein undefinierbares Geräusch. Bald darauf ein zweites, das ist schon deutlicher, ein Steinchen ist gegen die Scheibe geflogen. Ich wickle mich aus meinem Deckbett und öffne das Fenster, eine Etage tiefer steht Hensel im Hof und ruft leise: »Mach mal auf, die Alte soll es nicht merken.« Dann sitzt er auf meinem einzigen Stuhl, ich liege im Bett, Hensel sagt: »Du bist so plötzlich gegangen.«

»Hatte heute keine Lust zum Quatschen.«

»Hast du was zu trinken da?«

»Nein.«

»Dachte ich mir schon«, sagt Hensel. Aus seiner Rocktasche fingert er ein kleines Fläschchen Wodka, so ein Viertel- oder Fünftelliterding, wie es Rentner gerne kaufen, weil sie größere Ausgaben scheuen und dabei außer acht lassen, daß solche kleinen Portionen auf die Dauer teurer kommen. Er sagt: »Gibst du mir mal ein Glas?«

»Ich habe keins hier, ich müßte es aus der Küche holen.«

»Dann hol es doch bitte.«

»Kannst du nicht aus der Flasche trinken?«

»Ich trinke nie aus der Flasche.«

Als ich mit dem Glas aus der Küche komme, steht Frau Sauerbier natürlich im Korridor, sie dreht den Kopf zur Seite, weil ich in Unterhosen bin, aber was sie zu sagen hat, muß sie sagen: »Kann er sich nicht in seinem eigenen Zimmer betrinken?«

»Jetzt haben Sie es geschafft«, sage ich ernsthaft, »gleich morgen suche ich das Loch in meiner Wand, und dann wird es zugestopft.«

Sie zieht sich so entrüstet zurück, daß ich mit fröhlichem Gesicht wieder in mein Zimmer komme, Hensel fragt: »Worüber grinst du?«

»Daß ein Säufer wie du aus Prinzip nicht aus der Flasche trinkt. Ist mir noch nie an dir aufgefallen.«

Ich gebe ihm das Glas und lege mich wieder ins Bett, er entkorkt die Flasche mit viel Kraftaufwand, gießt sich ein, kein Tropfen geht verloren, er streift die Flasche am Glasrand ab. Wie Hensel trinkt, das ist ein schildernswerter Vorgang, zuerst zieht er die Augenbrauen hoch. Seine Lippen spitzen sich schon im Vorgenuß, während das Glas noch auf dem Tisch steht, er nimmt es mit der

Linken, wechselt auf halbem Wege in die Rechte über, er sieht nie das Glas an, sein Blick ist immer einen Schritt voraus. Also im Moment des Ansetzens steil nach oben gerichtet, er trinkt in winzigen Schlucken, als das Glas leer ist, kneift er die Augen fest zu, öffnet sie bald wieder, jetzt auf den Boden des Glases gerichtet und einige Tränen darin, dann der Rückweg, erneutes Wechseln diesmal in die linke Hand, abstellen, es folgt ein leichter Hustenanfall. So ungefähr trinkt Hensel.

»Hast viel zu tun?« fragt er.

»Wieso?«

»Weil du eine Woche nicht mehr bei mir oben warst.«

»Führst du Buch, wie oft ich komme?«

»Das nicht gerade, ich merke es mir einfach so. Ich hab es nicht schwer mit den Terminen, entweder du besuchst mich, oder keiner besucht mich. Da bringt man nichts durcheinander.«

»Ich heule gleich vor Mitleid«, sage ich.

»Du kannst mich mal.«

»Gib doch eine Annonce auf«, sage ich. »Vermögender Mittsiebziger ohne Anhang sucht rüstiges Frauchen mit viel Sinn für Schnaps. Kostet höchstens zehn Mark.«

»Ich hätte dir das Buch nicht zeigen sollen«, sagt Hensel. »Ich habe gleich gewußt, es war ein Fehler.«

Er gießt sich wieder ein, nimmt dann meine Zigaretten vom Tisch und raucht. Ich sage: »Wirf mir mal die Schachtel rüber.«

Doch er wirft nicht, er bemüht sich selbst, er gibt mir auch Feuer mit seinem Feuerzeug, das niemand außer ihm in Brand kriegt, es stinkt wie ein ausgelaufener Tankwagen. Als er wieder am Tisch sitzt, leckt er sich die Lippen und sieht mich an, aber eigentlich sieht er mich gar nicht an, er sieht nur das Schnapsglas nicht an, zwischen ihm und dem Glas findet ein ununterbrochener stummer Kampf statt.

»Laß mich mal ein bißchen kombinieren«, sagt er. »Du brauchst Geld, und zwar eine kräftige Summe, das kann nur bedeuten, du hast irgendwo Schulden gemacht. Aber ein Typ wie du macht nur dann Schulden . . .«

»Was heißt das, ein Typ wie ich?« frage ich dazwischen.

»Ein biederer Typ wie du macht nur dann Schulden, wenn er Aussichten hat, das Geld an einem anderen Ende wieder reinzukriegen. Also ist dir was schiefgegangen. Du hast was geschrieben, hast gedacht, diesmal werden es die Hunde nehmen, aber sie haben dir das Ding wieder mal um die Ohren gehauen. Richtig?«

»Was du dir zurechtspinnst«, sage ich. »Lola ist schwanger, und wir wollen kein Kind haben. Dafür brauche ich Geld.«

»Ei, ei, ei«, sagt Hensel und trinkt auf seinen Schreck das zweite Glas.

Wahrscheinlich war es dumm von mir, ihm klaren Wein einzuschenken, man kann ihm fast nichts sagen, was er nicht schon einmal so oder ähnlich selbst erlebt haben will, gleich wird er mir eine endlose Geschichte erzählen, welche Rolle verhinderte Babys in seinem eigenen Leben gespielt haben, dafür fehlt mir im Moment jede Lust.

»Wenn ich jetzt nichts verwechsle, war es vierundzwanzig oder fünfundzwanzig«, beginnt Hensel folgerichtig, wobei er sich zum drittenmal eingießt, »um Ostern herum. Damals wohnte ich noch draußen in Lichterfelde, und zwar Tür an Tür mit einer ...«

»Sei mir nicht böse, Hensel«, sage ich, »aber erzähl mir deine Scheißgeschichte lieber morgen. Ich bin jetzt nicht in der richtigen Verfassung.«

»Gib nicht so an mit deiner Verfassung«, sagt Hensel, aber er hört auf.

Wir schweigen uns minutenlang an, die Stille wird nur unterbrochen vom Gluckern der Flasche, als er den letzten Rest eingießt, von seinem Husten und vom Husten Frau Sauerbiers hinter der dünnen Wand. Ich denke immer nur an dasselbe, wie ich Lola ohne aufwendigen Krach beibringe, daß sie sich um das Geld kümmern muß, es heißt, Not macht erfinderisch. Lola ist in genauso großer Not wie ich, die Hoffnung Hensel dürfte sich erledigt haben, es war meine letzte.

»Wie heißt du eigentlich mit Vornamen?« frage ich.

Er sieht mich verwundert an, als hätte er alles erwartet, nur das nicht, er fragt: »Wieso willst du das wissen?«

»Was heißt wieso? Wir kennen uns jetzt bald anderthalb Jahre, da müßte ich es doch verdient haben, daß du mich ins Vertrauen ziehst.«

»Reicht dir Hensel nicht?«

»Steck dir doch deinen Scheißvornamen an den Hut.«

»Ich heiße Carl-Maria«, sagt er leise, den Blick zum verhangenen Fenster gerichtet, es hört sich an wie das peinlichste aller Eingeständnisse. »Aber erzähl das keinem, außer auf Behörden und Ämtern, wo man Fragebogen ausfüllen muß, weiß es niemand.«

Sofort habe ich glänzende Laune, irgendwie schafft es Hensel immer, ich deute mit dem Kopf zur Wand und sage: »Und die Alte nebenan?«

»Wie kommst du darauf?«

»Weiß sie es oder nicht?«

Carl-Maria trinkt sein letztes Glas, diesmal dauert der Husten etwas länger, er wischt sich auch noch die Tränen aus den Augen, Carl-Maria. Er sagt: »Komm morgen früh zu mir, wir gehen dann zusammen zur Sparkasse.«

»Weißt du eigentlich, daß ich dich liebe?« sage ich.

»Meine dämliche Mutter hat mir diesen Namen angehängt, niemand sonst, diese Kuh«, sagt Hensel. »Sie war damals verliebt in einen Bariton von der Königlichen Oper, achtzehnachtzig hießen die so. Deswegen hab ich auch nie meinen Vater gesehen, das war vielleicht ein Roman.«

»Erzähle«, sage ich.

Hensel erzählt los, es ist nach meinen Vermutungen eine zu mindestens neunzig Prozent erlogene Geschichte, aber im Laufe der Jahre hat sie das Schicksal vieler Geschichten erlitten, sie ist ins Unerschütterliche gewachsen, in allen Einzelheiten, für Hensel gibt es nichts daran zu rütteln, seine Worte sind der einzige und beste Beweis. Also, im Jahre achtzehnhundertachtzig kam der Tenor Carl-Maria Bertolini neu an die Oper und sang sich im Handumdrehen in die Herzen aller Frauen. Besonders nachhaltig in das von Hensels Mutter Mathilde.

»Wieso Tenor? Ich denke, er war Bariton?« sage ich.

»Wer behauptet das? Er war Tenor.«

Mathilde Hensel ging jeden zweiten Abend in die Vorstellung, sie konnte sich das leisten, denn ihr Ehemann Friedrich war Oberinspektor bei den Städtischen Wasserwerken, verdiente nicht schlecht, hatte auch nichts für Musik übrig, außer dem Geld, das er seiner Frau gab, damit sie ihren Neigungen frönen konnte. An einem solcher Abende lernte sie Carl-Maria Bertolini persönlich kennen, sie wagte nach der Aufführung einen kecken Blick hinter die Kulissen, bat Bertolini um ein Autogramm, der lud seine Verehrerin daraufhin ein, denn sie war eine selten ansehnliche Person. Man weiß, wie so etwas vor sich geht, es entwickelte sich ein schändliches Verhältnis, und der gute Friedrich Hensel ahnte nichts von seinen Hörnern.

»Sie ging immer noch jeden zweiten Abend angeblich in die Oper, aber immer nur dann, wenn dieser Scheißbartolini keine Vorstellung hatte, verstehst du?«

»Klar.«

Kurz und gut, fast zwei Jahre lang betrogen sie Friedrich nach Strich und Faden, bis etwas Unvorhergesehenes dazwischenkam. Mathilde war wieder einmal weg, ihr Mann traf sich mit Freunden, zufällig kam das Gespräch auf die Oper, da behauptete einer der Anwesenden stock und steif, er wisse ganz genau, daß heute abend überhaupt keine Vorstellung stattfinde. Friedrich Hensel ging heimlich der Sache nach, erkundigte sich an der Kasse, und es stellte sich heraus, daß die Information stimmte, die Vorstellung war tatsächlich ausgefallen. Er verlor kein Wort darüber zu Mathilde, doch als sie das nächstemal in die Oper wollte, verfolgte er sie. Bis in eine Privatwohnung, und man kann sich seine Stimmung ausmalen, als er auf dem Türschild las: Carl-Maria Bertolini. Er klopfte, ein Dienstmädchen machte auf, Friedrich stieß sie zur Seite und drang in das Schlafzimmer ein, dort waren sie schon in flagranti, obwohl noch keine fünf Minuten seit ihrem Kommen vergangen waren. Zuerst kriegte Mathilde ein paar mächtige Ohrfeigen, dabei war Friedrich ansonsten ein gesetzesfürchtiger und friedvoller Mensch, dann beging Bertolini den verhängnisvollen Fehler, ihr beistehen zu wollen, woraufhin er sofort erwürgt wurde. Richtiggehend erwürgt. Das Dienstmädchen schrie das ganze Haus zusammen, bald war auch die Polizei da, Friedrich Hensel wurde verhaftet, bevor sich seine Frau noch fertig angezogen hatte. Er saß zwei Tage im Gefängnis, aber das ist schon wieder eine andere Geschichte.

»Zwei Tage für einen Mord? Das glaubst du doch selber nicht«, sage ich.

Dabei ist die Erklärung einfach, das Urteil lautete auf fünfzehn Jahre, doch Friedrich machte es kurz, nach zwei Tagen beendete er sein sinnlos gewordenes Leben und seine Schmach, er hängte sich in der Zelle auf.

»Und ausgerechnet da muß meine Mutter in gesegneten Umständen sein«, sagt Hensel. »Mann tot, Geliebter tot, der Fall ist damals durch alle Zeitungen gegangen. Jedenfalls hab ich nie meinen Vater zu Gesicht bekommen, wer von beiden es auch war, nur der Name ist an mir hängengeblieben. Viel lieber hätte ich Friedrich geheißen, und das ist auch nicht gerade eine Zierde, aber immer noch besser als dieses verfluchte Maria. Jede anständige Frau hätte an ihrer Stelle das Kind so getauft.«

Hensel fragt: »Wie spät haben wir es schon?«

»Zwölf durch«, sage ich. »Willst du schon gehen?«

»Soll ich nicht?«

»Bleib doch noch ein bißchen.«

Die Wodkaflasche ist unwiderruflich leer, das macht ihm Kopfzerbrechen, doch Zigaretten sind noch da, Hensel sagt: »Wahrscheinlich hab ich eben die teuerste Geschichte meines Lebens erzählt. Das Unsympathische an dir ist, daß man deine Geduld für ein paar lausige Kröten kaufen kann.«

»Ist das nicht normal?«

»Nee, Gregor, nimm mich. Meine Geduld hast du immer, kostet dich keinen Pfennig, bloß du erzählst nie was. Alles muß man dir aus der Nase rausholen. Ich wette sonstwas, wenn es bei dir in letzter Zeit keine Schiffbrüche gegeben hat. Außer der Sache mit deinem Mädchen, meine ich.«

Da berichte ich ihm von dem Schiffbruch im Verlag, der doch immerhin ein erster kleiner Sieg war, ich sage, vielleicht steckt hier die Zukunft ihr Köpfchen zaghaft aus dem Mauseloch, mit aller gebotenen Zurückhaltung, ich präsentiere ihm auch den Vertrag. Hensel liest Zeile für Zeile, sein Mund formt lautlos jedes Wort, er muß, weil er keine Brille bei sich hat, die Arme dabei so weit ausstrecken, daß sie in den Gelenken knacken. Schließlich sagt er: »Die Sache riecht muffig. Daraus wird nie was.«

»Warum?«

»Ist das die Sache, wo sie diesem Mann einen Zahn nach dem anderen ziehen?«

»Ja.«

»Du bildest dir doch nicht im Ernst ein, daß sie den Quatsch drucken?«

»Und wozu zahlen sie mir das Geld?«

»Erstens haben sie genug, es tut ihnen nicht weh, und zweitens könnte ja doch mal was aus dir werden, dann heißt es, sie haben dich gefördert. Aber diese Zahngeschichte wird nicht gedruckt, da denken die nicht im Traum dran.«

»Was hast du schon für eine Ahnung«, sage ich.

»Mehr als du mit deinen Scheißvierundzwanzig. Willst du hören, wo dein Fehler liegt? Du willst unbedingt ein Held sein, das ist es. Immerzu willst du den Helden markieren, kommst ihnen mit Geschichten, daß einem schon vor der ersten Zeile mulmig wird, statt hübsch normal und sachte zu beginnen, wie es sich eben für Anfänger gehört.«

»Ja, ja, ich weiß«, sage ich und verdrehe die Augen, »Lehrjahre sind keine Herrenjahre.«

»Jawohl, Lehrjahre sind keine Herrenjahre, stimmt das vielleicht nicht? Wo steht geschrieben, daß die guten alten Wahrheiten nicht mehr stimmen? Du willst von Anfang an ein Held sein, und ich sage dir, Helden halten bloß den Betrieb auf. Wegen denen dauert alles viel länger.«

»Du mußt nicht so schreien, Hensel«, sage ich. »Morgen schiebt Frau Sauerbier alles auf mich.«

Er winkt ab, als wäre ihm schlagartig die Erleuchtung gekommen, daß es absolut keinen Sinn hat, mir etwas beweisen zu wollen, wie meinem Vater schon vor Jahren. Er steht ächzend auf, geht zur Tür und sagt: »Schlaf schön.«

»Bleibt es bei morgen früh?« frage ich.

»Warum nicht, Treue ist meine Spezialität. Und Idioten muß man besonders hartnäckig unter die Arme greifen.«

»Brauchst du einen Schuldschein? Ich könnte einen vorbereiten und ihn gleich mitbringen.«

»Das fehlte gerade noch«, sagt Hensel, öffnet die Tür und steckt vorsichtig den Kopf hinaus.

XI

Am Bahnhof Zoologischer Garten steigen wir aus der S-Bahn, Lola und ich, ich habe sie von Dr. Petri abgeholt, eine geschlagene Stunde mußte ich vor dem Haus warten, in drei Tagen soll es gemacht werden. Daß ich nun das viele Geld zusammenhatte, konnte sie nicht sonderlich begeistern, sie war so mit sich und dem bevorstehenden Eingriff beschäftigt, daß kein Wort der Anerkennung für mich übrigblieb. Ich fragte: »Was wollen wir jetzt machen?« »Wir gehen zu mir oder zu dir, oder ich gehe alleine, ist doch egal«, sagte sie.

Ich habe im Gehen den Arm um ihre Schulter gelegt, irgendeine beschützende Geste, dabei merkte ich, daß sie ein wenig zitterte, vielleicht wirklich vor Kälte, ich schlug ihr einen Film vor, und sie sagte: »Meinetwegen.«

»Am Steinplatz läuft ein Chaplin-Film, ›Modern Times‹, sehen wir uns den an?« fragte ich.

Wieder sagte sie: »Meinetwegen.«

Dabei macht sie sonst immer Einwände, wenn ich mit ihr nach Westberlin ins Kino will, wir haben uns oft darüber gestritten, manchmal kam sie mit und manchmal nicht, je nach Laune, eine ihrer Antworten hieß: »Frag mich nicht dauernd nach Gründen. Es gibt Argumenteentscheidungen, und es gibt Sympathieentscheidungen.« Dagegen ließ sich nichts sagen, an dem betreffenden Abend werde ich wohl alleine geblieben sein, aber heute kam es zu keiner Diskussion, wir steigen am Zoologischen Garten aus der Bahn.

Bis zum Kino sind es kaum fünf Minuten, eine kleine Schlange steht vor der Kasse, ich stelle mich hinten an und sage zu Lola: »Gib mir deinen Ausweis.«

Wir brauchen die Ausweise als Legitimation, um eins zu eins in unserer Währung bezahlen zu dürfen, das ist hier so, sie holt ihn aus der Manteltasche und steckt ihn mir verstohlen zu, als wäre es unangenehm vor den Leuten. Ich kaufe zwei Karten, dann haben wir noch ein wenig Zeit, Lola möchte keine Schokolade, wir gehen über den Platz zu den Schaufenstern der gegenüberliegenden Buchhandlung, was seit dem letztenmal neu hinzugekommen ist.

»Ich würde jetzt gerne nach Hause fahren«, sagt Lola.

»Bist du verrückt, wir haben doch schon die Karten.«

»Trotzdem.«

Ich sehe sie hilfesuchend an, aber sie bleibt standhaft, so wichtig ist mir der Film auch nicht, ich hoffe nur, in wenigen Tagen, wenn ihr Ausnahmezustand behoben sein wird, reagiert sie wieder normaler. Ich gehe also vor ihr her zurück zum Kino, vielleicht findet sich ein Käufer, an der Kasse stehen immer noch ein paar Leute. Die Karten habe ich schon in der Hand, aber so einfach geht das nicht mit dem Anbieten, ich sage zu Lola: »Wir müssen die Karten dann wegschmeißen.«

»Warum? Frag doch jemand.«

»Zuerst müßte ich ihn fragen, ob er aus dem Osten ist. An der Sperre wollen sie die Ausweise noch mal sehen.«

»Komm, wir gehen rein«, sagt sie.

Für heute gebe ich es endgültig auf, hinter ihre Ratschlüsse zu kommen, wir sind fast die ersten im Kino, die Plätze sind nicht numeriert, wir setzen uns in die Mitte einer mittleren Reihe. Ich greife nach ihrer Hand, das ist schon fast ein Reflex bei mir geworden, ich glaube, seit wir uns kennen, habe ich noch nie einen Film ohne ihre Hand gesehen. Aber sie zieht sie weg, dabei habe ich doch nichts verbrochen.

»Könnte es sein, daß du ein bißchen übertreibst?« sage ich.

»Laß mich in Ruhe«, sagt sie.

Wir schweigen bis zum Ende der Vorstellung, vor allem bis zum Beginn, das sind gute zehn Minuten. Nur während der Wochenschau sagt sie einmal: »Sieh dir das an!« Auch beim Hauptfilm höre ich sie nicht lachen, obwohl sie sich sonst an Stellen amüsiert, die kein Mensch außer ihr komisch findet, vielleicht will sie mich aus Gott weiß was für Gründen ärgern, vielleicht ist ihr auch wirklich so elend, nach Petri. Im Gegensatz zu mir sieht sie irgendeinen langweiligen Film.

Als wir wieder auf die Straße kommen, in bescheidenem Gedränge, ist der Rest des Abends vorgegeben, sie wird zu sich fahren und ich zu mir, aus uns beiden kann heute nichts Vernünftiges werden. Womöglich setze ich mich endlich an die Geschichte mit den Zähnen, irgendwann ist die erste Seite fällig. Die lange Rückfahrt dürfte zähflüssig ausfallen, ich denke nicht daran, mich ihr noch einmal mit freundlichen Worten aufzudrängen, wie groß ihr Kummer sein mag, es ist auch meiner, sie soll begreifen, daß ich nicht ihr Schuttabladeplatz bin. Da überholt uns jemand, stellt sich mir in den Weg, macht Augen, als wollte er gleich die Arme ausbreiten und ruft: »Mensch, bist du es tatsächlich?«

Ich erkenne ihn sofort, Werner Taubisch, der Beste aus meiner Klasse, unser aller Vorbild in Mathematik, Chemie und Gegenwartskunde, am Tage des Abiturs drückten wir uns zum letztenmal die Hand und wünschten uns alles Gute. Ich bin mir nicht ganz sicher, wie groß meine Freude über das Wiedersehen ist, ich sage: »Guten Abend, Werner, so ein Zufall.«

»Was treibst du alter Gauner«, sagt er laut, »verschleuderst hier dein schönes Ostgeld, was? Wenn du nichts Besseres vorhast, können wir uns auf ein Glas wo hinsetzen und wie die alten Männer von früher reden?«

»Ich weiß nicht recht«, sage ich und sehe zu Lola, die zwei Schritte neben uns steht, abgewandt und bestimmt schon sehr ungeduldig.

»Ach, du bist nicht alleine«, sagt Taubisch. »Stell uns wenigstens mal vor.«

Wir nehmen Lola die zwei Schritte ab, als Gegenleistung bringt sie Energie auf, sich uns zuzuwenden, ich sage: »Das ist Werner Taubisch, ein Schulfreund, Lola Ramsdorf.«

Sie geben sich die Hand, er sagt: »Sehr angenehm. Also was ist, Kinder, wollt ihr?«

Und als Lola und ich lange Blicke wechseln, fügt er hinzu: »Falls ihr das meint, ihr seid natürlich eingeladen.«

Er kann nicht wissen, wie sehr er damit Lolas Abneigung herausfordert, doch mir scheint sich hier die Rettung vor einem einsamen Abend anzubahnen, warum nicht hören, was aus unserem Klassenbesten geworden ist, ich versuche es mit Erfolg, ich rede ihr gut zu, bis sie sich abringt: »Aber nicht so lange.«

Werner Taubisch fragt uns, ob wir zu ihm nach Hause möchten oder lieber woanders hin, er wohnt gleich um die Ecke, sagt er, zu trinken müßte noch etwas dasein, und wenn nicht, dann weiß er eine anständige Studentenkneipe, auch nicht sehr weit. Diesmal sind Lola und ich uns einig, wir entscheiden uns für das zweite Angebot, ihm scheint es egal zu sein. Unterwegs erfahre ich, daß Taubisch wenige Tage nach dem Abitur in die kurzweiligere Hälfte Berlins rübergemacht ist, das sagt er wörtlich, zuerst ein erholsamer Urlaub in Griechenland, nach der Rückkehr ein todlangweiliges dreizehntes Schuljahr für das Abitur, denn so verlangen es die Senatsbestimmungen. Dann schrieb er sich an der Freien Universität ein, Theologie und Politische Wissenschaften, er ist heute noch dabei, er sagt: »Meine Eltern waren damals schon drüben, das weißt du ja.«

»Ja, ich erinnere mich«, sage ich.

»Meine Schwester auch und meine beiden Brüder, ich und Oma waren die einzigen, die die Bastion noch gehalten haben.«

Lola drückt meinen Arm, und als ich ihr den Kopf zuwende, flüstert sie mir ins Ohr: »Du lieber Gott, ist das ein Affe.«

Ich flüstere zurück: »Sag ihm das doch.«

»Habt ihr irgendwelche Sorgen?« fragt Taubisch.

»Nein, nein.«

Taubisch muß Stammgast sein, er winkt oder nickt tausend Leuten zu, das Lokal heißt »Old Vienna«. Das Auffälligste daran ist, daß man sich hier nicht gegenübersitzen kann, nur hintereinander, die Tische sind schmal und lang und nur von einer Seite mit Stühlen oder Bänken bestückt. Es ist laut und voll, aber Taubisch findet ein freies Eckchen, Studenten rücken für uns zusammen, wir setzen uns, ich in die Mitte. So weit ich sehe, nur Rücken und Hinterköpfe, ich kann mir vorstellen, daß man irrsinnig neugierig auf die Frontseiten wird, wenn man sich eine Weile hier aufhält. Ab und zu dreht sich jemand um, doch ich bin es nie, der gesucht wird, eher schon Lola. Taubisch fragt: »Was wollt ihr trinken, Kinder?«

»Ich habe keinen Durst«, sagt Lola.

»Seien Sie doch nicht so griesgrämig«, sagt Taubisch, »sehen Sie sich Gregor an. Der guckt schon wie zu Hause, wenigstens eine Limonade, ja?«

Dabei gucke ich absolut nicht wie zu Hause, mich machen nur die vielen Rücken unruhig, Taubisch schnipst eine Serviererin heran und sagt ihr: »Bring uns zwei Bier und eine Herva mit Mosel.«

»Ist recht, der Herr«, sagt sie und zwinkert ihm zu, ich bin ziemlich sicher, er hat schon mehr bei ihr getan als nur Bestellungen aufgegeben. Das spricht nicht gegen ihn, sie sieht hübsch und appetitlich aus wie alles hier, Bier ist eine glänzende Idee.

»Studierst du auch?« fragt Taubisch.

»Ja, Jura.«

»Und Sie, wenn ich fragen darf?«

»Lola studiert Pädagogik«, sage ich.

»Jura, sagst du? Da hätte ich gleich mal eine Frage an dich. Seit ich drüben weg bin, habe ich noch nie meine Oma besucht, die will und will nicht rüber. Ich habe ein bißchen Angst, ehrlich gesagt, wegen damals, war ja in deren Augen illegal. Wenn ich nun einfach zu ihr hinfahre, könnte ich da Schwierigkeiten bekommen?«

»So weit bin ich noch nicht«, sage ich, und Lola lächelt zum erstenmal an diesem Abend.

»Wie soll ich das verstehen?« fragt er.

»Das haben wir noch nicht gehabt«, sage ich.

»Witzbold. Ich möchte sie gerne wiedersehen, muß mich mal bei einem Anwalt erkundigen.«

»Kleben Sie sich doch einen Bart an«, sagt Lola.

Er weiß nicht genau, was er davon halten soll, sicherheitshalber grinst er sie sekundenlang an und sagt: »Der Einfall ist gar nicht so schlecht.«

Das Mädchen bringt die Getränke und stellt sie vor uns auf den Tisch, wieder zwinkert sie ihm zu, am Ende hat sie einen Augenfehler. Sie gießt aus der grünen Flasche Limonade in ein Glas, Lola sagt: »Danke sehr.«

»Na los«, sagt Taubisch, »erzähl doch endlich was von dir, was treibst du, wie lebst du, siehst du manchmal noch einen aus unserer Klasse, man hat ja hier keine Ahnung.«

»Von meinem Studium weißt du schon«, antworte ich in der richtigen Reihenfolge, »ich lebe gut und bescheiden, aus der Klasse treffe ich nur Kolk von Zeit zu Zeit, der wird Mediziner, und Nachtigall, der studiert Physik ein Stockwerk über mir.«

»Wie bist du ausgerechnet auf Jura gekommen?«

Ich mache gerade den Mund auf, um ihm mitzuteilen, daß ich es selbst nicht weiß, da legt er mir die Hand auf die Schulter, steht auf und sagt: »Kinder, entschuldigt mich bitte einen Moment, ich muß nur mal fix telephonieren.«

Dann ist er weg, ich sehe, wie er den Hintern der Serviererin streift, bevor er durch irgendeine Tür verschwindet, Lola sieht es auch, sie fragt mich: »Wie lange gedenkst du noch zu bleiben?«

»Wir sind doch eben erst gekommen.«

»Ich würde trotzdem gerne fahren«, sagt sie.

»Dann fahr doch, zum Donnerwetter noch mal!«

Sie geht mir mit ihrer Nörgelei gewaltig auf die Nerven, den halben Tag schon, und mir fällt kein gescheiter Grund ein, ihr das noch länger zu verheimlichen, ich halte ihr die Rückfahrkarte hin. Doch sie verschränkt die Arme vor der Brust und rührt sich nicht von der Stelle, kampfbereit sitzt sie da, ich ahne, was dahintersteckt. Sie fühlt so etwas Ähnliches wie Verantwortung für mich Säugling, sie will mich nicht alleine hier zurücklassen in dieser bösen und gefahrvollen Welt, nie würde sie es zugeben, trotzdem weiß ich genau, daß es so ist. Ich mache das Beste daraus und werte es als Liebesbeweis.

»Du Rindvieh hast Angst, du könntest was versäumen«, sagt sie.

»Wolltest du nicht gehen?« frage ich.

»Das könnte dir so passen«, sagt sie grimmig, und das scheint mir irgendwie unlogisch. Ich trinke mein Bier und nehme mir fest vor, für den Rest des Abends Lola Lola sein zu lassen, eine Weile werde ich es schon durchhalten, ich werde mit Taubisch reden, als wäre sie nicht in der Nähe. Dabei fällt mir ein, daß ich in ihrer Gegenwart tatsächlich anders rede als sonst, zumindest befällt mich dieser Verdacht, und sollte ein Körnchen Wahrheit daran sein, paßt mir das nicht, es kommt mir wie eine Form von Tyrannei vor, darauf soll in Zukunft geachtet werden. Ich weiß nicht genau, wo der Unterschied liegt, ob mich ihre Nähe zu anderen Umgangsformen verleitet oder zu kompletten anderen Ansichten, das wäre nicht auszudenken, in jedem Fall will ich einen Riegel davorschieben, wenn sie wüßte, was für aufsässige Gedanken sich im Kopf neben ihr regen.

»Da bin ich schon wieder«, sagt Taubisch, er setzt sich, trinkt auch Bier und sagt: »Wo waren wir stehengeblieben?«

»Ich weiß nicht mehr.«

»Du hast von dir erzählt.«

»Ich war schon fertig.«

»Sie trinken gar nichts«, sagt Taubisch. »Schmeckt es Ihnen nicht, soll ich etwas anderes bestellen?«

»Nein, danke«, sagt Lola.

»Habt ihr vielleicht Hunger? Sagt es ruhig, Kinder.«

»Nein. Aber wer hat dich auf diese seltsame Kombination gebracht?« frage ich.

»Auf welche?«

»Politik und Theologie. Was wird man da, Pfarrer mit Regierungsabsichten?«

Taubisch scheint meine Worte sehr komisch zu finden, er lacht, schlägt mir auf den Rücken und sagt: »Du bist gut.«

»Nein, ernsthaft.«

»Ernsthaft? Denkst du wirklich, ich will Priester werden oder so was? Ich habe die Absicht, später mal zu einer Zeitung zu gehen, als Journalist. Es gibt natürlich viele Ressorts, ich habe mir das ausgesucht, was mir hierzulande am zukunftsträchtigsten vorkommt. Man hätte auch irgendwo Journalistik belegen können, aber das ist nichts Genaues, du machst dein Diplom, weißt von allem etwas, und bei Lichte besehen nichts. Gefragt sind Spezialisten. Das Ganze ist zwar recht mühsam, dauert mindestens sechs Jahre, aber wenn du es hinter dir hast, macht es sich bezahlt.«

Nach dieser erschöpfenden Auskunft geht uns für eine Weile der Gesprächsstoff aus, er bestellt noch zwei Bier. Bis sie auf dem Tisch stehen, sehe ich mich im ›Old Vienna‹ um, blicke auch nach hinten, dort gibt es wenigstens einige Reihen Gesichter. Eins davon betrachtet mich wohlwollend, es gehört zu einer jungen Frau mit schätzungsweise zwei Zentnern Lebendgewicht, sie sitzt neben einem noch dickeren Mann, der sehr betrunken ist und mit einer Zigarette vergeblich den Eiswürfel aus seinem Schnapsglas herauszufischen versucht. Sie nickt mir ziemlich handgreiflich zu, als wäre der Rest nur noch eine Formsache.

»Na los«, sagt Lola, »halte dich nicht so lange auf, sonst schnappt sie dir noch ein anderer vor der Nase weg.«

Sie hat ihre Augen einfach überall, ich sehe also wieder nach vorne, wo es nichts zu sehen gibt. Ich sage: »Du bist heute so spendabel.«

Endlich kommt die Serviererin mit den Bieren, Taubisch erteilt ihr vorausschauend gleich den nächsten Auftrag, Lola muß fürchterlichen Durst haben, denn sie nippt an ihrer Limonade.

»Weißt du, wer auch hier ist? Im Westen, meine ich? Elfi Kleinholdermann«, sagt er.

»Ach.«

»Sag mal, das trockene Studium füllt dich ganz und gar aus? Ich stelle mir einen großen Haufen Paragraphen, über die es ja nichts zu diskutieren gibt, sondern die man nur auswendig lernen kann, verdammt ungesellig vor. Machst du nichts nebenbei?«

Ich sehe kurz zu Lola, deren Augen mir entrüstet sagen: »Du wirst dich doch nicht etwa vor ihm ausziehen!« Und dabei fällt mir ein heimlich gefaßter Beschluß aus jüngster Vergangenheit ein, ich antworte: »Ich versuche, ein bißchen zu schreiben.«

»Was?«

»Alles durcheinander, ich bin noch kein Festgelegter. Geschichten, Ideen für Filme und alles mögliche Zeug, bloß keine Gedichte.«

»Auch schon was gedruckt?«

»Bis jetzt nicht«, sage ich und ärgere mich im gleichen Moment über meine Inkonsequenz, denn wenn Lola nicht neben mir sitzen würde, hätte ich gewiß mit verschiedenen schriftstellerischen Erfolgen aufwarten können.

»Das heißt, du hast es schon versucht?« fragt er.

»Ja, aber es hielt sich in Grenzen.«

»Wenn du Lust hast, zeig mir mal bei Gelegenheit deine Sachen.« Abgesehen davon, daß es kaum solche Sachen gibt, sage ich: »Wozu denn das?«

»Vielleicht kann ich dir helfen.«

»Du mir helfen?«

»Gewiß versteht Herr Taubisch einiges von dichterischer Arbeit und hätte ein paar brauchbare Ratschläge für dich«, erklärt mir Lola.

»Da täuschen Sie sich«, sagt er, keineswegs beleidigt, ich spüre geradezu, wie Lola sich vornimmt, beim nächstenmal ihren Hohn deutlicher aufzutragen. »Ich habe absolut keine Ahnung davon. Aber mein Vater, oder besser gesagt, viel Ahnung hat er auch nicht, aber er hat Beziehungen. Könnte mir schon vorstellen, daß er da und dort eine Geschichte von dir unterbringt, wenn sie nicht eben unter aller Sau ist. Aber das wollen wir ja nicht hoffen.«

»Wo ist das, da und dort?« frage ich, und ich weiß nicht genau, ob ich mich aus ehrlichem Interesse erkundige oder nur, um Lola zu reizen.

»Er kennt Millionen Leute«, sagt Taubisch, »in Verlagen, bei Zeitungen, man müßte sich die Sachen erst mal ansehen, bevor man entscheidet, wofür sie am besten geeignet sind.«

»Was ist denn Ihr werter Herr Vater von Beruf?« fragt Lola.

»Makler.«

»Die Sache wäre zu überlegen«, sage ich.

Die nächste Ladung Bier wird herbeigetragen, dabei stehen die randvollen Gläser noch auf dem Tisch, Taubisch sagt: »Prost, Kinder.«

»Warum zögerst du noch?« fragt mich Lola. »Eine solche Gelegenheit kommt so bald nicht wieder. Sag schnell ja, bevor Herr Taubisch sein großzügiges Angebot bereut.«

Ich spiele mit, ich sage: »Meinst du wirklich?«

»Was gibt es da zu überlegen, du Trottel? Wenn sich einem Anfänger eine solche Chance bietet, müßte er doch mit Blindheit geschlagen sein, wenn er nicht mit beiden Händen zugreift. Ich sehe die Überschrift schon in einer der hiesigen Zeitungen gedruckt — eine Geschichte von Gregor Bienek, Ostberlin. Wäre das nicht herrlich?«

Da merkt es Taubisch wohl auch, er sieht mit unwillig hochgezogenen Augenbrauen zu mir, mein Gesicht bietet ihm keinen Anhaltspunkt, dann zu Lola, er sagt: »Vielleicht ist Ihr Spott unangebracht, vielleicht will ich ihm wirklich helfen?«

»Jetzt täuschen Sie sich«, sagt Lola, Verwunderung in der Stimme darüber, wie ihre eindeutigen Worte so mißverstanden werden konnten. »Ich rede ihm gut zu, weil er manchmal vor Stolz platzt und störrisch ist wie ein Esel, und da behaupten Sie, ich spotte. Wie kommen Sie nur darauf?«

»Es klang so überschwenglich«, sagt Taubisch, ein leiser Ansatz von Abbitte ist zu hören, er weiß jetzt gar nichts mehr, er muß mit seinem Mißtrauen von vorne anfangen.

»Ihr Angebot war so überraschend, daß einem fast die richtigen Worte fehlten«, sagt Lola freundlich.

»Ich reiße mich jedenfalls nicht darum.«

Mir macht das Spiel allmählich Spaß, für mein Leben gerne bin ich Zeuge von Zweikämpfen, bei denen ich nichts zu befürchten habe, ich stoße Lola unter dem Tisch mit dem Fuß an, damit sie den kleinen Krieg nicht so schnell einschlafen läßt. Sie stößt leicht zurück, wenn ich sie recht verstehe, bedeutet ihr flüchtiger Blick, ich soll sie nur machen lassen. Also warte ich zuversichtlich.

»Sie sind doch nicht etwa beleidigt?« fragt sie nach einer kurzen Weile, als fast schon befürchtet werden muß, Taubisch könnte die Unstimmigkeit vergessen haben.

»Aber nein, das ist doch Unsinn.«

»Gott sei Dank, ich dachte schon. Aber eins würde mich noch interessieren, Herr Taubisch. Welche Zeitungen kämen wohl ungefähr in Frage?«

»Das weiß ich nicht«, sagt Taubisch, »ich weiß nur, daß viele Presseleute bei meinem Vater ein- und ausgehen.«

»Schade.«

»Wenn Sie wollen, kann ich mich danach erkundigen.«

»Ach bitte, man möchte so was doch gerne vorher wissen. Immerhin sind wir aus dem Osten, da muß man gewisse Rücksichten nehmen, Zeitung ist nicht gleich Zeitung, man kann nicht so, wie man gerne möchte, Sie verstehen.«

»Ist doch klar«, sagt Taubisch.

»Nehmen Sie zum Beispiel die Bild-Zeitung, die dürfte es natürlich nicht sein, die ist bei uns nicht so angesehen, ob zu Recht oder zu Unrecht ist wieder eine andere Frage. Es müßte schon eine sein, die einen halbwegs liberalen Charakter hat.«

»Das brauchen Sie mir nicht zu sagen.«

»Laß Werner doch endlich mit deinen Sonderwünschen in Ruhe«, sage ich. »Jetzt ist er schon so nett und will sich um mein Fortkommen kümmern, da behelligst du ihn mit einem Haufen unnützer Forderungen.«

»Nein, nein, laß sie nur«, sagt Taubisch, der es nicht für notwendig hält, von mir in Schutz genommen zu werden, er nickt mir lächelnd zu, als wäre er dieser Aufgabe gut und gerne alleine gewachsen.

»Sie müssen nämlich wissen, daß mein Verlobter in solchen Fragen entsetzlich unpraktisch denkt«, sagt Lola unbeirrbar. »Er ist schon so oft abgelehnt worden, daß es ihm inzwischen ganz egal ist, wo er gedruckt wird. Und wenn man sich da als Verlobte nicht selbst ein bißchen kümmert, könnte es eines Tages ein böses Erwachen geben. Am allerbesten wäre in unserer Lage eine kommunistische Zeitung, auch am praktischsten. Hat Ihr Herr Vater zufällig auch dorthin Beziehungen?«

Und damit ist das Ende unseres gemeinsamen Abends eingeleitet, Taubisch weiß endgültig Bescheid. Mit Gewalt merkt er, welch unwürdige Fopperei dieses ansonsten gutaussehende Mädchen mit ihm treibt, und sein Freund aus früheren Zeiten sitzt daneben und schweigt dazu. Er steht auf, um aus einiger Höhe auf uns herabsehen zu können, ich schäme mich sogar ein wenig, ich merke ihm an, wie er sich ärgert, nicht schon früher aufgestanden zu sein, vorhin, als ihm der erste Verdacht kam. Er sagt: »Ich gratuliere euch nachträglich zur Verlobung.« Mehr sagt er nicht.

Ich kann mir nicht helfen, ich finde, dieses Schlußwort hat in seiner Bescheidenheit etwas von Größe, er hat bestimmt noch manches auf dem Herzen, das unausgesprochen bleibt, dabei hätte er für wüstes Geschimpfe in seiner Situation Nachsicht zugebilligt bekommen, gewiß auch von Lola. Er geht zum Schanktisch, dreht sich im Kreis, bis er die Serviererin findet, er spricht mit ihr, zeigt auf uns, ich sehe, wie er bezahlt.

»Wenn er jetzt einfach rausgegangen wäre«, sage ich, »hätten wir bezahlen müssen. Zuerst umtauschen und dann bezahlen.«

»Aber er hat bezahlt«, sagt Lola gleichgültig. »Komm endlich.«

XII

Ich vergleiche die Zahlen noch einmal und noch einmal, es bleibt dabei, ich habe dreißigtausend Mark in der Lotterie gewonnen. Die drei Tage bis zur Auszahlung dauern Monate, endlich kann ich mir ein Taxi rufen und hinfahren, hinter dem Schalter sitzt ein greiser Mann mit Nickelbrille, ich kenne ihn aus vielen Filmen. Ich gebe ihm meinen Schein, er vergleicht wieder, dann zählt er mir dreißig gebündelte Päckchen vor, er hat eine völlig neutrale Beziehung zu Geld, die Bündel sind für ihn irgendwelche Gegenstände. Dann kommt ein heikles Problem auf mich zu, ich beginne zu überlegen, wie die ungeheure Summe sinnvoll zu verteilen wäre, die kleinen Ausgaben, aus denen der Lebensunterhalt sich zusammensetzt, fallen nicht mehr ins Gewicht. Da wären zunächst meine Eltern, das Häuschen meiner Eltern, Regenrinne und neues Dach sind seit langem im Gespräch, auch die Isolierung für den Keller, zehntausend Mark wandern also in die Stahlkassette meines Vaters, das ist reichlich berechnet, einiges wird übrigbleiben, und das ist gut so. Aber weiter, noch lasten mir zwei Drittel des Gewinns auf der Seele, Lola braucht nicht bedacht zu werden, sie hat für die Erfüllung aufwendiger Wünsche einen zuverlässigen Lieferanten in Form ihres Vaters, eher schon mein Freund im Hinterhaus. Ich gehe die ausgetretenen Stiegen zu Hensel hoch, er öffnet mir und legt sich gleich wieder ins Bett, er sieht schlechter aus als sonst. Von Schnaps keine Spur, er behauptet, im Sterben zu liegen, ich sage: »Gleich wird dir besser, Carl-Maria, wenn du hörst, wieviel ich in der Lotterie gewonnen habe.« Doch er schließt die Augen, weil er schaurig müde ist, leise antwortet er: »Sag bitte nicht Carl-Maria zu mir, du weißt, ich hör das nicht gerne. Sag Hensel.« Ich sage: »Mann, Hensel, wir sind reich, wir haben zwanzigtausend Mark!« Da sagt Hensel: »Zu spät, Junge, leider zu spät. Das ist diesmal kein Witz, ich sterbe wirklich.« Ich bekomme einen höllischen Schreck und frage: »Seit wann weißt du es?« »Seit gestern mittag«, sagt er schwach, »ich habe unten auf dem Hof Dorothea getroffen, ich kam gerade vom Schnapskaufen, und sie hat es mir gesagt.« »Wer ist Dorothea?« »Na, die Sauerbier.« »Die spinnt«, sage ich, ich kann es einfach nicht glauben, ich reiße das Fenster auf und setze mich zu ihm ans Bett. Ich glaube es so lange nicht, bis er tatsächlich stirbt, vor meinen Augen, diese berühmte letzte Zuckung geht durch seinen Körper, und über meinem wild schlagenden Herzen spüre ich das viele Geld in der Brusttasche.

Dann klopft es mehrmals an die Zimmertür, bis Hensel wieder lebt, bis ich ein armer Student bin, der den Vorlesungsbeginn nicht versäumen darf, ich sage: »Ja doch.«

»Es ist halb zehn, Sie müssen aufstehen«, sagt Frau Sauerbier.

»Danke.«

Ich wälze mich noch ein wenig und höre dann erst, daß die Stimme so anders geklungen hat, das war nie und nimmer Dorothea Sauerbiers Stimme. Und mir fällt ein, daß schon seit einigen Tagen die Rede davon war, ihre Nichte wollte zu Besuch kommen und sich Berlin ansehen, oder nein, nicht die Nichte, vielmehr die Enkelin ihrer Schwester, also eine Großnichte vom Lande, bloß der genaue Termin stand noch nicht fest. Nun wird sie eingetroffen sein, letzte Nacht oder heute früh, jedenfalls habe ich das Ereignis verschlafen, ich ziehe mir die Hose an und gehe hinaus auf den Korridor.

»Frau Sauerbier!« rufe ich, ohne zu überlegen, was ich antworte, wenn sie sich meldet, denn ich will nichts von ihr.

Die Tür zum Wohnzimmer steht einen Spalt offen, dieselbe neue Stimme sagt: »Die ist nicht da.«

»Wo ist sie denn?«

»Einkaufen«, sagt die Stimme.

Ich gehe ins Bad und erledige das Nötigste, sicherheitshalber kämme ich mich auch, alles zusammen dauert keine fünf Minuten, dann stehe ich in der leeren Küche. Kühlschrank auf, Milch, Kühlschrank zu, Brot, Marmelade und Butter aus der Speisekammer, Geschirr und Messer, Gasherd an, gewöhnlich hilft mir die Sauerbier dabei, ich gebe mir Mühe, neugierweckende Geräusche zu erzeugen. Der Erfolg läßt nicht lange auf sich warten, durch die Tür, die ohnehin nur angelehnt ist, schiebt sich eine Nase, doch sie wird schnell wieder zurückgezogen, weil ich noch ohne Hemd bin, begleitet von einem erschrockenen »oh!«.

»Kommen Sie ruhig herein«, sage ich.

Funkstille.

»Kommen Sie doch, ich fresse auf nüchternen Magen keine Nichten, heiliges Ehrenwort«, sage ich lieblich.

Da entschließt sie sich endlich, ein unscheinbares Mädchen kommt herein, keinen Tag älter als achtzehn. Sie hat einen braunen Bubikopf, daß man sofort an Charleston und Inflation denkt, und sie sieht unglaublich sauber aus, wie ein Stück frischer Seife. Ein angedeuteter Knicks, sie sagt: »Guten Tag auch.«

»Guten Morgen, wollen Sie etwas mitessen?«

»Wir haben schon gefrühstückt«, sagt sie und sieht mich keine Sekunde an, verkriecht sich mit ihren Augen hinter Möbeln oder in der Zuckerdose, mein fehlendes Hemd muß einen enormen Eindruck auf sie machen, Berlin. Ich höre ihr auch die Gegend an, Mecklenburger Dialekt, sie trennt fein säuberlich das S vom T, das A klingt ein bißchen noch O, und das Ganze hübsch genäselt und gesungen, wie es sich gehört.

»Aber ein Glas warme Milch werden Sie doch wenigstens mittrinken?« frage ich.

»Wenn welche übrigbleibt?«

Ich hantiere erst einmal stumm zu Ende, um sie nicht mit dummen Redensarten ganz und gar zu verstören, ich stelle eine zweite Tasse auf den Tisch, achte auf die Milch, die so gerne überkocht, sie setzt sich inzwischen, hält aber fortgesetzt ihre Augen im Zaum. Als die ersten Bläschen hochsteigen, nehme ich den Topf vom Herd, gieße uns beiden ein, dann setze ich mich ihr gegenüber und bestreiche eine Scheibe Brot. Doch ich esse noch nicht, zuerst betrachte ich sie ausgiebig, wie ihr Blick reglos in der Milch schwimmt, und alles wegen meiner unbehaarten Brust, schließlich wage ich sogar eine abenteuerliche Grimasse, ich stecke die Zunge zwischen Zähne und Oberlippe, schiebe affenartig den Unterkiefer vor und schiele dabei gewaltig, nicht für sie, sondern nur des Risikos wegen, vielleicht packt sie der Teufel, und sie sieht mich doch an. In der Schule war ich ein begehrter Grimassenschneider, einmal hat mir der Lehrer lachend einen Tadel ins Klassenbuch geschrieben, aber jetzt finde ich nicht die geringste Resonanz, als mir die Augen schon weh tun, rücke ich mein Gesicht wieder gerade, ohne beachtet worden zu sein, ich beginne mit dem Marmeladenbrot.

»Wenn ich mir ein Hemd anziehe, sehen Sie mich dann an?« frage ich nach dem ersten Bissen.

»Ich kann Sie ja auch so ansehen«, sagt sie, und tatsächlich trifft mich ein erster Blick aus mausgrauen Augen, sie lächelt, ist verlegen und informiert sich, alles durcheinander, das wäre also geschafft.

»Warum sind Sie denn nicht mitgegangen einkaufen?«

»Weil ich Sie doch wecken mußte.«

»Ich heiße Gregor Bienek. Und Sie?«

»Elke Mangold.«

Alle ihre Antworten klingen ein wenig wie Fragen, das liegt nicht nur am singenden Tonfall des Dialekts, es hört sich eher an, als hinge an jeder dieser Antworten ein unausgesprochenes kleines Schwänzchen mit dem Wortlaut: »Weißt du das denn nicht selber?« Sie holt sich aus dem Küchenschrank einen Teelöffel, fischt die Haut von ihrer Milch, streift sie am Rand der Untertasse ab, dann schlürft sie. Ich sage: »Natürlich heißen Sie Elke.«

»Wieso natürlich?«

»Wenn man so aussieht wie Sie und aus Mecklenburg kommt, dann muß man einfach Elke heißen.«

»Das verstehe ich nicht.«

»Ich auch nicht, aber es ist so.«

Sie zuckt mit den Schultern, was ich für einen Unsinn zusammenrede, die Milch ist inzwischen abgekühlt, sie muß nicht mehr so laut schlürfen. Aber den Blick zieht sie fürs erste wieder ein, ich denke, diesmal wird er leichter herauszulocken sein, vielleicht besorgt sie es sogar ohne mein Zutun.

»Hat Ihnen das Tante Thea erzählt?« fragt sie.

»Was erzählt?«

»Daß ich von Mecklenburg bin?«

»Nein«, sage ich strahlend, »das hört man.«

»Wirklich?«

Und schon sieht sie mich wieder an, was habe ich so vergnügt zu sein, wo sie doch gar keinen Witz gemacht hat, na ja, schließlich ist sie extra in die Hauptstadt gekommen, um ein bißchen zu staunen. Ich wünsche Frau Sauerbier in allen Geschäften lange

Wartezeiten, es macht Spaß, der Elke beim Zurechtfinden zuzuschauen, beim Fleischer müßte es Leber geben, das kostet sie eine Stunde. Ich hole die zerdrückte Zigarettenschachtel aus der Hosentasche, biege sie ein wenig gerade und frage, ob sie auch eine möchte, doch nur so, als Zeichen dafür, daß ich sie ernst nehme. Zu meiner Verblüffung sagt sie: »Ja, gerne.«

Es sind zum Glück noch zwei drin, Feuer habe ich nicht bei mir, deshalb gehe ich zum Herd und zünde meine Zigarette an der Gasflamme an.

»Kommen Sie her«, sage ich, »aber verbrennen Sie sich nicht die Nase.«

Sie schüttelt den Kopf und hält mir ihre Zigarette hin, ich soll es für sie tun, ich zünde auch die zweite an und gebe sie ihr zurück, ihre Untertasse mit der Milchhaut schiebt sie als Aschenbecher in die Mitte des Tisches. Sie inhaliert forsch den Rauch, bläst ihn nach und nach durch die kreisrunden Nasenlöcher wieder aus, kein Hustenreiz, keine sichtbare Überwindung, ich erwische mich dabei, wie ich schon an ihren Daumen und Zeigefingern nach den braunen Nikotinflecken suche, kann aber selbstverständlich keine finden. Was geht es mich an, ich habe schon mit fünfzehn gequalmt wie ein Schlot, ich bin weder ihr Vormund noch zuständig für väterliche Ermahnungen, nur mit Tante Dorothea könnte es zu Reibereien kommen, wie ich die Alte kenne. Ich frage: »Aus welcher Gegend von Mecklenburg kommen Sie?«

»Nicht weit von Ribnitz. Ribnitz-Damgarten, kennen Sie das?«

»Klar, in der Nähe von Rostock. Und was machen Sie da?« frage ich, wobei ich versuche, ihre Sprechweise nachzuahmen, doch es mißlingt mir völlig, und sie merkt es wohl auch gar nicht, also lasse ich es wieder sein.

»Ich bin im Hühnerstall«, sagt sie.

Da werden wir durch Klingeln gestört, sie steht sofort auf, drückt ihre Zigarette aus, wie ich schon vermutet habe, und geht eilig hinaus, um der Großtante aufzumachen. Ich bleibe sitzen und höre, wie die Wohnungstür geöffnet wird, doch es ist nicht die Tante, sondern eine männliche Stimme, Elke kommt zurück und sagt geheimnisvoll leise: »Für Sie.«

Ich gehe hinaus, der Briefträger steht im Korridor und kramt

in seiner großen Ledertasche, er sagt: »Guten Morgen, Herr Bienek.«
»Guten Morgen, was gibt es?«
Da grinst er mich plötzlich an und zwinkert mehrmals mit beiden Augen, zuerst weiß ich gar nicht, was los ist, doch dann wird mir klar, daß Pantoffeln und Hose immer noch meine einzigen Kleidungsstücke sind, und eben hat ihm ein knuspriges junges Ding vom Lande geöffnet, leider macht er sich falsche Reime. Ich habe keine Lust, meinen Ruf zu verbessern und den Irrtum aufzuklären, ich grinse auch und frage zum zweitenmal: »Was gibt es denn?«
»Geld gibt es.«
Er reicht mir eine rote Karte und einen Kugelschreiber, ich soll quittieren, da steht etwas von Vertrag vom soundsovielten, dreihundert Mark, Zähne, abzüglich zwanzig Prozent Steuern. Ein schönes Loch in meiner Rechnung, das hat mir kein Mensch vorher gesagt, aber was soll man machen, es wird schon alles mit rechten Dingen zugehen, ich unterschreibe.
»Haben Sie in der Lotterie gewonnen?« fragt er, immer noch grinsend über meinen lasterhaften Lebenswandel am Vormittag.
»Ja, stellen Sie sich vor, das Große Los. Dreißigtausend Mark!«
Ich gebe ihm Karte und Stift zurück, er sagt: »Dann ist das heute nur eine Anzahlung, der Rest kommt bestimmt später.«
Und er prüft, ob die Unterschrift an der richtigen Stelle steht, er zählt mir zweihundertvierzig Mark in die Hand.
»Auf Wiedersehen, Herr Bienek, und viel Spaß noch.«
»Auf Wiedersehen.«
»Fast hätte ich das vergessen, hier ist noch ein Brief für Frau Sauerbier. Die ist wohl nicht zu Hause?«
»Nein, die ist verreist.«
Da ist der letzte Zweifel von ihm genommen, ich komme zurück in die Küche und setze mich Elke gegenüber, die schon auf ihren Bekannten wartet, sie verzichtet ab sofort auf das Versteckspiel mit den Augen. Sie sagt: »Müssen Sie sich nicht bald fertig machen?«
»Wozu?«
»Na, für Ihre Universität?«

Daraus entnehme ich, daß die wichtigsten Informationen zu meiner Person bereits bei ihr eingegangen sind, ich sage: »Ich gehe heute nicht, zu Hause ist es viel schöner.«

»Kann man das so einfach?«

»Eigentlich nicht, bestimmt kriege ich dafür einen Strich auf der Liste.«

»Bei uns muß man jeden Morgen pünktlich im Hühnerstall sein«, sagt sie nachdenklich. »Aber warum gehen Sie dann nicht, wenn Sie einen Strich kriegen?«

»Das habe ich schon gesagt, weil ich es heute zu Hause schöner finde. Ist das kein richtiger Grund?«

»Doch.«

»Na also.«

Sie lächelt über irgendeine komische Idee, ziemlich lange, ich will sie schon bitten, mich einzuweihen, da sagt sie: »Bei uns wär ganz schön was los, wenn ich nicht in den Stall gehe und sage, zu Hause ist es viel schöner.«

»Aber das sagt man doch nicht so. Man sagt, man hätte plötzlich ganz hohes Fieber gehabt, oder man mußte eine kranke Oma besuchen oder sonstwas in der Art.«

»Ich weiß«, sagt sie bekümmert, »aber ich kann so schlecht lügen. Alle merken es gleich.«

»Da ist noch etwas«, sage ich und beuge mich ein wenig über die Tischplatte zu ihr, auf Geheimnisnähe. »Aber ich muß mich darauf verlassen können, daß Sie mich nicht verraten. Können Sie schweigen wie ein Grab?«

»Kann ich«, sagt sie neugierig.

»Tante Thea hat Ihnen erzählt, daß ich ein armer Student bin. Oder?«

»Ja«, sagt sie, auch schon leise.

»Aber in Wirklichkeit stimmt das gar nicht, sie weiß nur nichts von dem Geheimnis. In Wirklichkeit bin ich kein Student, sondern ein ganz schön berühmter Schriftsteller. Und an der Universität bin ich nur deshalb, weil ich ein Buch darüber schreibe und Material sammeln muß. Dort wissen sie auch nichts, das ist ganz klar, denn sonst würden sie mich nicht wie einen gewöhnlichen Studenten behandeln, und ich würde nicht das erfahren, was ich brauche.

Und zur Untermiete hier wohne ich nur deswegen, weil ich ganz genau alles mitmachen will, was die Studenten so erleben. Was sagen Sie jetzt?«

Sie legt zweifelnd den Kopf auf die Seite, mein Doppelleben kommt ihr zumindest fragwürdig vor, sie sagt: »Ach.«

»Sie glauben mir nicht? Ich kann es Ihnen ganz leicht beweisen, wir brauchen bloß in den nächsten Buchladen zu gehen, da liegen viele Bücher von mir. Natürlich ist Bienek nicht mein richtiger Name, den sage ich nur immer, damit man mich nicht überall gleich erkennt. Oder warten Sie, ich kann es Ihnen viel einfacher beweisen, wer war eben bei uns im Korridor?«

»Der Briefträger.«

»Und was wollte er?«

»Von Ihnen was.«

»Geld hat er mir gebracht, von meinem Verlag. Hier ist es, und hier ist auch die Quittung.«

Ich fuchtle kurz mit dem schmalen Geldbündel vor ihrer Nase, stecke es dann wieder ein und gebe ihr den kleinen roten Abschnitt, auf dem sie in aller Ruhe mein Pseudonym lesen kann, die Wörter ›Honorar‹ und ›Steuerabzug‹ und den Namen des Verlages. Sie studiert das unscheinbare Stückchen Papier mit offenem Mund, ihr will nur schwer in den Kopf, was ich für einer bin, dann gibt sie es mir zurück und sagt: »Das ist ja man ein Ding!«

Ich lehne mich zufrieden zurück, ein komplizierter Beweis wäre geführt, hoffentlich mengt sich jetzt in ihr Verhalten kein störender Respekt. Andererseits, Tante Thea könnte getrost ein wenig zu mir hinaufblicken, wenn Elke sie unter dem Siegel der Verschwiegenheit über meine wahre Bedeutung aufgeklärt haben wird, interessante Perspektiven.

»Wie ist denn Ihr richtiger Name?«

Ich schüttle streng den Kopf und sage: »Ich finde, ich habe Ihnen schon mehr als genug erzählt.«

»Hält man das aus, wenn man in Wirklichkeit berühmt ist, und kein Mensch weiß etwas davon?«

»Das wissen schon genug Leute. Viel schwerer ist es, sich nicht andauernd zu verplappern. Wenn ich zum Beispiel in irgendein

Ausland fahre, weil eins meiner Bücher dort erschienen ist, oder weil mich die Akademie eingeladen hat, dann muß ich Ihrer Tante sagen, ich fahre zum Ernteeinsatz. Bis jetzt hat sie, glaube ich, noch keinen Verdacht geschöpft. Sie werden ihr doch nichts verraten?«

»Versprochen ist versprochen. Und haben Sie schon genug Material für Ihr neues Buch zusammen?«

»So ziemlich, ich werde an der Uni bald aufhören können.«

»Dann ziehen Sie auch bald weg von hier? In Ihre richtige Wohnung?«

»Das weiß ich noch nicht, ich finde es eigentlich ganz hübsch hier.«

»Erzählen Sie mir etwas von Ihren Reisen, bitte«, sagt sie, rutscht auf ihrem Stuhl ein wenig hin und her, stützt den Kopf in beide Hände, offenbar richtet sie sich auf längeres Zuhören ein. Da kann ich natürlich nicht widerstehen, in aller Eile muß ich die Reiseroute entwerfen, doch nur ungefähr, genaue Einzelheiten entstehen erst beim Bericht, ich beginne mit Japan. In Tokio nämlich weilte ich auf eine Einladung des Ushimata-Verlages hin, sie hatten geschrieben, daß sie sich glücklich schätzen würden, mich zum Erscheinen meines neuen Buches als Gast begrüßen zu dürfen, aber daraus wurde nichts. Denn schon auf dem Flugplatz verfehlte ich die Herren, die mich abholen sollten, die Maschine hatte Verspätung, und ich stand mutterseelenallein da in dem Gedränge und konnte kein Wort Japanisch. Und alle Leute, die ich fragte, zuckten nur höflich mit den Schultern und konnten kein Wort Deutsch. Zu allem Unglück hatte ich auch noch mein Notizbuch zu Hause gelassen, in dem Adresse und Telephonnummer des Verlages standen, ich wußte also nicht einmal, wonach ich fragen sollte, falls mich doch ein Mensch verstand, das war vielleicht eine schöne Bescherung. Aber wie es so kommt, wenn die Not am größten ist, plötzlich spricht mich jemand an, ich traue meinen Ohren nicht, deutsche Worte, ich drehe mich blitzschnell um und sehe, daß der Jemand ein wunderhübsches junges Mädchen ist, in einen Kimono gekleidet, versteht sich.

»War es eine Geisha?« fragt Elke atemlos.

»Was denn sonst.«

»Und wie hieß sie?«

Das erfuhr ich erst eine ganze Weile später, ihr Name war Hirohita, doch zunächst sagte sie, daß sie mich schon längere Zeit beobachte und den Eindruck habe, ich könnte irgendwie Hilfe gebrauchen, die Japaner sind nämlich ein unheimlich aufmerksames Volk, muß Elke wissen. Das mit der Hilfe stimmt, sagte ich zu Hirohita und bedankte mich für ihre Freundlichkeit, aber auf einmal hatte ich nicht mehr die kleinste Lust, mich nach diesem blöden Verlag zu erkundigen, wie sie so hübsch vor mir stand mit ihren geschlitzten Puppenaugen und den langen schwarzen Haaren, die hinten zu einem fußballgroßen Knoten zusammengesteckt waren. Ich sagte bloß, ich kenne mich hier nicht aus und ob sie ein bißchen Zeit übrig hätte, mir die Stadt zu zeigen. Nun sind junge Männer aus Europa eine irrsinnig seltene Angelegenheit in Japan, das hatte gar nichts mit mir persönlich zu tun, vielleicht habe ich ihr aber auch besonders gut gefallen, jedenfalls war sie sofort einverstanden und zeigte mir alles, was es so in Tokio zu sehen gab. Bis zum Abend ging das, zwischendurch haben wir auch Reis mit Stäbchen gegessen, das ist gar nicht so schwer, sind mit der Rikscha gefahren, dann stand ich vor dem Problem, wo ich die Nacht verbringen sollte. Wir haben alle Hotels abgeklappert, und in keinem einzigen war was frei, vom Verlag hatten sie sicher ein Zimmer reserviert, aber da wollte ich ja nicht mehr hin. Und ich habe schon gefürchtet, es wird mir gar nichts anderes übrigbleiben, da fragt mich doch die Hirohita plötzlich, ob es mir etwas ausmachen würde, wenn ich die Nacht bei ihr schliefe, ich bin vor Staunen fast umgefallen. Selbstverständlich habe ich gesagt, es würde mir überhaupt nichts ausmachen, ganz im Gegenteil, und Elke kann es mir glauben oder nicht, zwei geschlagene Wochen habe ich bei ihr gewohnt, zwei Wochen bin ich in Tokio gewesen, ohne mich ein einziges Mal bei meinem Verlag blicken zu lassen. Wofür ich doch eigentlich den langen Weg extra gemacht hatte. Dann mußte ich zurück, weil mein Visum abgelaufen war, außerdem hatte ich einen Termin in Magdeburg, Hirohita brachte mich noch zum Flugplatz und hat beim Abschied ein bißchen geweint.

»Was haben Sie denn zwei Wochen lang in ihrem Zimmer gemacht?« fragt Elke. »War das nicht langweilig?«

»Überhaupt nicht.«

»Na, was denn nun?«

»Ach«, sage ich und bin mir ganz sicher, daß die zwei Wochen bei Hirohita nicht für Elkes Ohren taugen, »das ist eine Geschichte für sich. Ich erzähle Ihnen jetzt lieber von meiner Reise nach Turkmenien, da sind auch komische Sachen passiert.«

»Moment doch mal«, sagt sie, »habt ihr euch auch geküßt?«

»Ja, das auch.«

Da werden ihre Augen noch interessierter, und sie fragt: »Mir können Sie es ja ruhig sagen, stimmt es wirklich, daß man sich in Japan mit den Nasen küßt?«

»Teils, teils«, sage ich.

»Was heißt das, teils, teils?«

»Manchmal küßt man sich so wie bei uns und manchmal mit den Nasen. Das ist viel zärtlicher.«

»Zärtlicher?« sagt Elke. »Kann ich mir gar nicht vorstellen.«

Mir geht durch den Kopf, ob man es nicht bei so viel Skepsis auf eine Demonstration ankommen lassen sollte, vielleicht ist ihre Ungläubigkeit sogar als Anregung dazu gedacht, doch da gibt es ernsthafte Bedenken. Wer will wissen, wozu japanische Küsse sich auswachsen können, gewiß wäre es angebrachter, nahtlos zur Turkmenienreise überzugehen. Ich suche also nach dem passenden Anfang, um das delikate Kapital Hirohita abzuschließen, als mir durch ein äußeres Ereignis alle Zukunftsangst genommen wird, ich höre, wie die Wohnungstür draußen sich öffnet und wieder schließt, und gleich darauf den Ruf: »Elke!«

»Ja?« ruft Elke zurück.

Frau Sauerbier kommt in die Küche, ein wenig rot im Gesicht von der Anstrengung, gleich sieht man auch den Grund für ihr langes Wegbleiben. Keine Leber beim Fleischer, eins ihrer beiden Netze ist zu einem guten Teil gefüllt mit Apfelsinen, sie bleibt erschrocken in der Tür stehen, das war zu erwarten, sie sagt: »Aber Herr Bienek.«

»Ja, bitte?« frage ich und stehe auf.

Sie deutet unwillig mit dem Kinn auf meinen Bauchnabel, eine zweite Kopfbewegung stellt den Zusammenhang mit Elke her, jeder fühlt sich heute verpflichtet, seine Bemerkungen zu meinem

Aufzug zu machen. Ich sage: »Ich bin noch gar nicht dazu gekommen, mich fertig anzuziehen.«

»Das sehe ich.«

Elke steht nun auch auf und nimmt ihr die Netze aus der Hand,
sonst wächst sie uns noch entrüstet in der Tür fest, Elke sagt: »Wir
haben uns ein bißchen unterhalten, Tantchen.«

»Soso.«

»Und wissen Sie, wer hier war?« sage ich, um die Sonne wieder
in ihr Gesicht zu locken. »Der Geldbriefträger. Endlich kann ich
Ihnen die Miete bezahlen, für zwei Monate.«

»Ist das wahr, Elke?«

»Ja, Tantchen.«

Ich hole mein Geld aus der Tasche, und schlagartig bin ich kein
halbnackter Mensch mehr, sie setzt sich an den Tisch, schiebt Geschirr zur Seite, um Platz für die Miete von zwei Monaten zu
schaffen, für immerhin sechzig Mark.

»Das kann ich im Moment gut gebrauchen«, sagt sie.

Elke geht hinaus, und ich sehe, wie sie vor sich hin lächelt, ich wette
drei zu eins, daß ich den Grund ihres Vergnügens kenne. Sie
lächelt darüber, wie raffiniert ihre gute Tante hinters Licht geführt wird, von so einem unscheinbaren Kerl wie mir.

»Zwanzig, vierzig, sechzig. Ist wirklich ein nettes Mädchen, die
Elke.«

»Das geht Sie gar nichts an«, sagt Frau Sauerbier und faltet ihr
Geld zusammen. »Hätten Sie nicht schon längst in der Universität
sein müssen?«

Diesmal ist es zu Hause nicht viel schöner, was wäre das schon
für ein Grund bei Frau Sauerbier, diesmal fällt die Vorlesung
einfach aus.

XIII

Der Termin ist da, vor einer dreiviertel Stunde hat sich die Tür mit der Aufschrift »Eintritt nur nach Aufruf« hinter Lola und Dr. Petri geschlossen, ich sitze alleine im Wartezimmer mit den vielen Stühlen, Petri hat auf die Frage, wie lange es dauern würde, geantwortet: »Das kann man vorher nicht genau sagen.«

Auf drei kleinen Tischen, die mit Wachstuchdecken versehen sind, liegen Haufen von alten und zerflederten Zeitschriften, ich dachte, er würde es bei sich zu Hause machen, in jenem Mittelding zwischen Behandlungsraum und Bibliothek, aber er hat Lola hierher bestellt. Die Tür ist schalldicht gearbeitet, die ganze dreiviertel Stunde konnte ich nichts hören, bis auf ein Klirren am Anfang, als ihm vermutlich ein Instrument heruntergefallen ist. Ich bin nie gerne alleine, doch hier ist einsamer Aufenthalt besonders unerträglich, ich weiß nicht, ob die schäbige Umgebung, die ich so ausgiebig genießen muß, Schuld daran trägt oder der Anlaß, der uns hergeführt hat, auf nichts warte ich sehnlicher als auf Petris Worte, es wäre alles vorbei und in Ordnung. Dann würden wir nach Hause fahren, Lola wäre ohne Angabe von Gründen einen Monat lang auf mich böse, und dann wäre es ausgestanden, aller Voraussicht nach. Ich frage mich ernsthaft, ob das, was hier geschieht, uns trennt oder näher verbindet, beides wäre denkbar, mit was für Augen wird sie mich hinterher ansehen. Sie war schon in den letzten Tagen so seltsam gereizt, aber da habe ich ihr, wie gesagt, einen Ausnahmezustand zugebilligt, der wird im Nebenzimmer gerade beendet. Es ist nicht einmal auszuschließen, daß auch ich in dieser Zeit gereizter war als sonst, die beschwerliche Geldsuche und Lolas stumme Vorwürfe könnten mich mürrisch gemacht haben, solches Verhalten entgeht leicht der eigenen Aufmerksamkeit.

Plötzlich kommt es zu einem Zwischenfall, den ich mir beim besten Willen nicht erklären kann. Nachdem ich eine ganze Weile friedfertig gesessen habe oder still zwischen den Stühlen herumspaziert bin, stehe ich auf, drücke die bewußte Klinke erfolglos herunter, vielleicht zehnmal und immer schneller, und dann fange ich an, wie ein Idiot mit der Faust gegen die Tür zu schlagen.

So lange bis sie endlich aufgeht, bis der zornige Petri im weißen Arztkittel mich derb zurückstößt und anfaucht: »Was soll das? Sind Sie völlig übergeschnappt?«

Ich sehe ihn blöd an und weiß ihm nichts zu erklären, er ist so breit, daß er kaum einen Blick in das hinter ihm liegende Zimmer freiläßt, ich rufe: »Lola?«

»Ja, ja«, höre ich ihre normale Stimme, »mach nicht solches Theater.«

»Wir sind gleich fertig«, sagt Petri. »Setzen Sie sich hin, und nehmen Sie sich gefälligst zusammen.«

Er schließt wieder die Tür, ausgerechnet heute muß ich meine Zigaretten vergessen haben, der Schlüssel wird herumgedreht, jetzt erst sehe ich deutlich den kleinen Blutfleck auf seinem Kittel, in Kniehöhe, aber der kann auch alt sein, ich habe beim Eintreten nicht darauf geachtet. Ich beginne, auf die Uhr zu sehen, anders ist die Zeit nicht totzukriegen, ich warte ab, bis der Sekundenzeiger auf der Zwölf steht, dann schließe ich die Augen und versuche, eine Minute auszuzählen. Wenn es mir mit einer Toleranz von plus minus fünf Sekunden gelingt, wird Lola die Prozedur unbeschadet überstehen, je genauer, um so besser, ich zähle bis sechzig, öffne die Augen und sehe, daß nur zwei Sekunden an der vollen Minute fehlen. Dann dasselbe noch einmal, zur Sicherheit, bei solchen schwachsinnigen Abwechslungen vergeht meine Wartezeit.

»Sie können jetzt hereinkommen«, sagt Petri.

Ich gehe in das Zimmer, Lola liegt auf einem Sofa, komplett angezogen, sie sieht ein bißchen mitgenommen aus, ziemlich schlapp, aber sie lächelt. Sie sagt: »Da bist du ja endlich, du Radaubruder.«

Ich setze mich zu ihr und greife nach ihrer Hand, sie ist schweißnaß und wird mir nicht entzogen. Es könnte sein, daß meine Schätzung mit den vier Wochen Zorn reichlich übertrieben ist, vielleicht schlägt der Zeiger nach der entgegengesetzten Seite aus, vielleicht setzt nach frisch ausgestandener Tortur das Vertragen vom ersten Moment an ein, ich hätte nichts dagegen.

»Sie muß noch ein paar Minuten liegen, dann kann es losgehen«, sagt Petri. Es klingt freundlich und erleichtert, kein nachtragendes

Wort wegen meiner Entgleisung vorhin, er hat auch keinen Kittel mehr an, kariertes Sakko mit einfarbiger Weste. Ich sehe mich um und kann den Kittel nirgends entdecken, alles ist sorgsam weggeräumt, was irgendwie auf die Ereignisse der letzten Stunde schließen lassen könnte, absolut keine Unordnung, nur ein leicht pharmazeutischer Geruch ist wahrnehmbar, eben Arztpraxis.

»Hat es Komplikationen gegeben?« frage ich überflüssigerweise.

»Was für Komplikationen?« fragt Petri.

Ich behellige ihn lieber nicht mit dem laienhaften Zeug, das man schon so gehört hat, ich sage: »Um so besser.«

»Haben Sie es weit nach Hause?«

»Nicht sehr weit«, sage ich.

»Sie muß zwei Tage ruhig liegen«, sagt er, immer noch zu mir, dann wendet er sich an Lola: »Besser wären drei oder vier Tage, sollten Sie es einrichten können. Wenn Sie Fieber bekommen, ist das nicht weiter tragisch, aber rufen Sie mich trotzdem gleich an. Meine Nummer haben Sie ja.«

Er nimmt sich eine Zigarette und fragt mich: »Möchten Sie auch eine?«

»Gerne.«

»Kommen Sie, wir gehen so lange hinaus. Und Sie liegen schön ruhig, bis wir zurück sind.«

Wir gehen in das Wartezimmer und setzen uns auf zwei von den tausend Stühlen, ich halte den Ortswechsel für rein medizinisch begründet, kein Zigarettenqualm für eine Kranke, aber er sagt nach kurzem Schweigen: »Ich habe übrigens mit Dr. Neunherz telephoniert. Er kennt Sie nicht.«

»Das ist richtig.«

»Aber sagten Sie nicht neulich, Sie wüßten meine Adresse von ihm?«

»Von seinem Sohn. Wir studieren zusammen.«

»Aha, von seinem Sohn«, sagt er gedehnt und mustert mich unzufrieden. »Sie sollen wissen, daß ich keineswegs die Absicht habe, mich auf solche Dinge zu spezialisieren. Ich tue es nur in den seltensten Fällen, bei Bekannten, und auch nur dann, wenn ich es aus vielerlei Gründen für vertretbar halte. Kann ich mich darauf verlassen, daß wenigstens Sie mich nicht weiterempfehlen werden?«

»Natürlich.«

Ich sehe mich vergeblich nach einem Aschenbecher um, Petri schnipst die Asche einfach auf den Boden, da tue ich es auch. Ich bin ihm dankbar, daß er seine Frage nicht im anderen Zimmer gestellt hat, vor Lolas wißbegierigen Ohren, die Zwistigkeiten im Rahmen unserer allgemeinen Gereiztheit wären ein laues Lüftchen gegen den Krach gewesen, den wir dann miteinander bekommen hätten. Er muß einen sechsten Sinn haben, woher sollte er von der besonderen Konstellation wissen, die zwischen Lola, Neunherz und mir existiert, ich frage: »Warum haben Sie mich nicht drin danach gefragt?«

»Hätte ich das tun sollen?«

»Nein.«

»Na also.«

Als wir wieder in das andere Zimmer kommen, erkundigt er sich bei Lola, wie sie sich nun fühlt, ganz gut, sagt sie, dann stellt sich heraus, daß sein Telephon gestört ist. Ich muß also hinunter auf die Straße und versuchen, ein Taxi zu erwischen, aber es kommt keins, zehn Minuten lang hebe ich an drei verschiedenen Kreuzungen vergeblich den Arm. Dann gehe ich zurück und sage: »Tut mir leid, ich habe keins gekriegt.«

»Wo wohnen Sie?« fragt Petri Lola.

»In der Marienburger Straße«, sagt sie.

Das ist zwischen uns so beschlossen, auch Frau Sauerbier wurde verständigt, Lola soll die zwei, drei Tage lieber bei mir als zu Hause liegen, aus Gründen der Pflege und der Geheimhaltung vor den Eltern. Gewiß wird es zu Rückfragen ihrer Mutter kommen, aber die sind am Telephon oder hinterher besser zu beantworten als vor einer bettlägerigen Tochter, die keinen Schritt tun darf, wir haben alles durchgesprochen.

»Dann muß ich Sie wohl hinfahren«, sagt Petri.

»Sie sind sehr freundlich.«

Ich will sie bis zu seinem Auto, das genau vor der Haustür steht, stützen, aber sie will lieber alleine gehen, sie verzieht beim Laufen ein wenig das Gesicht, ich setze mich zu ihr nach hinten. Ich flüstere: »Hast du Schmerzen?«

»Kaum der Rede wert.«

»Das Schaukeln ist nicht gut«, sagt Petri, mir fällt auf, daß er sehr langsam fährt. Was habe ich eigentlich gegen ihn, nehme ich ihm übel, daß er mehr Geld verlangt hat, als ich aus der Westentasche holen konnte, am Ende wird er noch einen Studententarif einführen. Sein Nacken vibriert in mehreren Falten vor unserer Nase, das Auto ist ein Opel mit verbrauchten Stoßdämpfern, ich bilde aus Daumen und Zeigefinger eine spitze Zange und drohe den kleinen Wülsten mit Zupacken. Eine kindische Ablenkung für Lola, doch sie nimmt mißbilligend meine Hand zurück und sieht dann aus dem Fenster. Ich wische mit dem Ärmel darüber, weil die Scheibe leicht beschlagen ist, Lola haucht sie gleich wieder zu, vielleicht ist ihr im Moment sichtbehinderndes Glas lieber als blankes.

»Am besten verschlafen Sie die nächsten Tage«, sagt Petri.

»Das kann ich tun.«

»Was haben Sie vorhin mit dem Fieber gemeint?« frage ich. »Wodurch sollte es entstehen?«

»Durch eine Infektion, aber ich halte das für ziemlich ausgeschlossen.«

Ich zeige ihm das Haus, wir bedanken uns für seine Mühe, er braucht uns wirklich nicht weiter zu begleiten, die eine Etage, sagt Lola, schafft sie mit meiner Hilfe spielend.

»Also dann, auf Wiedersehen, Herr Doktor.«

Wie durch ein Wunder steckt heute von innen kein Schlüssel, als wir in mein Zimmer kommen, fällt mir ein, daß es doch kein Wunder war, Frau Sauerbier hat mir gesagt, daß sie irgendwann im Laufe des Abends den Besuch zur Bahn bringen muß, schade nur, daß Lola die Elke nicht mehr kennenlernt. Ganz nebenbei, Elke kann tatsächlich schweigen wie ein Grab, sie hat ihrer Großtante keine Silbe über meine wahre Identität verraten, und wenn sie auch beim Abschied zu ihrem Wort steht, werde ich wohl auf lange Sicht in den Augen Frau Sauerbiers der Bisherige bleiben.

Ich mache das Bett zurecht und helfe Lola beim Ausziehen, ich sage: »Jetzt kannst du ja endlich reden, wie war es?«

»Es hat riesigen Spaß gemacht«, sagt sie, »ein Jammer, daß man es nicht jede Woche machen kann.«

»Tut es weh?«

»Ja doch. Hol mir was zu trinken.«

»Fruchtsaft?«

»Wasser.«

Zuerst schiebe ich ihr das Kissen unter dem Kopf zurecht, dann gehe ich in die Küche, öffne den Schrank, aus unerfindlichen Gründen fällt mir das erste Glas herunter, ein ehemaliger Mostrichtopf. Beim zweiten geht alles gut, ich fülle es mit Wasser, Lola trinkt es leer, ohne abzusetzen. Ich frage: »Noch eins?«

»Nein.«

Ich muß zurück in die Küche, um die Scherben aufzusammeln, Schippe und Handfeger finden sich in der Abstellkammer, da fragt mich Frau Sauerbier: »Was machen Sie denn hier?«

Sie steht noch unter ihrem Hut, den Mantel schon aufgeknöpft, ich fege weiter und sage: »Mir ist ein Glas runtergefallen.«

»Ist Ihre Lola schon da?«

»Ja.«

»Ich soll Ihnen einen schönen Gruß von Elke bestellen. Die ist jetzt weg.«

»Danke«, sage ich und forsche ein wenig in ihrem Gesicht, kann aber keine Anzeichen für einen Wortbruch Elkes entdecken, ich bleibe Student. Sie geht hinaus, ich taste mit der Handfläche den Boden nach übriggebliebenen Splittern ab, alle wandern in den Mülleimer, sie kommt ohne Hut und Mantel zurück.

»Wenn Sie nichts Besseres vorhaben, könnten wir zu dritt ein Käffchen in meinem Zimmer trinken.«

»Sehr gerne«, sage ich entzückt, ich beobachte seit langem, wie sie Lola mehr und mehr zum Gegenstand ihrer Herzlichkeit erhebt. »Aber es geht leider nicht, sie ist krank, sie muß liegen.«

»Um Gottes willen, was hat sie denn?«

Es gelingt mir, den Satz zurückzuhalten, es wäre nichts Ansteckendes, denn sie hat keine boshafte Antwort verdient, ihre Frage hatte nichts mit Befürchtungen solcher Art zu tun, sie wurde aus ehrlicher Anteilnahme gestellt. Ich sage: »Irgend so eine dumme Frauengeschichte.«

Ich erkläre auch gleich mit, warum sie nicht zu Hause liegt, weil ihr Vater nämlich verreist ist und die Mutter sich selbst nicht wohl fühlt, hoffentlich verständigen die beiden sich nicht per Telephon, bei Lage der Dinge ist Lola also hier am besten aufgehoben. Frau Sauerbier verspricht, gleich morgen früh die Sache mit der Pflege selbst in die Hand zu nehmen, nein, nein, keine Widerrede, davon versteht sie entschieden mehr als ich. Ich bedanke mich wohl oder übel für ihre Opferbereitschaft und denke, das werden wir auch noch überstehen.

»Wo bleibst du denn so lange?« fragt Lola.

»Frau Sauerbier ist gekommen«, sage ich, »ich mußte ihr alles irgendwie erklären. Brauchst du etwas?«

Sie braucht nichts, sie hat auch nicht die Absicht, sich meine Anwesenheit anderweitig nutzbar zu machen, ich soll eben nur nicht so lange fortbleiben, ein den Umständen angemessenes Kompliment für mich.

»Gehst du morgen zur Vorlesung?« fragt sie.

»Nein.«

»Geh ruhig.«

»Spinnst du? Ich war schon tausendmal nicht da, weil ich einfach keine Lust hatte, jetzt habe ich endlich einen triftigen Grund, und da werde ich gehen?«

»Mach mal das Radio an«, sagt sie.

Ich nehme das Radio vom Fensterbrett und gebe es ihr, ich stelle ja doch nur den falschen Sender ein, soll sie sich selbst einen suchen. Da hält sie meinen Arm fest, womit für heute niemals zu rechnen war, sie zieht so lange, bis mein Mund in ihrer Reichweite ist, den küßt sie.

»Ich bin wohl ziemlich ekelhaft?« fragt sie.

»Quatsch«, sage ich. »Du bist in einer miesen Geschichte drin, das ist alles.«

»Liegst du lieber vorn oder hinten?«

»Wieso?«

»Schließlich mußt du ja auch irgendwo schlafen.«

»Richtig«, sage ich, »such es dir aus.«

XIV

Der dritte Morgen macht mir Kopfzerbrechen, Lola schläft und schläft, und ich verspüre das seltsame Verlangen, in die Universität zu fahren. Nicht aus plötzlich erwachtem juristischen Wissensdurst, aber erstens waren die letzten beiden Tage neben ihrem Krankenbett alles andere als aufregend, und zweitens ist heute, wenn ich mich nicht irre, der letzte Vorlesungstag in diesem Jahr, und noch sind nicht alle Zelte abgebrochen, man müßte sich wenigstens zum Ende hin mal sehen lassen, der Form halber, sonst schreiben sie einen ab, bevor der rechte Zeitpunkt herangereift ist. Ich will Lola nicht wecken, um ihr die losen Zusammenhänge zu erklären, ich klopfe lieber an Frau Sauerbiers Tür, sie macht gerade ihr Bett, das Kissen hat sie auf dem Papageienkäfig deponiert. Sie erkundigt sich, wie es unserer Kranken geht, ich sage, daß sie schläft, sie sagt, Schlaf wäre allemal die beste Medizin, und ich sage, gut und schön, aber ich müßte wieder mal in die Uni.

»Dann gehen Sie doch. Oder haben Sie Angst, daß ich mit dem Hänfling nicht alleine fertig werde?«

»Ich bin gegen Mittag wieder zu Hause.«

Trotz des häufigen Fehlens werde ich wie ein alter Bekannter begrüßt, vom ursprünglichen Tagesplan ist nur ein einziges Seminar übriggeblieben. Sie sind schon in Ferienstimmung, auch im Seminar wird quer durch den Garten geredet, und das ist gut so, denn quer durch den Garten reden kann ich auch, und vom eigentlichen Thema hätte ich keine Ahnung gehabt. In der Pause erkundigt sich unser Seminarsekretär im Plauderton bei mir, welche Ablenkungen ich den letzten Vorlesungen vorgezogen hätte, ich antworte wahrheitsgemäß, daß meine Freundin krank geworden ist und ich sie gepflegt habe. Er sagt hintergründig: »Du mußt es ja wissen.«

Dann ist das letzte Wort gesprochen, der Studienbeginn im neuen Jahr wird bekanntgegeben, frohe Ferien samt Fest für uns alle, die hübsche Christa Naujocks, die erst dann eins ihrer Mandelaugen auf mich geworfen hat, als ich sie bereits aufgegeben hatte, verabschiedet sich von mir mit Handschlag. Sie fragt: »Hast du bestimmte Pläne für die Ferien?«

»Arbeiten, nichts als arbeiten«, sage ich. »Ich habe mörderisch viel nachzuholen.«

»Viel Erfolg auch.«

»Warum bist du so giftig?«

»Ich bin giftig? Ich wünsche dir viel Erfolg, fröhliche Weihnachten noch dazu, und da bin ich giftig?«

Der nächste und letzte in der kleinen Reihe, die heute offenbar nach mir ansteht, ist Gerhard Neunherz, er möchte gerne wissen, ob ich jetzt ein bißchen Zeit habe. Ohne zu erraten, was sich dahinter verbirgt, sage ich: »Eigentlich ja.«

Er rückt nicht eher mit der Sprache heraus, bis er mich in ein Lokal geschleift hat, dort bestellt er zwei Bier, die Schnäpse dazu lehne ich am Vormittag dankend ab, Neunherz fragt: »Ist deine Angelegenheit inzwischen erledigt?«

»Welche Angelegenheit?«

»Du weißt schon.«

Ich weiß, aber was ich nicht weiß, ist, warum ich mich ausgerechnet mit ihm darüber unterhalten sollte, so intim sind wir nicht. Andererseits hat er maßgeblich zum Gelingen beigetragen, daher wäre Schroffheit fehl am Platze, ich antworte: »Ach ja, das meinst du. Die Sache ist klargegangen, danke.«

»Du hast dich nicht an dein Wort gehalten.«

»Warum?«

»Weil du Namen genannt hast. Du kennst meinen Alten nicht, du ahnst nicht, was bei uns zu Hause los war, als Petri ihn angerufen hat. Es hätte nicht viel gefehlt, und ich wäre rausgeschmissen worden. Beispielsweise hat er mir zum erstenmal seit fünfzehn Jahren eine geklebt, und der ganze Riesenkrach nur deswegen, weil du dein Maul nicht halten konntest.«

Vor wenigen Tagen noch hätte ich die Nachricht, daß Neunherz von seinem Vater mit Maulschellen bedacht worden ist, zum Umfallen komisch gefunden, doch inzwischen liegen die Dinge anders, mir ist die Sache peinlich. Und ich habe sie verschuldet, obwohl er mich ausdrücklich gewarnt hat.

»Das tut mir sehr leid«, sage ich, »aber ich war in einer Notlage. Petri hat mir gesagt, ich kann gleich wieder gehen, wenn ich ihm nicht verrate, woher ich seine Adresse weiß. Klar, ich hätte gehen können, aber was dann? Hättest du an meiner Stelle geschwiegen?«

Er winkt ab und sagt: »Geschenkt.«

Er sieht an mir vorbei durch das milchige Fenster, und plötzlich bilde ich mir ein, genau zu wissen, warum wir jetzt hier sitzen. Plötzlich ahne ich, daß er nicht mit mir hergekommen ist, um eine Ladung von Vorwürfen loszuwerden, wie berechtigt sie auch sein mögen, und es kümmert ihn auch nicht, wie geschickt meine Entschuldigungen ausfallen. Das alles sind nur Geplänkel vor dem eigentlichen Thema, Gerhard Neunherz sucht einen Freund. Schon früher hätte ich es merken müssen, spätestens bei seiner Bereitschaft, mir einen Dienst zu erweisen, ausgerechnet mir, der seine Abneigung so penetrant deutlich zur Schau trug, vielleicht hat ihn die Größe der Aufgabe gereizt. Mir wird ein bißchen kalt und heiß, ist er der passende Freund für mich, frage ich mich, denn ohne Gegenseitigkeit ist hier nichts zu machen, bin ich der richtige Mann für ihn? Freunde sucht man nicht, Freunde findet man, irgendwoher ist mir der Satz geläufig, gesucht haben wir uns gewiß nicht.

»Hinterher hat er sich allerdings entschuldigt«, sagt Neunherz.

»Wer?«

»Mein Vater.«

»Wie kann so was überhaupt passieren?« frage ich. »Von deinem Alter mal ganz abgesehen, ich kann mir vorstellen, daß du mindestens einen Kopf größer bist als er.«

»Denkst du, mit einem Kopf größer läßt sich alles machen? Dann würden alle Langen im Paradies leben, aber manchmal nützt das eben einen Dreck.«

»Ansonsten war Petri sehr freundlich«, sage ich.

»Ich habe ihn nur einmal gesehen.«

Ich überlege, was geschehen würde, wenn ich ihn eines Tages mit nach Hause bringe und zu Lola sage: »Hier ist mein neuer Freund, ihr kennt euch ja.« Wahrscheinlich würde sie ein bißchen schlucken, mich unter irgendeinem Vorwand in die Küche hinausbitten und pikiert fragen, was das Ganze soll, und ich würde sagen: »Nein, im Ernst, wir haben uns angefreundet.« Ich überlege, ob wir zu dritt am Tisch sitzen und uns unbefangen unterhalten könnten.

»Was ich dich schon lange fragen wollte«, sagt er, »warum studierst du ausgerechnet Jura? Jeder sieht doch, wie es dich anödet.«

»Sieht das wirklich jeder?«

»Ich sehe es.«

»Das muß an meinem verfluchten Gesicht liegen«, sage ich. »Acht Semester strahlende Augen machen, das halte ich einfach nicht durch.«

»Es interessiert dich?«

»Ich will genauso mein Staatsexamen machen wie du, bloß daß man bei dir besser sieht, wie du dich ranhältst.«

»Hätte ich nicht gedacht«, sagt er überrascht. »Du machst eher den Eindruck wie einer, der jeden Tag seine Sachen nehmen und einpacken könnte. Das denken die meisten bei uns, falls du das nicht weißt.«

»Dafür kann ich nichts. Selbst wenn ich Schluß machen wollte, wäre es mir viel zu schade um die zwei schönen Jahre.«

»Und um die zwei Jahre, die noch kommen?«

»Mann, was willst du eigentlich? Du hast gehört, daß ich wild entschlossen bin, die acht Semester durchzuhalten. Soll ich es dir schriftlich geben?«

»Schon gut, schon gut. Trinken wir noch ein Bier?«

»Ja, aber jetzt bin ich dran mit Bestellen.«

Auf der ganzen Welt wird kein Thema aufzutreiben sein, über das wir reden könnten, ohne daß einem von uns der Kragen platzt, das wird mir immer klarer. Allerdings weiß ich nicht, ob ich jetzt normal reagiere, denn bis vor kurzem war er mir ein selbstverständlicher Dorn im Auge, und über Jahre sorgsam gepflegte Vorurteile lassen sich wohl nicht von einer Sekunde auf die andere abstellen. Gerade für Juristen ein bedenklicher Sachverhalt, fällt mir auf. Zu seiner Verwunderung frage ich aus heiterem Himmel: »Wie hast du eigentlich Lola kennengelernt?«

Denn warum sollten wir bei dieser Gelegenheit nicht über Dinge sprechen, die auch mich interessieren, Neunherz hat mich nicht gepachtet.

»Hat sie dir das nicht erzählt?«

»Nein«, sage ich, und weil er mir bei dieser Antwort zu gut

134

abzuschneiden scheint, füge ich noch hinzu: »Das heißt, ich habe sie nie danach gefragt.«

»In einem Studentenlager in der Tatra«, sagt er, ich beobachte, wie sein Gesicht eine Spur weicher wird vor Erinnerung. »Wir hatten das erste Semester hinter uns und Winterferien. Ich konnte nicht Ski laufen und sie auch nicht, wir sind auf dem Idiotenhügel zusammengestoßen.«

»Und dann?«

»Was dann? Der Urlaub war fast schon zu Ende, es war am vorletzten Tag oder so. Wir haben uns in Berlin wiedergetroffen, nicht zufällig, sie hatte mir ihre Telephonnummer gegeben. Ein oder zweimal in der Woche, bis ich sie zu diesem Juristenball mitgenommen habe. Das ist schon alles, den Rest kennst du besser als ich.«

»Ja«, sage ich.

Die logisch sich anschließende nächste Frage erspare ich uns, sie könnte ein wenig inquisitorisch klingen, und sie wäre, was Neunherz vermutlich nicht weiß, umsonst gestellt, ich kenne den unversehrten Zustand, in dem ich Lola von ihm übernommen habe. Dafür stelle ich mir selbst eine Frage, auf die es nur absonderliche Antworten gibt, wie kann man sich mit einem Mädchen wie Lola ein pralles Jahr hindurch jede Woche mehrmals treffen, ohne mehr als nur freundliche Worte zu wechseln, das muß eine Prüfung für ausgewachsene Giganten sein, Neunherz hat sie glänzend bestanden.

»Falls du das meinst«, sagt er, »wir haben nichts Näheres miteinander gehabt.«

»Ja, ja.«

»Menschenskind, war ich damals wütend auf dich«, sagt er lächelnd, »ich hätte dich umbringen können. Kommt an, schnappt mir die Freundin weg und guckt mich noch monatelang an, als hätte ich ihm sonst was angetan.«

»War nicht böse gemeint«, sage ich. »Sie hat mir so gut gefallen, daß ich sie sogar meinem eigenen Bruder ausgespannt hätte. Wenn es dich gepackt hat, kennst du keine Verwandten mehr.«

»Weißt du, daß ich uns beide viele Wochen verglichen habe, dich und mich? Ich wollte unbedingt herausfinden, was mir fehlt und was du hast. Etwas muß es ja sein, dachte ich, denn sonst wäre sie nicht mit dir mitgegangen.«

»Wir können sie fragen.«

»Lieber nicht. Ich bin nämlich zu dem Ergebnis gekommen, daß du ein Irrtum von ihr bist. Daran habe ich mich aufgerichtet, und wir wollen es dabei lassen.«

»Hoffentlich kommt Lola nicht auch dahinter«, sage ich.

Ich fahre nach Hause, ohne daß meine Vermutung zur Gewißheit geworden wäre, unsere Freundschaft steht nach wie vor in ziemlicher Ferne. Nach dem letzten Bier wurde die Ansicht geäußert, man sollte sich doch in den langen Ferien einmal treffen, die Namen Neunherz und Sauerbier stehen im Telephonbuch, doch was mich angeht, glaube ich nicht, daß die Ferien lang genug dafür sind. Vielleicht könnte man zusammenfassen, der verredete Vormittag hat zu gewissen atmosphärischen Veränderungen geführt, günstigstenfalls.

Im Laden neben meiner Haustür erwerbe ich eine kleine Schachtel Pralinen, Lola steckt gerne Süßigkeiten in den Mund, doch als ich nach oben komme, teilt mir Frau Sauerbier mit, sie wäre vor gut zwei Stunden heimgegangen. Ihr Zustand war durchaus befriedigend, sagt sie, nur ein wenig verständliche Blässe nach den zwei Tagen Bett. Sie hat sich nicht einmal ein Taxi rufen lassen, die hundert Schritte zur Straßenbahn machten ihr angeblich nichts aus. Nein, sie war nicht böse.

XV

Seit ich aus dem wundergläubigen Alter herausgewachsen bin, habe ich mich vor Heiligen Abenden stets ein wenig gefürchtet, alle Leute brachten eine Portion an Festlichkeit auf, der ich nichts entgegenzusetzen hatte, die Mechanik des Frohsinns nach Kalender funktionierte bei mir nie. Gewiß hat es nicht an Versuchen gefehlt, eine Miene zustande zu bringen, die der Situation angemessen war, aber irgendwie kam ich mir an den vierundzwanzigsten Dezembern immer ausgeschlossen vor. Wenn die anderen Lieder sangen oder beim Anblick der bunten Baumkugeln das Angenehmste empfanden, wollten und wollten meine Augen nicht leuchten, meiner Mutter ist das nicht entgangen, einmal hat sie mir zugeflüstert: »Freu dich doch auch ein bißchen.« Und ich habe ebenso leise, damit Vater nicht abgelenkt wurde, geantwortet: »Ich gebe mir ja schon Mühe.«

Doch von alldem abgesehen, den heiligen Weihnachtsabend pflegt man im Kreise seiner Lieben zu verbringen, ich also bei meinen Eltern und zusammen mit Lola, sie bei ihren Eltern und mit mir, es galt, einen Kompromiß zu finden. Sie bestand darauf, und ich bestand darauf, den Ausschlag gab, daß ich schon oft bei ihr zu Hause war, sie aber noch nie in Blankenburg, als Geschenk hat sie ein Teeservice für sechs Personen gewählt. Wir sind die einzigen Fahrgäste im Omnibus, der Schaffner hat sich auch gesetzt, einige Bänke entfernt, er hält den Kopf zu uns gewendet und ist unverkennbar bereit zu einem Gespräch. Das hat mit diesem besonderen Tag zu tun, gestern wären wir für ihn nach dem Abkassieren erledigt gewesen, und Lola tut ihm den Gefallen, sie sagt: »Heute fällt Ihnen der Dienst wohl besonders schwer?«

»Das ist nun mal so«, sagt er dankbar, »dafür habe ich Sylvester frei. Ich konnte es mir aussuchen.«

»Ist ja auch nicht schlecht«, sagt Lola.

»Mir ist das eigentlich egal, meine Frau wollte zwar lieber, daß ich heute zu Hause bleibe und Sylvester auf Tour, aber ich sage mir, sollen Weihnachten die Kollegen mit Kindern frei machen, unsere sind schon groß.«

»Da haben Sie recht.«

Er erzählt unaufhaltsam, wie groß seine Kinder schon sind und in welche Winde verstreut, der Älteste hat es immerhin bis zum Fahrdienstleiter gebracht, an der Station, an der wir ihn verlassen müssen, ist er mitten in der Beschreibung seiner Neubrandenburger Tochter.

Wir laufen durch ungepflasterte Vorstadtstraßen, Lauben und solide Häuschen wechseln einander ab, hinter einigen Fenstern brennen schon die Kerzen, Lola macht mich darauf aufmerksam. Eigentlich hatte ich vor, ihr unterwegs eine neue Geschichte zu erzählen, dafür sind wir nun schon zu dicht an der elterlichen Haustür, eine Idee für einen Film, ich weiß, ich sollte lieber zuerst die Angelegenheit mit den Zähnen ins reine bringen, ich bin mit Einfällen erheblich fixer als mit dem Aufschreiben, Lola sagt: »Schön haben es deine Eltern hier.«

»Du müßtest es am Tage sehen, im Sommer«, sage ich.

»Sieh doch mal!«

Sie hält mich am Arm fest und deutet auf eins der Häuser, vor der Tür steht ein herausgeputzter Weihnachtsmann im roten Mantel, langer Bart und Pelzmütze, er wirft sich gerade einen mächtigen Sack über die Schulter, vermutlich eine kinderreiche Familie. Er bemerkt uns, wie wir ihn angaffen, doch er läßt sich in seinem Treiben nicht beirren, er hüstelt kurz, dann klopft er gewaltig gegen die Tür. Gleich darauf wird geöffnet, ein winziges Mädchen sieht ihn an, mit diesem schönen Blick, in dem sich Furcht und Erwartung streiten, der Weihnachtsmann fragt in unglaublich tiefer Stimmlage: »Bin ich hier richtig bei Bergmann?«

Dem Mädchen will keine Antwort gelingen, kein noch so leises »ja«, es nickt nicht einmal, es läßt die Tür Tür sein und rennt schnell ins Haus zurück. Der Weihnachtsmann stapft ihm hinterher in den Korridor und beendet für uns das Schauspiel.

»Wie lange willst du noch hier stehen?« sage ich.

Wir gehen weiter, Lola sagt: »Bei uns zu Hause hat es nie einen Weihnachtsmann gegeben.«

»Warum denn das?«

»Es ist eine Rechenaufgabe. Als der Krieg begann, war ich noch kein Jahr alt. Papa wurde gleich eingezogen, er bekam zwar manchmal frei, Heimaturlaub, aber nie zu Weihnachten. Dann war er in Gefangenschaft und kam erst neunundvierzig zurück, da war ich elf und schon so weit aufgeklärt, daß es keinen Sinn mehr gehabt hätte.«

»Konnte deine Mutter in der ganzen Zeit keinen Ersatzweihnachtsmann auftreiben?«

»Ich weiß nicht, ob sie gekonnt hätte. Jedenfalls war nie einer da.«

»Das ist aber schön, daß Sie mitgekommen sind«, sagt meine Mutter zu Lola.

Langes Vorstellen kann ich mir ersparen, jeder weiß, wen er vor sich hat, Vater nickt mir hinter Lolas Rücken anerkennend zu, ich besitze keine Bilder von ihr, die ich ihm vorher hätte zeigen können. Ich habe, wie es scheint, seinen Geschmack getroffen. Die Mutter ist nicht ganz so zurückhaltend, sie sagt gleich nach dem Ausziehen zu mir: »Gott, ist die hübsch!«

Dann bemerkt sie, daß Lola ihr Urteil trotz Flüsterton gehört hat, sie hält sich die Hand reuig vor den Mund und sagt: »Sie sind mir doch nicht böse, wenn ich so etwas sage?«

Lola ist sofort die Verlegenheit in Person, sie verneint eilig, und ich soll ihr zeigen, wo das Badezimmer liegt.

»So ein hübsches Mädchen aber auch«, sagt Mutter noch einmal, als die Badezimmertür sich hinter Lola geschlossen hat, ich kann mir nicht erklären, woher diese spontane Begeisterung kommt, vielleicht handelt es sich um das erste Weihnachtsgeschenk.

Zuerst trinken wir Kaffee, Mutter hat alle ihre Künste spielen lassen und drei Sorten Kuchen gebacken, der Weihnachtsbaum beherrscht das Zimmer. Eine Tradition bei den Bieneks, der Vater ist dafür zuständig, jedes Jahr hält ihn die Suche nach dem passenden Baum mehrere Tage auf. Er muß stockgerade sein, gleichmäßig bewachsen und bis auf wenige Zentimeter genau unter die Decke ragen, er macht alle Händler mit seinen Bedingungen und dem Zollstock verrückt. Nach erfolgreicher Suche schmückt er das Prunkstück mit wütender Hingabe, silberne und goldene Kugeln, Bleilametta von vor dem Kriege, das alljährlich Faden für Faden wieder abgenommen wird, und auf die Spitze den riesigen Weihnachtsstern, der trotz eines fehlenden Zackens seine Wirkung nicht verfehlt. Auch die Anordnung der Kerzenhalter ist sorgfältig festgelegt, in drei Kränzen zu sieben, fünf und drei Stück winden sie sich um den Baum, doch die eigentliche Attraktion ist der Ständer. Er ist aus silbern angestrichenem Blech und beinhaltet eine Spieldose, die drei gängige Weihnachtslieder zu Gehör bringen kann, auf Knopfdruck setzt er sich in Bewegung, der Baum beginnt sich langsam zu drehen, und das Zimmer freut sich über das festliche Geklimper. Ich erinnere mich, wie oft ich als kleiner Junge gebettelt habe, den Kindern aus der Nachbarschaft das Wunderding vorführen zu dürfen, keiner hat meiner Prahlerei geglaubt, doch leider hatte ich nie Erfolg bei Vater, weil das Haus sonst, wie er fand, von lärmenden Rüpeln überquellen würde.

»Nehmen Sie doch noch ein Stück«, sagt die Mutter und legt Lola eine Portion Kirschkuchen auf den Teller. »Vielleicht von diesem hier?«

Nach dem Kaffee geht es an die Bescherung, dazu sind einige Vorbereitungen nötig. Auspacken, Aufbauen, und alles heimlich, ich muß mit Vater den Fernseher aus der Bodenkammer heruntertragen. Die beiden Frauen warten solange in der Küche, wir stellen den Apparat neben den Baum, dann zündet er die Kerzen an, setzt den Ständer in Gang und macht das Deckenlicht aus. Er öffnet die Tür und ruft: »Alles hereinkommen!«

Jeder beschenkt jeden, in aller Kürze bekommen: ich von Lola ein silbernes Feuerzeug, die Eltern von ihr das Service, Lola von mir ein Modebrevier von 1881, die Eltern von mir ein elektrisches Bügeleisen, Lola von den Eltern eine Handtasche, ich von den Eltern eine Aktentasche, Vater von Mutter eine Krawatte aus Chinaseide, die Mutter vom Vater den Fernseher. Wir drängen uns vor dem kleinen Tisch, auf dem bis auf den Apparat alles ausgebreitet liegt, und bestaunen die herrlichen Dinge, auch bunte Teller mit Nüssen und Marzipan, schnell wird erklärt, was wem gehört, am meisten staunt Mutter, wie es die angesehenste Schauspielerin nicht besser könnte.

»Dieses herrliche Geschirr!« – »So eine Handtasche habe ich mir schon lange gewünscht.« – »Wozu soll ich denn diese Krawatte tragen?« – »Gefällt sie dir nicht? Sieh doch nur, ein Bügeleisen!« – »Und zu dem Fernseher sagst du gar nichts?«

Mutter äußert den Wunsch, den Apparat sofort auszuprobieren, aber dem Vater ist die Stimmung mehr wert, man müßte das Licht dazu anmachen, bis die Kerzen wenigstens zur Hälfte abgebrannt sind und die Spieluhr abgelaufen ist, hätte das wohl Zeit, meint er. Wir setzen uns also, plötzlich stehen Gläser und eine Flasche Wein auf dem Tisch, Vater gießt ein, wobei er den Flaschenhals auf die Glasränder stützen muß, weil seine Hand ein wenig zittert. Er sagt: »Trinken wir auf ein frohes Fest, auf Frieden und auf unser aller Glück.«

Ich könnte das niemals so sagen, meine Zunge würde sich sträuben, warum nur, gegen den Text ist nichts einzuwenden, wir stoßen an, trinken und lauschen der Spieluhr. Nach wenigen Sekunden stimmt meine Mutter in die Melodie ein, »Süßer die Glocken nie klingen«, zuerst summt sie, doch bald singt sie richtig mit, und gleich darauf singt auch Lola, ich kenne sie nicht wieder. Ich nehme mein neues Feuerzeug in die Hand und probiere es ein paarmal aus, es funktioniert tadellos, jetzt erst entdecke ich die eingravierten Buchstaben G B. Als ich es wieder weglege, muß ich beschämt feststellen, daß ich inzwischen der einzige bin, der nicht singt, so geht es mir jedes Jahr, da ich den Text nicht kenne, erhebt sich gar nicht erst die Frage der Standhaftigkeit.

Die Feder ist so gut aufgezogen, daß wir dreieinhalbmal in den Genuß des gesamten Repertoires kommen, dann schleppt sich die Musik so mühsam dahin, daß der Hausherr endlich ein Einsehen hat. Er macht das Licht wieder an, pustet mit Lolas Hilfe die Kerzen aus und sagt: »Ran, Gregor!«

Ich stelle den Fernseher sofort in die vorherbestimmte Ecke neben das Klavier, dort ist auch eine Steckdose, der Vater schaltet ein und wartet mit angespanntem Gesicht, daß sich etwas tut. Mutter hat schon ihre andächtige Zuschauerhaltung eingenommen, die gefalteten Hände auf dem Schoß, als gäbe ich eins meiner seltenen Klavierkonzerte, der Bildschirm wird hell, Vater dreht an allen Knöpfen, ohne etwas auszurichten, er blickt ratlos zu mir.

»Braucht man dazu keine Antenne?« frage ich.

»Richtig.«

Er geht nach oben, um sie aus dem Versteck zu holen, da stößt mich die Mutter an und sagt leise: »Die Antenne liegt hier unten im Schrank, hinter den Tischtüchern. Aber das darf ich ja nicht wissen.«

Als er wieder zurückkommt, sehen wir ihn alle neugierig an, wie er sich aus der Falle seiner Verschwiegenheit befreien will, er kratzt sich den Kopf, blickt hierhin und dorthin und zuckt mit den Schultern.

»Überlege doch mal«, sagt Mutter aufmunternd.

»Was denkst du, was ich sonst tue?«

Als erste hat Lola Mitleid, das läßt bei ihr nie lange auf sich warten, sie sagt: »Vielleicht haben Sie die Antenne in irgendeinen Schrank gelegt?«

Er grübelt noch einen Moment, in was für einen Schrank, dann hellt sich sein Gesicht auf, er geht zielstrebig zum Büfett, öffnet die Tür, räumt einen Stapel weißer Wäsche zur Seite und bringt die Zimmerantenne zum Vorschein.

»Sie sind ein Engel«, sagt Mutter zu Lola.

Ich helfe ihm beim Finden der richtigen Buchse, es gibt keinerlei Schwierigkeiten, wir wissen nur nicht genau, welches Programm Osten ist und welches Westen, wir sind beide Fernsehneulinge, und Lola mischt sich nicht ein. Im einen wird ein Schlitten von drei Pferden durch eine idyllische Schneelandschaft gezogen, zu Orgelmusik, im anderen singt ein Knabenchor mir unbekannte Lieder in einer Kirche. Vater entscheidet sich für den Pferdeschlitten, er setzt sich, und wir schauen einige Minuten schweigend zu. Von Zeit zu Zeit wird die Orgel persönlich eingeblendet, meistens jedoch sind Landschaft und Schlitten im Bild, die Landschaft will nicht aufhören, ich zähle drei eingeschneite Dörfer, bis der Vater sagt: »Was haltet ihr davon, wenn wir zuerst Abendbrot essen? Vielleicht kommt nachher etwas Vernünftiges?«

Man ist einverstanden, er dreht den Ton weg, läßt aber das Bild weiterlaufen, richtet noch ein wenig die Antenne, Mutter geht hinaus in die Küche, und Lola läßt es sich nicht nehmen, bei der Zubereitung zu helfen. Ich habe ihr schon viel von den Kochfertigkeiten meiner Mutter vorgeschwärmt, womöglich will sie ein paar Tricks lernen.

»Hast du gesehen, was für Augen Mutter gemacht hat?« fragt er mich.

»Wie Mühlenräder. Einen Fernseher kriegt man ja auch nicht alle Tage geschenkt.«

»Wenn andere dabeisind, kann sie ihre Freude nur nicht zeigen. Sie wünschte sich schon lange so einen Kasten, gieß uns noch eins ein.«

Ich fülle die beiden Gläser nach, meins ist noch halbvoll, ich sehe, wie er heimlich seine Finger massiert, ich will einen Schluck trinken, aber er sagt: »Moment doch, Moment doch, jetzt wird auf eine ganz besondere Sache angestoßen.«

»Nämlich?«

»Man sagt, der erste Eindruck ist der wichtigste. Seit langem bin ich zum erstenmal von Herzen mit dir zufrieden, diese Lola ist eine Perle. Mich wundert nur, daß sie einen wie dich genommen hat, bildschön und freundlich und bescheiden und so klug, laß dir gratulieren, Junge.«

»Woher willst du wissen, wie klug sie ist? Sie hat doch fast gar nichts gesagt.«

»Ich habe gute Ohren, auch wenn du es nicht glaubst, schon wie sie einen ansieht. Außerdem bist du in ihrer Gegenwart wie ausgewechselt, auch bescheiden und höflich, das würde ein dummes Mädchen nie bei dir fertigbringen.«

Wir stoßen auf Lola mit den vielen guten Eigenschaften an, da darf kein Tröpfchen im Glas bleiben, erstmals wurde mir von einem objektiven Betrachter gesagt, was mich selbst schon als Verdacht bewegte, daß Lolas Anwesenheit nicht ohne Folgen für mein Verhalten bleibt. Im Fernseher kommen die Pferde endlich zur Ruhe, der in Pelz gekleidete Kutscher steigt vom Schlitten, wirft den dampfenden Gäulen Decken über und geht in eine kleine Kirche. Dort soll sich angeblich die Orgel befinden, das Musikstück klingt aus, ich höre zwar nichts, doch ich sehe förmlich, wie der Organist die letzten Akkorde anschlägt. Wenn ich nur wüßte, wie man sich gegen Lolas stummen Einfluß zur Wehr setzt.

»Ihr bleibt doch über Nacht?« fragt mein Vater.

»Wie kommst du darauf?«

»Mutter hat es mir gesagt. War es nicht zwischen euch so ausgemacht?«

»Wenn ja, dann habe ich es vergessen. Wir müssen erst hören, was Lola dazu meint.«

»Jedenfalls hat Mutter oben dein Zimmer gemacht. Rede ihr zu, sie würde sich freuen. Sie jammert mir sowieso schon den ganzen Tag die Ohren voll, wie selten du kommst.«

»Ich erinnere mich«, sage ich, »wie ich vor Jahren ein Mädchen hier mit raufbringen wollte, auch über Nacht, und was für ein Theater du damals gemacht hast. Als ob ich das Haus in die Luft sprengen wollte.«

»Das war doch etwas ganz anderes, du Dummkopf.«

Er macht mürrische Augen, weil es unfair von mir war, ihn gerade jetzt daran zu erinnern, vielleicht quälen ihn auch die gichtigen Finger, doch sofort zieht wieder Ruhe in sein Gesicht, denn Lola kommt herein, die strahlende Siegerin des Abends. Sie trägt ein Tablett vor sich her und beginnt, den Tisch zu decken wie die alteingesessene Tochter des Hauses, Geschirr und Besteck. Vater räumt ihr alles aus dem Weg, was irgendwie stören könnte, Gläser und Flasche und Aschenbecher, ich will nicht Gregor Bienek heißen, wenn sie nicht heute abend noch du zueinander sagen. Ich stelle mir die Frage, warum dieses Du zwischen ihren Eltern und mir noch nie zur Debatte gestanden hat, nicht daß ich versessen darauf wäre, aber ich war mindestens schon zehnmal ihr Gast, die einzig denkbare Erklärung ist, daß Lola zehnmal mehr Herzlichkeit mit sich herumträgt als ich. Denn an der Ausstrahlung meines Vaters kann es nicht liegen.

»Haben Sie einen bestimmten Platz?« fragt Lola.

»Decken Sie so, wie Sie es für richtig halten.«

»Aber Sie sind mir nicht böse, wenn wir beim Essen den Fernseher ganz ausmachen? Ihre Frau hat sich sehr viel Mühe gegeben.«

Wie der Blitz ist er am Apparat und schaltet ihn aus, Lola verläßt uns lächelnd, um den ersten Teil des eigentlichen Abendbrots zu holen.

»Der grüne Neid könnte einen packen«, sagt Vater.

Lola ist mit der Übernachtung einverstanden, wir haben nur noch einen kleinen Spaziergang zur nächsten Telephonzelle gemacht, damit sie ihren Eltern Bescheid geben konnte, jetzt liegen wir in meinem alten Bett, das für zwei ausgewachsene Personen ein wenig knapp bemessen ist. Wir sind noch nicht müde, doch damit läßt sich nicht allzuviel anfangen, der Besuch bei Dr. Petri liegt zu kurze Zeit zurück, wir küssen und drücken und streicheln uns, und sie wird wohl dasselbe denken wie ich, jammerschade. Ich sage: »Hättest du statt dessen Lust auf eine Geschichte?«

»Auf was für eine Geschichte?«

»Ich will dir eine erzählen.«

»Schon wieder eine neue?«

»Ja.«

»Du Ochse«, sagt sie, »du ertrinkst noch in deinen Geschichten. Schreib doch erst mal die alten auf, wenigstens die eine, für die du diesen Vertrag hast. Sonst findest du dich bald selbst nicht mehr durch. Oder noch schlimmer, ich fange an zu glauben, daß du es überhaupt nicht kannst.«

»Das hat noch Monate Zeit«, sage ich. »Wenn es dich nicht interessiert, können wir ja versuchen einzuschlafen.«

Nach einer Weile sagt sie: »Ich warte. Aber erzähl nicht so laut, deine Eltern wollen bestimmt Ruhe haben. Ich liebe Geschichten im Flüsterton.«

»Meine läßt sich schlecht flüstern.«

»Du kannst es wenigstens versuchen«, sagt sie.

Ich versuche es, im Parterre eines alten Berliner Mietshauses befindet sich eine kleine Bankfiliale. Einer der Kunden, ein zwielichtiger und vorbestrafter Typ, sieht sich die Sache eines Tages genau an und kommt zu dem Schluß, daß man hier ohne große Mühe einen ganzen Haufen Geld herausholen könnte. Aus diesem Grunde tut er sich mit zwei anderen zusammen, gemeinsam planen sie den Einbruch.

»Ich denke, du hast nichts für Krimis übrig?« sagt sie.

»Warte doch mal ab«, sage ich.

Zu dritt beobachten sie das Haus, notieren sich die Zeiten, zu denen ein Wachmann die Filiale kontrolliert oder Polizeistreifen vorbeikommen, am Ende legen sie fest, daß der Einbruch nachts um halb drei beginnen und kurz vor drei beendet sein muß, weil dann die nächste Kontrolle stattfindet. Und sie sind der Ansicht, bei diesen lächerlichen Sicherheitseinrichtungen wäre das bequem zu schaffen. Sie wissen nur noch nicht genau, wohin dann mit dem Geld, bei sich zu Hause möchte es keiner aufheben, denn alle drei sind der Polizei nicht unbekannt. Einer von ihnen ist kleiner Fuhrunternehmer, er besitzt einen alten Lieferwagen, der tadellos in Schuß ist, ein zweiter hat eine Sommerlaube außerhalb der Stadt, man müßte das Geld mit dem Wagen in die Laube schaffen, dort wäre es sicher wie in Abrahams Schoß. Aber da hat der dritte, der einzige unter ihnen, der etwas von Schlössern und Tresoren versteht, seine Bedenken. Er meint, wenige Minuten nach dem Einbruch würde der Wachmann den Diebstahl entdecken und die Polizei alarmieren, nach spätestens zwanzig Minuten würden an der Stadtgrenze scharfe Kontrollen einsetzen, das heißt, der Weg bis zur Stadtgrenze müßte in einer Zeit unter zwanzig Minuten zurückgelegt werden. Dazu gehörten im Durchschnitt achtzig Stundenkilometer, der Wagen müßte das zwar schaffen, doch so schnell durch die Stadt zu fahren bedeute ein gewaltiges, bei Lichte besehen ein unzumutbares Risiko. Das sehen die anderen beiden auch ein, es wird weitergegrübelt, bis wenige Tage später einer der drei freudestrahlend mit einer Zeitung ankommt. Dort steht geschrieben, daß eine Stadtautobahn gebaut werden soll, und zwar ziemlich genau in der von ihnen benötigten Richtung, ge-plante Fertigstellung dann und dann, aus Anlaß irgendeines Jah-restages. Die Nachricht wird von ihnen als Geschenk des Himmels gefeiert, es ist überhaupt keine Frage, daß sie die neue Straße abwarten wollen, auf der man das Geld gefahrlos in ihr Versteck schaffen kann, die Beute läuft ihnen ja nicht weg. So vergeht Monat um Monat, sogar Jahr um Jahr, man weiß, in welchem höllischen Tempo mitunter bei uns gebaut wird, der bewußte Jahrestag kommt heran, aber die Straße denkt noch lange nicht daran, fertig zu sein. Die drei gehen ab und zu mal hin und inspizieren be-kümmert die einzelnen Bauabschnitte, tatenlos müssen sie zusehen, wie die mühsam sich dahinschleppende Arbeit die Stunde ihres erhofften Reichtums in immer weitere Ferne rücken läßt. Und es kommt noch schlimmer, eines Tages erscheint einer von ihnen mit der schrecklichen Mitteilung, das alte Haus, in dem sich ihre Bank-filiale befindet, soll im Zuge der Stadtsanierung abgerissen wer-den, in acht Monaten. Wenn die neue Straße bis dahin nicht vollendet ist, darf man ihren ausgefeilten Plan in den Müll werfen, eine hoffnungslose Situation, was tun? Da fassen sie in ihrer Not einen verzweifelten Entschluß, sie sagen sich, ohne unsere Hilfe wird das nie im Leben eine Stadtautobahn, sie gehen zum Straßenbau.

Lola kichert zum erstenmal.

Arbeitskräfte sind gesucht, zumal es sich bei den drei irgendwie um Spezialisten handelt, Maurer, Fahrer und Schlosser, sie werden mit offenen Armen empfangen. Und vergiß nicht, Lola, sie haben einen materiellen Anreiz wie niemand sonst, vielleicht wartet eine ganze Million, sie legen sich ins Zeug, daß die Funken fliegen, immer die Frist von acht Monaten im Nacken. Nun leben wir zum Glück in einem Land, in dem gute Arbeit die entsprechende Anerkennung findet, und da kein Mensch ihre Motive kennt, hagelt es Belohnungen. Sie kriegen Prämien, einer von ihnen wird Brigadier, einer Aktivist, einer könnte sogar als Vorbild in eine Zeitung oder in die Wochenschau kommen. Sie genießen zwar solche Ehrungen, die es in ihrem bisherigen Gaunerleben nie gegeben hat, aber groß aufhalten lassen sie sich nicht, kein Atemholen, denn das Ziel wird keine Sekunde aus dem Auge verloren. Auch Überstunden nehmen sie in Kauf, wie es sich für Vorbilder gehört, drängen sich sogar danach und machen sie anderen schmackhaft, man kann vor so viel selbstlosem Arbeitseifer nur tief den Hut ziehen. Mit knapper Not wird die Straße rechtzeitig fertig, bei der feierlichen Einweihung stehen sie in der ersten Reihe der Besten, während eine Persönlichkeit das Band durchschneidet. Mit knapper Not plündern sie die kleine Bank aus, mit knapper Not kommen sie auf der neuen Straße vor den Kontrollen aus der Stadt. In der Sommerlaube zählen sie das erbeutete Geld, es ist viel weniger als erwartet, und sie finden, mit ihrer kolossalen Arbeit hätten sie es sich doppelt und dreifach verdient.

»Das ist alles?« fragt Lola.

»Bis jetzt ja.«

Sie gibt mir einige Küsse und sagt: »Da hast du dir eine schöne Geschichte ausgedacht.«

»Aber?«

»Kein Aber, eine richtig gelungene Weihnachtsüberraschung«, sagt sie. »Soll ich das Gespräch vorwegnehmen, das der Dramaturg oder Lektor, dem du sie anbieten wirst, später mit dir führen wird?«

»Kannst du das denn?«

»Ich denke schon«, sagt sie, und ihre Stimme nimmt eine unpersönliche, leicht näselnde Tönung an, vermutlich will sie damit ihre Distanz zum nun Folgenden andeuten. Es ist ja ein Spiel. »Also, mein lieber Herr Bienek, verstehe ich Sie recht, wenn ich Ihrer Geschichte entnehme, daß Sie vor allem die wichtige Rolle, die der materielle Anreiz bei der Steigerung der Arbeitsproduktivität spielt, unter die Lupe nehmen wollen?«

»Sonst entnehmen Sie nichts?« sage ich.

»Doch, doch, ich sehe auch, wie einfach es Ihrer Ansicht nach zu sein scheint, die Behörden, in diesem Fall die Bauleitung, über seine wahren kriminellen Beweggründe zu täuschen.«

Ich sage: »Meine Gauner sind eben intelligent, vorsichtig und konsequent.«

»Dagegen wäre nichts einzuwenden. Aber halten Sie es für erstrebenswert, mit einer Geschichte zu beweisen, wie leicht sich intelligente Gauner unsere Gegebenheiten für ihre Zwecke nutzbar machen können?«

»Was heißt erstrebenswert? Es ist Teil dieser Fabel.«

»Unbestritten, Herr Bienek, das sehe ich. Dennoch möchte ich mir die Frage erlauben, ob Sie nicht gleich mir der Auffassung sind, daß man mit einer Geschichte irgendwelche ernsthaften Absichten verfolgen sollte? Absichten, die gewissermaßen, wie soll ich sagen, über die unmittelbare Fabel hinausgehen und den Leser oder Zuschauer mit einbeziehen? Wie sieht es damit bei Ihnen aus?«

Ich überlege ein paar Sekunden, dann komme ich zu dem Schluß, daß es sinnvoller wäre, mit ihr noch ein bißchen zu schmusen, ich lege den Arm um sie, ziehe sie zu mir heran und sage: »Lassen wir doch den Quatsch.«

»Das könnte dir so passen, du Niete«, sagt sie und macht sich energisch von mir los. »Los, antworte.«

»Wem? Dir oder diesem Idioten?«

»Mir.«

Ich verdrehe die Augen, was sie in der Dunkelheit leider nicht sehen kann, wir hören Vaters Stimme: »Sie läßt fragen, ob ihr noch etwas zu trinken haben möchtet?«

»Nein, vielen Dank«, anwortet Lola.

»Gute Nacht.«

Ich sage: »Ich finde es klippschulhaft, nach jeder einzelnen Geschichte zu fragen – wo bleibt die praktische Nutzanwendung?«

»Und ich finde es verdächtig, wenn einer, der schreiben will, sich konsequent weigert, sich darüber Gedanken zu machen. Ganz abgesehen davon ...«

Sie unterbricht sich plötzlich und dreht sich schwungvoll zur anderen Seite, zur Wand, sie sagt nur noch: »Ach was.«

Daß wir uns über meine Einfälle streiten, ist vollkommen neu, im Moment will ich es dabei bewenden lassen, ich spüre, die Schlafenszeit, morgen kann ich ihr auch noch sagen, wie ungerecht ihre letzten Worte waren. Mit ein wenig mehr Enthusiasmus hatte ich schon gerechnet, das gebe ich zu, vielleicht liegt es auch nur daran, daß keine noch so schöne Geschichte eine ins Wasser gefallene Liebesnacht ersetzen kann. Ich muß ein Stück zur Bettkante rücken und Luft zwischen uns schaffen, denn solange sich bei jedem Atemzug ihre nackte Haut an meiner reibt, schlafe ich nie im Leben ein.

»Gregor?«

»Ja?«

»Sie gefällt mir gut, deine Geschichte«, sagt sie leise und macht im Handumdrehen meine Bemühungen um Abstand zunichte.

»Aber zum Schluß wird sie dünn. Weil nichts Überraschendes mehr passiert. Die Leute machen einen Plan, führen ihn aus, und alles klappt. Daß es nachher viel weniger Geld ist, als sie gehofft haben, das ist doch ganz egal. Findest du nicht?«

»Kann sein«, sage ich versöhnlich, »jedenfalls kommst du jetzt der Sache schon viel näher.«

»Nehmen wir mal an, sie brechen am Ende nicht mehr in die Bank ein.«

»Warum nicht?«

»Lach aber nicht gleich. Sie brechen nicht ein, weil die Arbeit beim Straßenbau sie verändert hat, wenigstens einen oder zwei von ihnen. Arbeit verändert Menschen, daran glaubst du doch auch? Wäre es nicht überraschender und trotzdem logischer, wenn sie sich die Möglichkeit für den Einbruch zwar geschaffen hätten, nun aber plötzlich keine Lust mehr dazu haben? Statt des Bankraubs ziehen sie weiter, um die nächste Straße zu bauen, weil sie jetzt finden, dort wäre mehr zu holen. Weil sie Blut am ehrbaren Leben geleckt haben. Geht das nicht so?«

»Schlau bis du ja«, sage ich. »Wie appetitlich du so etwas formulieren kannst.«

»Überlegst du es dir?«

»Und wie.«

Bestimmt lächelt sie jetzt, denn so könnte sich eine beginnende Einsicht anhören, zum Lichtschalter ist es weit, ich taste behutsam ihr Gesicht ab, kann aber nichts Derartiges entdecken, sie beißt mir nur in den neugierigen Finger.

XVI

Weihnachten ist vorbei, und Sylvester steht vor der Tür, überall ist die erwartungsvolle Rede davon, daß gleich ein neues Jahrzehnt beginnt, ich drehe das vergangene Jahr hin und her und muß eingestehen, viel weitergebracht hat es mich nicht. Ich finde keine wesentlichen Fortschritte zum Anfang, was soll ich mich groß streiten, woran es liegt, nach wie vor kommt mir alles nur vor wie ein Provisorium, aber ich kann nicht sagen in welcher Richtung. Genau weiß ich das nur von meiner trübsinnigen Zahngeschichte, fast die ganze Nacht habe ich mich mit ihr herumgequält, zum Jahreswechsel sollten wenigstens ein paar fertige Seiten auf dem Schreibtisch liegen, doch mehr als fünf oder sechs belanglose erste Sätze sind nicht herausgekommen. Die Prophezeiung Lolas, ich würde mich bald selbst nicht mehr zwischen meinen Hirngespinsten zurechtfinden, hat sich leider als richtig erwiesen, ich konnte mich nicht konzentrieren, zwischen den Zähnen tauchten plötzlich Bankräuber auf, Straßenbauer spukten mir im Kopf herum, das Resultat liegt zusammengeknüllt im Papierkorb.

Jetzt ist gleich Mittag, Frau Sauerbier wundert sich über die Stille in meinem Zimmer, sie hat mich schon dreimal geweckt und sich erkundigt, beim letztenmal danach, ob ich mit ihr zusammen Spinat mit Setzei essen möchte. Ich habe höchstens drei Stunden geschlafen, die laute Straße hat fortwährend gestört, viel zuwenig, um einen neuen ersten Satz in Angriff zu nehmen, der Beginn wird endgültig ins nächste Jahrzehnt verschoben. Es klopft wieder, sie sagt: »In einer halben Stunde ist es soweit, Herr Bienek.«

Ich fange an zu frieren, die ausgeatmete Luft bildet Wölkchen und Eisblumen am Fenster, der dickste meiner beiden Pullover hilft ein bißchen. Ich heize zuerst das Zimmer. Dann will ich ins Bad gehen, damit Frau Sauerbier der Anblick eines unrasierten Untermieters erspart bleibt, doch als ich am Telephon vorbeikomme, befällt mich in Erinnerung an die letzte Nacht ein seltsamer Wunsch. Ich nehme das dicke Buch und suche die Nummer des Verlages, für normale Leute ist jetzt Arbeitszeit, ich verlange Winfriede Lieber.

»Hallo?«

»Guten Tag, ich bin es, Bienek.«

»Ist es denn die Möglichkeit?« sagt sie. »Und ich dachte, Sie wären inzwischen gestorben.«

»Ich war doch erst vor zwei Wochen bei Ihnen, oder vor drei.«

»So kurze Zeit ist das her? Was gibt es denn?«

»Nichts Besonderes«, sage ich, »ich wollte mich nur mal wieder melden.«

»Was macht Ihre Geschichte? Haben Sie schon angefangen?«

»Ja, die Sache läuft ganz gut. Aber ich bin noch lange nicht fertig.«

»Lassen Sie sich Zeit.«

Es folgt eine kleine Pause, während der ich in ihrer Wohnung herumspaziere, Sitzecke, Kochnische, Schlafecke, ich sehe viele Einzelheiten deutlich vor mir, besonders eine. Ich gestehe mir ein, daß ich sie ganz gerne wieder besuchen würde.

»Sind Sie noch dran?« frage ich.

»Natürlich. Denken Sie gerade über etwas Wichtiges nach?«

»Wie man es nimmt.«

»Ob Sie wieder mal nach Weißensee kommen?«

»Ja.«

»War es denn nicht so verabredet?«

»Ich glaube.«

»Ich fahre über Neujahr mit ein paar Bekannten weg«, sagt sie, »am zweiten bin ich zurück. Rufen Sie mich dann an?«

»Mache ich.«

»Bestimmt?«

»Wenn ich es doch sage.«

»Es war die Haussicherung«, sagt sie, »am nächsten Abend hat es auch noch geflackert.«

»Da kann man nichts machen. Also dann, einen guten Rutsch.«

»Danke, Ihnen auch.«

»Moment noch«, sage ich. »Tragen Sie jetzt zufällig einen Pullover?«

»Ja?«

»Welche Farbe hat er? Schwarz?«

»Nein, rot. Warum?«

»Ach, nichts weiter.«

Neben dem Telephon liegt ein Zettel, damit meine Wirtin bei der Abrechnung nicht durcheinanderkommt, ich mache einen ehrlichen Strich darauf, für Dezember war es mein sechzehntes Gespräch. Und weil ich gerade dabei bin, folgt gleich ein zweiter Strich, ich rufe Lola an, sie wollte sich aus eigener Tasche um zwei Karten für irgendeine Sylvestervergnügung kümmern. Sie hat gesagt, wenn es draußen kracht und randaliert, könnten wir unmöglich alleine in einem unserer Zimmer sitzen, das wäre so traurig. Auf meinen finanziellen Einwand hat sie geantwortet: »Jetzt bin ich dran mit Schuldenmachen, für legale Dinge ist das kein Problem.«

Ich muß ziemlich lange warten, bis sich jemand meldet, ihre Mutter ist am Apparat, ich sage: »Guten Tag, Frau Ramsdorf, hier ist Gregor. Ist Lola da?«

Sie antwortet nicht, ich höre nur einige feuchte Geräusche, schon als sie ihren Namen nannte, hatte ich den Eindruck, daß er zittriger klang als sonst. Ich sage: »Frau Ramsdorf? Ist etwas nicht in Ordnung?«

Immer noch kommt keine Antwort, ich rufe ein paarmal »hallo« und »was ist denn?«, da höre ich sie laut und hemmungslos weinen. Die Angst fährt mir in die Glieder, was gibt es am hellichten Tag so schrecklich zu weinen, ich lege den Hörer auf, weil ich erkennen muß, daß auf diesem Wege keine vernünftige Auskunft zu erwarten ist. Ich greife Mantel und Schal, fast wären die Schuhe vergessen worden, auf halber Treppe höre ich, wie Frau Sauerbier mir unwillig hinterherruft: »Was ist denn jetzt los? Die Eier sind schon in der Pfanne.«

Ich renne bis zur Straßenbahnhaltestelle, an der Schönhauser Allee muß ich umsteigen in Richtung Pankow, ich gebe mir Mühe, mir nichts vorzustellen, den ganzen Weg über denke ich nur, so schlimm wird es schon nicht sein. Sie öffnet und beginnt sofort wieder zu weinen, oder sie hat noch gar nicht aufgehört, ich frage: »Wo ist Lola?«

Ich muß sie ins Zimmer führen und auf einen Stuhl setzen, ich muß sagen: »Beruhigen Sie sich doch bitte.«

Ich muß warten, daß mich schon ein großer Zorn packt, aber ich sehe, daß sie ihr möglichstes versucht, sie will reden und kommt gegen das Schluchzen nicht an. Endlich höre ich: »Sie hatten einen Unfall.«

»Wer? Wer hatte einen Unfall?«

»Mein Mann und Lola. Mit dem Auto. Heute früh.«

Ich spüre, wie mein Kopf nach allen Seiten hin größer wird, ich schüttle aus ihr Einzelheiten heraus, die mich nicht interessieren, bis auf eins, sie verrät, daß beide leben. Aber wie lange noch, das weiß sie nicht, sie hat zwei Stunden im Krankenhaus gesessen, ein Arzt hat ihr gesagt, beider Zustand wäre ziemlich hoffnungslos. Dann ist sie nach Hause gefahren worden, sie konnte ja doch nichts tun als herumsitzen, sie sagt: »Wenn sich etwas entscheidet, werden sie anrufen, das glaubst du doch auch?«

Ich denke an meinen Anruf vorhin und wundere mich, warum es so lange gedauert hat, bis sie sich meldete, wahrscheinlich hat sie Angst, an den Apparat zu gehen, gefährlich wie es ist. Allmählich schrumpft mein Kopf zu normaler Größe, nur die Knie sind noch nicht die alten, ich zwinge mich zu praktischen nächsten Schritten, ich frage sie nach Krankenhaus und Abteilung. Ich frage sie auch, ob sie mitkommen möchte, aber sie sagt, das kann sie im Moment nicht.

»Nachher komme ich wieder«, verspreche ich.

Um eingelassen zu werden, muß ich mich als Verlobter und künftiger Schwiegersohn ausgeben, sonst könnte ja jeder kommen, der Stationsarzt gestattet mir ausnahmsweise, eine Zigarette zu rauchen. Ich erfahre, daß es mit dem Schwiegersohn nichts werden wird, Bernhard Ramsdorf ist vor einer Stunde gestorben. Sie wollten anrufen, aber die Frau hat am Morgen in der Aufregung ihre Nummer nicht dagelassen, und im Buch steht sie nicht, der Polizist müßte mit der Nachricht inzwischen eingetroffen sein.

»Soviel ich gehört habe, hat er an dem Unfall selbst schuld gehabt«, sagt der Arzt. »Schrecklich.«

Ich schließe kurz die Augen und beginne dann von neuem, ich frage: »Wie geht es Lola?«

»Sie wird es überstehen«, sagt er, »zuerst hat es gar nicht gut ausgesehen. Wir befürchteten eine Schädelfraktur, aber es sind nur Gesichtsverletzungen. Dann wohl eine Nierenprellung, und beide

Beine sind gebrochen. Im schlimmsten Fall werden ein paar Narben zurückbleiben, aber auch das ist nicht sicher.«

»Darf ich sie sehen?«

»Meinetwegen«, sagt er sofort. »Regen Sie sie nicht zu sehr auf. Schwester Heidrun wird Ihnen den Weg zeigen.«

Er ruft Schwester Heidrun, und ich drücke meine Zigarette in einem Blumentopf aus. Während wir durch die langen Flure gehen, habe ich nur einen einzigen Gedanken im Kopf, ich denke seltsamerweise immer wieder, was für ein schäbiger Schmutzfink ich bin. Genau dieses eine Wort und dieses Attribut, bei jedem Schritt bin ich ein schäbiger Schmutzfink, die Beweise beschäftigen mich nicht.

»Hier ist es«, sagt Schwester Heidrun.

Lola liegt in einem Einzelzimmer, ich kann gar nicht sagen, wie sie aussieht. Ihr Kopf ist vollständig mit weißem Verbandstoff umwickelt, auch Stirn und Augen, nur zum Atmen ist ein Fensterchen frei gelassen, für den Mund. Vielleicht schläft sie, zum Glück steht ein leerer Stuhl neben dem Bett, ich muß mir Mühe geben, daß meine Tränen, die plötzlich in hellen Scharen fließen, von ihr nicht gehört werden. Ich soll sie nicht aufregen. Muß ich sie erst in diesem saumäßigen Zustand sehen, um endlich zu wissen, wie sehr ich sie liebe, bis jetzt war sie meine Freundin, ich bin mit ihr gegangen, »wer ist die kleine Hübsche?«, »ich gehe mit ihr«, jetzt ahne ich auch, was es mit dem schäbigen Schmutzfinken auf sich hat. Höchstens ein paar Narben werden übrigbleiben, hat er gesagt, die Narben sind noch nicht erfunden, die sie mir unansehnlich machen, ich erwische mich bei dem niederträchtigen Verlangen nach einer entstellten Lola, dann könnte ich beweisen, wieviel Verlaß auf mich ist. Nein, nein, sie soll mir um Himmels willen diesen Gefallen nicht tun, ich habe andere Wünsche.

»Ist jemand hier?« fragt sie, ganz normal hört es sich an, als wäre sie an einem beliebigen Tag gerade aufgewacht. Ich kann nicht gleich antworten, meine verheulte Stimme hat in diesem Zimmer nichts zu suchen, einige Sekunden muß sie mir noch gönnen, bis ich wie üblich klinge.

»Gregor?«

Es tut gut, durch dicke Verbände hindurch erkannt zu werden, ich bilde mir ein, jetzt könnte es soweit sein, ich sage: »Gott sei Dank, dein sechster Sinn funktioniert noch.«

»Fein«, sagt sie, und ich bin sicher, daß sich hinter ihrer Verkleidung ein halbwegs zufriedenes Lächeln verbirgt.

»Man kann dich ja nirgends hinküssen«, sage ich.

»Findest du?«

Ich sehe, wie sie in dem kleinen Atemloch ihren Mund spitzt, ich beuge mich darüber und küsse sie vorsichtig. Sie sagt: »Wenn du nur nicht immer so unpraktisch wärst. Leg deine Hand auf mich, du findest schon eine heile Stelle.«

Ich setze mich auf die Bettkante, schiebe die Hand unter die Decke, ihre Hand kommt mir entgegen, wir halten uns. Sie drückt mich, als wollte sie ausprobieren, wieviel Kraft noch in ihr steckt.

»Mir sagt ja keiner was«, sagt sie, »was habe ich denn überhaupt?«

»Halb so schlimm, der Arzt hat es mir eben erzählt. Ein paar Schrammen im Gesicht, eine gequetschte Niere, und die Beine sind irgendwie defekt. Das ist schon alles.«

»Und wegen dem bißchen heulst du?«

»Du hörst Gespenster.«

»Was ist mit Papa?«

»Ich weiß es nicht. Ich werde mich nachher erkundigen.«

»Tu es doch bitte gleich.«

»Nein, jetzt bin ich erst mal hier.«

»Das mit den Beinen habe ich schon gemerkt«, sagt sie. »Muß was amputiert werden?«

»Du bist wohl verrückt, wenn man jedes gebrochene Bein abschneiden würde, müßten mir schon drei fehlen. Die wachsen blitzschnell wieder zusammen. Wenn wir heiraten, hast du die schönsten X-Beine, die man sich vorstellen kann.«

»War das ein Antrag?«

»Ungefähr mein hundertster«, sage ich.

»Du hast so eine feine Art«, sagt sie, »wenn man nicht ganz genau hinhört, weiß man gar nicht, was gemeint ist.«

Ich will ihr nicht widersprechen. Sie fragt noch, ob ich es mir inzwischen mit dem Bankraub überlegt hätte, ihre Stimme klingt immer müder, ich antworte, ich habe es mir überlegt, natürlich hatte sie mit ihrem Vorschlag recht. Dann schweigen wir, ich warte auf irgendein anderes Wort, doch Lola sagt nichts mehr, ich sitze da und halte einfach ihre Hand. Schwester Heidrun kommt herein und sagt, ich wäre schon lange genug hier, ich müßte jetzt gehen. Ich lege einen Finger auf den Mund und sage: »Leise, sie schläft.«

Roman

Als erstes, Ende Februar wird Lola aus dem Krankenhaus entlassen, ganz und gar geheilt, wie es heißt. Anfangs klagt sie über Kopfschmerzen, die sich bald beruhigen. Doch hat die Sehkraft ihres rechten Auges auf Dauer nachgelassen.

Bis März schreibe ich die Zahngeschichte auf, was mich so in Anspruch nimmt, daß ich an der Universität nur noch hinhaltenden Widerstand leiste. Lola gefällt sie als Kabinettstückchen, sie findet keinen tieferen Sinn darin, keine Entsprechung zur Situation rings um uns.

Wichtiger als das, Winfriede Lieber reagiert positiv. Sie schreibt, mir wäre da etwas Hübsches gelungen, der Verlag ist zufrieden. Bis auf wenige Passagen, die seiner Ansicht nach gestrafft oder gestrichen werden sollten. Allerdings handelt es sich dabei zumeist um Stellen, die mir besonders wesentlich erscheinen. Ich bitte um Bedenkzeit.

Die Semesterprüfung verläuft folgerichtig, ich bestehe mit Mühe und Not. Professor Gelbach kennt mich nicht mehr. Meine Bedenkzeit ist lange abgelaufen, ich schreibe ihnen, daß ich nichts streichen und ändern möchte. Sie melden sich nie wieder.

In den Ferien Ernteeinsatz. Ich lerne einen Bauern kennen, dessen Schicksal mich verblüfft, er ist aus dem Westen gekommen, um Mitglied einer LPG zu werden. Viele Gespräche mit ihm, längst nicht alle seine Erwartungen hätten sich erfüllt, dennoch würde er es immer wieder tun, sagt er. Ich nehme mir vor, ihn und seine Gründe nicht zu vergessen, ich mache sogar abends Notizen. Sollte ich jemals über ihn oder einen Ähnlichen schreiben, habe ich schon den Titel: »Renovierung eines Luftschlosses«.

September großer Krach mit Lola, wegen einer gewissen Ilse. Wir trennen uns. Bis zu ihrem Geburtstag im Dezember halte ich es aus, dann klopfe ich an mit Flieder. Lola freut sich.

Ein Bekannter von Lolas Mutter vermittelt mir kleine Aufträge bei Zeitungen. Ich schreibe Artikel für zwei Kulturredaktionen, Filmkritiken, Buchbesprechungen. Einmal lassen sie mich eine französische Ballettruppe auf ihrer Tournee begleiten. Es entwickelt sich ein bescheidener, aber ständiger Verdienst.

Die unvermeidliche Trennung von der Universität im April. Ich selbst ersuche um meine Exmatrikulation, doch wahrscheinlich bin ich dem Rausschmiß nur um wenige Wochen zuvorgekommen. Er wäre spätestens nach der nächsten Prüfung erfolgt. Kein langes Händeschütteln, von einem Tag auf den anderen gehe ich nicht mehr hin.

Im Sommer ziehe ich weg von Frau Sauerbier in die Wohnung der Ramsdorfs, eigenes Zimmer mit Möbeln. Frau Ramsdorf hat mich immer noch gerne, Lola muß sie nicht überreden.

Um ein Haar hätte mich die Mauer auf der falschen Seite erwischt. Ich bin mit Bekannten im Kino und anschließend in einer Wohnung, in der viel getrunken und diskutiert wird. Lola ist zu Hause geblieben, zum Glück dreht einer am Radio.

Wir heiraten im Oktober. Frau Ramsdorf gesteht mir, daß sie befürchtet, Lolas Studium könnte Schaden nehmen. Aber ihre Sorge ist unbegründet, wir leben weiter ohne Unterschiede zu früher.

Zum erstenmal komme ich mit Filmleuten ins Gespräch, über meine Straßenbaugeschichte. Ich erzähle von Anfang an Lolas Version, man gibt mir einen Vertrag und drei Monate Zeit.

Ende Januar verliere ich meinen Personalausweis. Auf dem Polizeirevier muß ich einen Fragebogen ausfüllen, die Rubrik »Beruf« bereitet mir Kopfzerbrechen. Im alten Ausweis hat dort »Student« gestanden, ich schreibe hinein: »Schriftsteller«.

Lieferung meines ersten Filmexposés. Sie akzeptieren binnen drei Wochen und geben mir einen zweiten Vertrag für das Szenarium.

Ich bekomme mehr Geld, als ich jemals zuvor im Leben besaß, viertausend Mark auf einmal.

Peinliche Gespräche in den Redaktionen, ich möchte zwar weiter Artikel schreiben, aber keine Filmkritiken mehr. Weil ich merke, daß ich plötzlich Rücksichten nehme, die ich vor meinem Filmvertrag nicht kannte.

Lola besteht ihre Abschlußprüfung mit Bestnote und ist über Nacht Lehrerin. Wir alle haben Mühe, uns daran zu gewöhnen. Im September beginnt sie, in einer Schule zu arbeiten, in einem weit entfernten Winkel der Stadt. Ein völlig neuer Tagesablauf.

Von wenigen Artikeln abgesehen, sitze ich über dem Film. Eine seltsame Erfahrung, ich bemerke, wie es möglich ist, sich in der Arbeit zu vergessen. Der unerläßliche Kleinkram des Zusammenlebens wird auf einmal störend und lästig. Zum Beispiel, Lola erzählt mir von Erfahrungen und Sorgen in ihrer Schule, jeden Tag neu, und ich denke dabei nur an Dialoge, Bilder, Zeilen.

Zu Weihnachten schenken mir meine Eltern eine gebrauchte Schreibmaschine.

1963

Im Januar gebe ich das Szenarium ab und bin wieder für kurze Zeit reich, denn die Lieferung wird laut Vertrag honoriert. Nach zwei Monaten ungeduldigen Wartens endlich die Antwort: leider. Es folgt ein kurzer Austausch über die Gründe der Ablehnung, ich erfahre, daß es nicht vorwiegend kriminelle Motive sind, die in unserem Land zur Fertigstellung von Straßen führen. Aber man versichert mir, daß weitere Zusammenarbeit denkbar wäre. Lola tröstet mich nach besten Kräften und läßt meine Verwünschungen nicht gelten.

In den Redaktionen sagt man mir, daß meine Artikel plötzlich einen unangemessenen zornigen und gehässigen Unterton spüren lassen, das wäre nicht gut. Ich habe Lust, den ganzen Zeitungskram hinzuwerfen, aber mir fehlen andere Möglichkeiten.

Ich komme ihnen mit einer neuen Filmidee. Wieder akzeptieren sie, wieder Vertrag, ein Lustspiel. Im Unterschied zur vorigen

Geschichte erscheint mir die Sache ziemlich belanglos, ich schreibe ohne Erregung, vor allem auf Effekte und Späße bedacht. Die Arbeit geht so leicht von der Hand, daß ich Bedenken kriege und Kunstpausen einlege. Lola beruhigt mich, sie meint, Frohsinn zu erzeugen wäre eine nützliche Tätigkeit. Aber Frohsinn um welchen Preis?

Dazwischen Artikel, die diesmal nicht stören, dazwischen auch Überlegungen um andere Geschichten. Ich notiere eine, gebe ihr den vorläufigen Titel »Maskenball«, sie handelt von einem Mann, der es vorzieht, sein gutes, ehrliches Gesicht zu verbergen. Seine Tarnung besteht aus ständiger Zustimmung und einem Partei-abzeichen, auf diese Weise hofft er, in den Besitz eines bescheidenen Glücks zu gelangen. »Ja«, sagt Lola, »solche Leute gibt es leider.«

Trotzdem wird das Lustspiel fertig, fast nebenbei. Das Geld, das ich wieder erhalte, kommt mir erschwindelt vor. Es gibt Schlimmeres.

Bald meldet sich ein Regisseur, der den Film im nächsten Jahr drehen will. Ich bin verwundert darüber, was für ein namhafter Mann auf meinen kleinen Köder angebissen hat. Ich habe schon einige wichtige und begabte Filme von ihm gesehen, er heißt Mueller. Natürlich rate ich ihm nicht ab, wir schreiben zusammen das Drehbuch.

1964

Im März kommt ein Anruf aus der Klinik, daß die Entbindung vor einer halben Stunde zu Ende gegangen wäre. Lola hat alles gut überstanden, sie strahlt mich müde an und sagt, meine Tochter heißt Anna. Dabei bewegte sich unser Streit bis gestern nur zwischen Moritz und Daniel.

Mueller dreht bereits, ich gehe hin und wieder ins Atelier und entdecke interessante Einzelheiten. Er weist mich auf Zwänge hin, die von der Technik gegeben sind, wobei er mich genüßlich spüren läßt, daß ich ein Neuling bin. Schließlich bin ich das auch, ich lerne trotzdem.

Ich biete dem Fernsehfunk die Idee für den »Maskenball« an, stoße aber auf verwunderte Ablehnung. Ich soll, sagt man mir, mein Talent nicht in solch untypischen und abseitigen Geschichten erschöpfen. Mein Einfall ergäbe, selbst bei wohlwollendster Prüfung, nie und nimmer ein brauchbares Stück. »Deine Stärke sind komische Konstellationen, du kannst die Leute zum Lachen bringen. Warum willst du das umkommen lassen?«

Ohne irgendwelche Absprachen mit einem Verlag getroffen zu haben, fange ich an, ein Buch zu schreiben. Mein Modell ist dieser Bauer, doch ich wechsle seinen Beruf und damit seine Vergangenheit aus, bei mir wird er Lehrer für Geographie. Weil ich Gegebenheiten suche, zwischen denen ich mich kundiger bewegen kann als auf Äckern und in Ställen. Er kommt aus dem Westen zu uns, mit einer bunten Fülle von Hoffnungen und Wünschen, die ihm in seiner bisherigen Umgebung unerfüllbar scheinen. Ich will erzählen, wie ein Teil davon sich verwirklicht und der andere Teil, ebenfalls ein großer, nicht. Wie er zufrieden ist über das eine und enttäuscht über das andere, und wie er die Kraft aufbringt, seine Enttäuschung nicht alles andere überwuchern zu lassen. Denn zusammen mit Leuten, denen er begegnet, wird durchschaut, daß der Weg zum unerfüllten Teil seiner Ideale nicht von Grund auf verbaut ist in diesem Land, daß er nicht an unumstößlichen Mauern endet. Viel Schutt liegt auf ihm, zeitbedingt oder achtlos hingeworfen, man kann ihn unter Mühen beseitigen. Ich will erzählen, wie der Mann dieses konkrete Leben als die beste der sich anbietenden Möglichkeiten akzeptiert. Renovierung eines Luftschlosses.

Mitte des Jahres bekommen wir eine eigene Wohnung. Dreieinhalb Zimmer in einem Neubau, wieder hat uns ein Bekannter von Lolas Mutter geholfen, sonst wäre es vermutlich ein Zimmer weniger geworden.

Ich schreibe wie von einer Infektionskrankheit befallen, zum erstenmal habe ich das Gefühl, über einer lohnenden Arbeit zu sitzen. Ohne meinen Willen werde ich verschlossen und wortkarg, das Leben um mich herum spielt sich auf Zehenspitzen ab. Zum Glück ist Anna ein ruhiges Kind.

Der Film wird aufgeführt und erweist sich als Erfolg. Ich genieße den Trubel, verliere dabei aber den Faden an meinem Buch. So gründlich, daß ich es vorerst aus der Hand lege.

Auf meinem Tisch liegt plötzlich ein Brief vom Fernsehen, die Bereitschaftserklärung zum Festigen alter Kontakte, die damals leider nicht zum Tragen gekommen waren. Dazu ein neues Filmangebot, ich habe meine kleine Konjunktur.

In erstaunlich kurzer Zeit bringe ich zwei Arbeiten hinter mich, wieder ein Filmszenarium und ein Fernsehspiel. Beide erfahren schnelle Zustimmung, Lola nennt mich Hans im Glück, aber ihre Augen gefallen mir nicht dabei.

Tatsache ist, daß wir mehr Geld als je zuvor ausgeben, zum Beispiel Kauf eines Autos. Obwohl Lola nichts verdient, nach Annas Geburt hat sie die Arbeit nicht wieder aufgenommen. Vielleicht kommt ihr Unbehagen daher, weil das Leben zwischen Kinderzimmer und Küche ihr zu dürftig erscheint. Ich nehme mir vor, mit ihr darüber zu sprechen, doch die Tage sind so eilig, daß sich kaum eine Gelegenheit findet. Immer unterhalten wir uns nur in irgendwelchen Pausen.

Im Sommer wird das Fernsehspiel gesendet, wieder ein bescheidener Pluspunkt hinter meinem Namen.

Dann der Film, eine Komödie aus der Biedermeierzeit mit aktuellen Kleinigkeiten, ich bitte darum, daß der Regisseur ohne mich das Drehbuch anfertigt. Denn ich will meinen Roman weiterschreiben, ich spüre, wie er mir immer fremder wird, daß er wahrscheinlich für alle Zeiten verloren ist, wenn ich es jetzt nicht tue. Daher schiebe ich auch alle neuen Angebote fort, vorerst kein weiterer Film, und Artikel schon lange nicht mehr.

Als ich den Kopf wieder aus dem Fenster stecke, ist schon Schnee gefallen. Ich bin nicht mehr weit von der letzten Seite entfernt, beim Anblick Lolas plagt mich ein schlechtes Gewissen. Ich muß unbedingt etwas für uns tun. Für Anna haben sich irgendwann immer halbe Stunden gefunden, doch bei Lola ist das anders, sie lebt seit langem hinter meinem Rücken.

Ich schlage ihr vor, in die Berge zu fahren, auf der Stelle, sie ist einverstanden. Hals über Kopf brechen wir auf, es gelingt mir unter Mühen, für zehn Tage das Buch zu vergessen.

1966

Der Roman ist fertig, kurze Zeit bevor meine Geldvorräte erschöpft sind. Ich gehe in den Verlag, um ihn der Lektorin Winfriede Lieber zu zeigen, sie arbeitet nicht mehr dort. Niemand kann mir sagen, wo sie inzwischen geblieben ist, aber man kennt meinen Namen. Ich lasse das Manuskript zur Prüfung da und komme wieder auf den Film zurück.

Ende März fällt die Entscheidung. Nach Ansicht des Verlages sind Sprache, Diktion und Ablauf meines Buches akzeptabel. Von schmalen Details abgesehen, kommt es nur zu Meinungsverschiedenheiten über den Titel. »Renovierung eines Luftschlosses« erscheint ihnen zu intellektuell für die ansonsten erfreulich normal erzählte Geschichte, wie ich höre. Das ist kein Beinbruch, wir einigen uns auf einen neuen Titel, »Die Wendung«, der ist bestimmt nicht zu anspruchsvoll. Sie sagen, sie würden ihr möglichstes tun, um das Buch im späten Herbst erscheinen zu lassen, so käme es noch ins Weihnachtsgeschäft.

Man stellt mir auch die Frage nach weiteren Buchplänen, ich weiß nichts darauf zu antworten. Ich habe mich selbst schon nach einem neuen Thema umgesehen, aber bisher nichts, nur Leere in meinem Kopf. Ich sage, im Moment bin ich total ausgelaugt, das wäre nach gerade abgeschlossener Arbeit wohl verständlich.

Obwohl ich den Rest des Jahres über Filmszenen verbringe, empfinde ich die Monate doch nur als ein einziges Warten. Warten auf meine erste Arbeit, bei der ich mein eigener Regisseur bin, mein eigener Kameramann, in der ich alle Haupt- und Nebenrollen spiele, somit nicht abhängig bin vom Vermögen anderer.

Im November kommt ein großes Paket mit den Belegexemplaren, und kurze Zeit später kann jeder, der möchte, das Buch in den Läden kaufen, »Die Wendung«.

Der Verkauf läßt sich gut an, Weihnachtsgeschäft. Nach und nach erscheinen Besprechungen in den Zeitungen, die zumeist wohlwollend und freundlich sind. Einige Filmleute klopfen mir auf die Schulter, im Verlag sagen sie, für den Anfang könnte ich durchaus zufrieden sein.

Warum bin ich enttäuscht? Liegt es an meinen überspannten Erwartungen? Vermisse ich das laute Jubelgeschrei, das natürlich nirgendwo zu hören ist? Was kann ein Buch überhaupt, und was kann ich? Ich habe eins geschrieben, und weiter?

Ich darf mich nicht allzusehr ablenken lassen, denn ich stehe unter Vertrag. In dem sind Termine genannt, bis wann mein Filmszenarium abzuliefern ist, Jahresende.

Zweite Geschichte

I

Fast beginnt die Reise mit einem Streit. Lola will das Kind unbedingt bei ihrer Mutter abgeben, die wäre immer so einsam und versessen auf Anna, eine andere Lösung kommt überhaupt nicht in Frage, sagt Lola. Doch ausnahmsweise bestehe ich auch einmal auf etwas, Gegenvorschläge führen zu nichts, ich greife Anna und setze sie in den Wagen, einen Sack voll Spielzeug dazu, ich fahre nach Blankenburg. Meine Eltern sind genauso wild auf sie, und wenn ich die drei Jahre, die sie jetzt alt ist, überschlage, dann haben sie alles in allem ziemlich schlecht abgeschnitten.

Im Flugzeug fragt Lola: »Hast du dir irgendeine Arbeit mitgenommen?«

»Nein.«

»Und was willst du die ganzen drei Wochen über tun?«

»Ich werde mich mit dir vergnügen.«

»Dann sieh mal zu«, sagt sie.

»Ich sehe schon«, sage ich, »es wird nicht einfach.«

Vom Flughafen werden wir im Bus zu unserem Hotel gebracht, es heißt »Excelsior«, ein riesiges Betonding hundert Meter vom Strand, ich kann kein Wort Rumänisch. Während der Fahrt kommt mir in den Sinn, daß ich vor vielen Jahren beinahe einmal in Japan gewesen wäre, eine Analogsituation, denn da konnte ich kein Wort Japanisch, eine gewisse Hirohita hat mir über die Sprachschwierigkeiten hinweggeholfen. Ich weiß auch noch, wen ich mit dieser haarsträubenden Geschichte angelogen habe, die kleine Nichte Frau Sauerbiers, sauber und verwundert, nur an ihren Namen kann ich mich nicht mehr erinnern. Lola sieht mir ins Gesicht, aber sie fragt nicht, worüber ich lächle.

An unserem Zimmer gibt es nichts auszusetzen, obwohl nicht übermäßig gediegen, ist doch alles Nötige vorhanden, auch die Dusche funktioniert, ich benutze sie, während Lola die Koffer auspackt. Sie ist noch dabei, als ich triefend ins Zimmer komme und mich fertig abtrockne, sie umkurvt mich mit kleinen Wäschestapeln oder mit ihren zusammengefalteten Kleidern wie ein unvermeidliches Hindernis, kein Blick fällt für mich ab dabei. Dann legt sie sich hin und will schlafen.

»Hast du keine Lust, ein bißchen runterzugehen? Ich würde mich gerne etwas umsehen.«

»Jetzt bin ich müde«, sagt sie.

Ich nehme mir ein frisches Hemd und gehe alleine, ich sage: »Ich bin bald wieder zurück.«

»Laß dir ruhig Zeit.«

Die dicke Frau an der Rezeption nickt mir freundlich zu, als ich aus dem Fahrstuhl steige, wenig Betrieb um die heiße Nachmittagszeit, sie sieht aus, als hätte sie auf jede mögliche meiner Fragen die richtige Antwort längst bereit, aber ich weiß nichts, womit ich sie in Anspruch nehmen könnte. Ich trete auf die breite, schattenlose Promenade, links sieht aus wie rechts, nach einigen Schritten finde ich einen schmalen Weg, der vom Strand fortführt, Strände ähneln sich überall. Meine Stimmung ist nicht die beste, das weiß ich längst, ich fühle mich jämmerlich einsam, doch das hat nichts mit der Hitze zu tun, die Passanten selten macht. Schon auf dem Herflug war es nicht anders, schon zu Hause, ich kann nicht einmal genau sagen, wann es begann. Lola. Auch meine Mutter ist ratlos, gestern erst, als ich Anna bei ihr abgab, hat sie gesagt: »Ich verstehe nicht, warum du unzufrieden bist. Du hast einen interessanten Beruf, Erfolg hast du auch, du hast eine hübsche und kluge Frau, du liebst sie, nein, nein, das weiß ich genau. Ihr habt genug Geld, eine schöne Wohnung, ein Auto, und vor allem habt ihr das feinste Kind, das man sich nur wünschen kann, und gesund seid ihr auch alle, was ist los mit dir, Gregor?«

Gewiß finden sich Millionen Widrigkeiten, die man mit der Zeit als gegeben hinnimmt, man gewöhnt sich an sie wie an ein Paar Schuhe, die am Anfang mehr drücken als nach zwanzig gelaufenen Kilometern. Irgendwann ist man soweit, nicht mehr darauf zu achten, an den besonders strapazierten Stellen hat sich Hornhaut gebildet, ich frage mich, ob ich bisher nach dieser Methode gelebt habe. Aber das hat keinen Sinn, solange nicht Zahl für Zahl errechnet ist, um was für Widrigkeiten es sich bei mir handelt, noch schwimmen sie in unartikulierten Bereichen. Womöglich stelle ich meine Lupe aus unbewußter Angst nicht scharf, deshalb aus Angst, weil mir Klarheit am Ende neue Unannehmlichkeiten bereiten könnte, nur so viel steht wohl fest, daß Lola dabei eine Rolle spielt, meine Arbeit, die mich um so unzufriedener stimmt, je mehr Seiten ich schreibe, der Gerümpelberg ist zu beängstigender Höhe gewachsen.

Irgendwann muß ich mich daranmachen, ihn abzutragen, die Arbeit. Ich komme mir vor wie eine Maschine, die für diffizile Verrichtungen konstruiert ist, die aber immer nur für einfachste Dienste eingesetzt wird, also zweckentfremdet und unterhalb ihrer Kapazität, wo sitzt der Verantwortliche für solche Pfuscherei, wer ist der Maschinist, wenn ich es nicht selbst bin? Ich liefere Manuskripte in wuchernder Fülle, bei jedem das Gefühl, es voreilig aus den Händen gegeben, vielleicht sogar in ein falsches Objekt investiert zu haben, deshalb auch wenig Mühe, die anderen akzeptieren ja. Aber das ist die Sache der anderen, eines Tages werden sie mich für einen halten, der ich nicht sein will, und niemand wird meinen Beteuerungen glauben, solange ich keinen Gegenbeweis führe. Auch Lola nicht, sie sagt: »Verlasse dich nicht zu sehr auf dein einziges Buch, es ist nicht alle Welt.« Was sie nicht sagt, läßt sich Bruchstück für Stück zusammenreimen: wenn einer sich eingesperrt fühlt, soll er zuerst untersuchen, ob er nicht im Käfig seiner eigenen Mittelmäßigkeit sitzt. Das gehört zu meinem Gerümpelberg, tatsächlich lasse ich mich laufend in Geschichten ein, die mir nebensächlich scheinen, irgendwann wird man mich fragen oder nicht fragen, was denn nun die Hauptsache ist. Dann lege ich die Stirn in Falten, weil ich keine Antwort weiß, und widerspruchslos muß ich den Vorwurf hinnehmen, die Hauptsache wäre für mich nichts anderes als ein Vorwand für mein Unbehagen.

Ich habe einen Haufen Termine abwimmeln und Lola tagelang zu dieser Reise überreden müssen, das war nicht einfach, sie hatte nicht die geringste Lust, sie fragte: »Was erhoffst du dir von Ortsveränderung?« – »Denk dir keine Geheimnisse rein«, habe ich gesagt, »man muß doch mal Urlaub machen.« Aber natürlich habe ich mir etwas versprochen, Besserung auf irgendeine Weise, obwohl die Erfahrung dagegenstand, und der Start war ja auch denkbar ungünstig. Es fällt uns immer schwerer, normal miteinander zu reden, Nichtigkeiten wachsen sich regelmäßig zu kleinen

Scharmützeln aus, ich erschrecke vor all dieser Gereiztheit. Wenn irgend jemand mich fragt, wie spät es ist, sehe ich auf die Uhr und sage »halb fünf«, doch wenn Lola die Uhrzeit wissen will, kommt mir das wie eine unnötige Störung vor, und ich höre mich sagen: »Kannst du nicht selbst nachsehen?« Minuten später möchte ich mir die Zunge dafür abbeißen, sie verhält sich nicht anders, wie gerne würde ich mit ihr im Glück schwimmen, wenigstens das.

Die staubige Hauptstraße, auf der ich plötzlich stehe, ist so gut wie menschenleer, weit entfernt ein paar erschöpfte Touristen, geschlossene Geschäfte, einmal habe ich gelesen oder gehört, daß Heinrich Böll es liebt, die Schaufenster der Photographen zu betrachten, sobald er in eine fremde Stadt kommt. Ich finde solch einen Laden, doch wahrscheinlich ist meine Verfassung für gelöste Impressionen ungeeignet, die Hochzeitspaare sehen nicht anders aus als bei uns, genauso nichtsahnend, die Mädchen sind keine Spur hübscher, und die Babys liegen unglücklich auf weißen Bärenfellen wie in aller Welt. Ein Stück die Straße hinauf sehe ich einen Mann in einer Geschäftstür verschwinden, ich denke, es wird ein Restaurant sein, plötzlich habe ich das Gefühl, ich müßte vor Unglück sterben, wenn es mir nicht auf der Stelle gelingt, mit irgendeiner Menschenseele zu sprechen. Worüber der andere Lust hat, doch das scheint ausgeschlossen bei meinen Sprachkenntnissen, trotzdem gehe ich hin, und wenn der Kellner nur versteht, daß ich etwas Kaltes trinken möchte.

Es ist ein Friseurgeschäft, ich zögere keine Sekunde mit dem Hineingehen, erst als ich auf dem Wartestuhl sitze, betaste ich mein Kinn, die Rasur hätte auch bis morgen früh Zeit gehabt, dennoch bleibe ich. Außer mir warten zwei Kunden, ein dritter sitzt unter Kamm und Schere, die beiden neben mir bekommen fröhliche Gesichter nach irgendeiner Bemerkung des Friseurs. Es ist unangenehm, nicht zu wissen, worüber die anderen sich amüsieren, ich bemerke im Spiegel, daß mein Nachbar mich mustert, ein wenig Erstaunen im Blick, weil ich so humorlos bin. Er fragt mich etwas. Ich drehe den Kopf zu ihm und zucke mit den Schultern, ich zeige auf mich und sage: »Ich bin Tourist. DDR, Berlin.« Natürlich hoffe ich, daß wenigstens einer unter ihnen ist, der sich in meiner Muttersprache auskennt und die Konversation beginnt, aber daraus wird nichts, sie reden nur untereinander weiter, vielleicht sogar über mich. Nach einigen Sekunden erwäge ich, meine zehn Bröckchen russisch zusammenzuklauben und es damit zu versuchen, doch ich lasse es lieber bleiben, erstens ist es unwahrscheinlich, daß von vier älteren Rumänen einer Russisch versteht, dann schon eher Deutsch, und zweitens habe ich nichts Wichtiges mitzuteilen, nur dabeisein möchte ich, und das wäre kein hinreichender Grund, ihre muntere Rede und Gegenrede zu stören. Je länger ich dasitze und kein Wort verstehe, um so überflüssiger kommt mir die Rasur vor, sie hat ihren Sinn als Vorwand verloren. Ich stehe auf, ihr Gespräch verstummt für Sekunden, ich nicke freundlich in verwunderte Gesichter und gehe wieder hinaus auf die heiße Straße.

Einige Meter weiter steht ein Omnibus an der Haltestelle, als ich ihn erreicht habe, ohne mich zu beeilen, steht er immer noch, Lola schläft jetzt, zumindest will sie nicht gestört werden. Ohne groß nach tieferem Sinn zu fragen, fällt irgend jemand in mir heute alle Entscheidungen, ich steige ein, hole sämtliches Kleingeld aus der Hosentasche und halte es dem Schaffner hin. Er sucht die passende Münze heraus und gibt mir einen Fahrschein.

Ich stecke so sehr in selbstbedauernden Erwägungen, daß ich gar nicht bemerke, wie wir aus dem Ort hinausfahren, als ich später durch das Fenster blicke, zieht flaches Land vorbei, ein Melonenfeld, niedrige weiße Häuser dann und wann, der Fahrer hat ein Kofferradio eingeschaltet, aus dem krächzender Gesang ertönt, nach fast jeder Kurve ändern sich Lautstärke und Deutlichkeit. Zweifellos ist Lola mit unserer Situation genauso unzufrieden wie ich, dennoch wird nichts unternommen, wir lassen es treiben, vielleicht sind wir inzwischen zu müde geworden, dagegen anzurennen, wir legen die Hände in den Schoß und warten auf das erlösende Wunder, das sich bisher nicht rührt. Als wir vor drei Jahren unsere Wohnung bekamen, hat sie vorgeschlagen, die Betten getrennt aufzustellen, in verschiedenen Zimmern, Platz genug war vorhanden, und ich habe gesagt: »Wie du willst.« Damals war noch viel mehr in Ordnung als heute, obwohl Unstimmigkeiten auch schon zu beobachten waren, die Distanz zwischen unseren beiden Zimmern war nur ein kleines Hindernis, aber mit der Zeit wurde der Weg immer länger. So lang, daß es schon einige Überwindung kostete, ihn in Angriff zu nehmen, natürlich geschieht es jetzt auch noch, daß wir miteinander schlafen, selten genug.

Wenn einer zum anderen kommt, dann bin meistens ich es, Lola sagt nur alle Jubeljahre zu mir, ich soll ein Stückchen zur Seite rücken, ich tue es gerne. Dabei habe ich den Eindruck, daß sie manchmal auf mich wartet, sie ist mehr und mehr in die Passivität hineingewachsen, aber vielleicht täusche ich mich auch, jedenfalls hat sie mich noch nie zurückgewiesen, oder nur höchst selten. Ich bin neugierig, was in diesem Urlaub daraus wird, daraus und aus allem anderen, es gibt keine getrennten Zimmer und keinen Weg, auf den man sich machen müßte, wenn ich auch kaum glaube, daß damit alle Bedingungen für ein erlösendes Wunder erfüllt sind.

Der Bus passiert drei oder vier Stationen, ohne anzuhalten, niemand will einsteigen und niemand hinaus, nur einmal stoppt er auf freier Strecke, eine schwarzgekleidete alte Frau wird mitgenommen, sie hat einen Korb bei sich, aus dem eine verängstigte Gans herausschaut. Die Alte setzt sich und nimmt den Korb auf den Schoß, es sieht komisch aus, wie sie sich Auge in Auge gegenübersitzen, bald beginnt die Gans, Lärm zu schlagen, da greift die Frau sie am Hals, stopft sie tief in den Korb hinein und bindet das Tuch darüber zu. Plötzlich bemerke ich, daß wir in einer größeren Stadt sind. Ich habe nicht auf das Ortsschild geachtet, ich stelle mir vor, was für Blicke ich ernten würde, wenn ich ausstiege und jemanden fragte, in welcher Stadt wir uns hier befinden. Wenn ich die Landkarte nur einigermaßen richtig im Kopf habe, kann es sich nur um Constanta handeln, an einem Bahnhof steige ich aus, weil alle anderen auch aussteigen. Die Stadt sieht einladend aus, eine baumbewachsene breite Straße führt an Hochhäusern vorbei in belebte Gegenden, vermutlich zum Hafen, wenn Lola bei mir wäre, hätte ich Lust auf Erkundungen.

Ich sehe, wie mein Bus einmal um den großen Platz herumfährt, wendet, auf der gegenüberliegenden Straßenseite hält er und wartet auf neue Fahrgäste für den Rückweg. Wieder erreiche ich ihn, ohne mich zu beeilen, ich steige ein und halte dem Schaffner aufs neue mein Kleingeld hin. Er erkennt mich und lächelt, mein erster Bekannter in diesem Land. Bevor er mir den Fahrschein aushändigt, hält er das Geldstück hoch vor meine Augen, damit ich es mir für die nächste Fahrt einprägen kann.

II

Als ich zurück in unser Zimmer komme, schläft sie noch. Ich gebe mir Mühe, leise aufzutreten, aus dem Fenster erblickt man seitlich ein Stück Strand, nur noch vereinzelt Badegäste, es ist merklich kühler geworden, der Wind bläst kräftige Wellen heran. Weit entfernt sehe ich eine dünne schwarze Rauchfahne, aber nicht das Schiff, das dazugehört.

»Du lieber Gott«, sagt Lola, »wie spät haben wir es schon?«

»Sieben durch.«

»Und die ganze Zeit soll ich geschlafen haben?«

»Gehen wir jetzt Abendbrot essen?« frage ich.

Sie springt auf, als hätte der Schlaf eine unerhört belebende Wirkung auf sie gehabt, sie kommt zum Fenster und genießt für ein paar Sekunden die Aussicht, vorhin hat sie sich so hastig hingelegt, daß keine Zeit mehr für einen Blick nach draußen blieb.

»Ob es jetzt zu kalt ist zum Baden?«

»Ganz bestimmt«, sage ich, »erkälte dich nicht gleich am ersten Tag.«

»Hast du schon großen Hunger?«

»Es geht. Warum?«

»Ich habe mich noch gar nicht gewaschen.«

»Macht nichts, ich kann so lange warten.«

Ich rücke mir einen Stuhl ans Fenster und nehme eine Illustrierte vom Tisch mit, doch ich kenne sie seit dem Flugzeug fast auswendig. Im gegenüberliegenden Hotel sitzt auch ein Mann am Fenster, ich erkenne ihn gut, weil wir auf gleicher Höhe wohnen, er hält ein Fernglas an die Augen und betrachtet mein Haus. Offenbar findet er nichts Aufregendes, er geht Etage für Etage durch und richtet das Glas schließlich aufs Meer, seine große Stunde wird erst bei Dunkelheit schlagen, wenn in den Zimmern Licht brennt und die Zeit für Intimitäten gekommen ist. Im Bad läuft das Wasser, und ich höre Lola prusten, ich möchte sie gerne nackt sehen, zu Hause schließt sie gewöhnlich die Badezimmertür zu. Auch so eine Maßnahme, die sich erst im Laufe der Jahre ergab, ich erinnere mich deutlich, wie ich sie nach dem ersten vergeblichen Rütteln an der Klinke gereizt fragte, was sie sich davon verspricht, wenn die Tür abgeriegelt ist, und wie sie zurückfragte: »Und was versprichst du dir, wenn sie offen ist?«

Im Nachttisch finde ich meinen elektrischen Rasierapparat, ich nehme ihn, um notfalls antworten zu können, was ich da will, auf dem Weg zum Bad empfinde ich es als großen Nachteil, daß ich nicht mehr sagen kann: »Ich hatte einfach Lust, dich nackt zu sehen.«

Die Tür ist offen, entweder handelt es sich um blanke Vergeßlichkeit, oder Lola führt mir eine ihrer dezenten Gesten vor, die Andeutung eines Bruchs mit alten Gewohnheiten. Sie steht in der Wanne und besprüht sich von allen Seiten, weniger aus Gründen der Reinlichkeit als um des Vergnügens willen, wie mir scheint, nur die Haare dürfen nicht naß werden.

Sie reagiert nicht auf mein Hereinkommen, sie öffnet nur kurz die Augen und schließt sie gleich wieder, weil das Gesicht an der Reihe ist, ich wäre sofort bereit, auf das Abendbrot zu verzichten. Ich setze den Apparat in Gang und fange an, mich zu rasieren, plötzlich kommt mir ein Verdacht, ich drehe mich um und sehe zur Tür, tatsächlich, sie hat keinen Riegel, und einen Schlüssel gibt es auch nicht.

»Warum starrst du die Tür an?« fragt Lola.

»Nur so«, sage ich, ich merke, daß es ein wenig ertappt klingt, »ich denke über etwas nach.«

»Und dabei stört dich dein Spiegelbild?«

Sie zuckt mit den Schultern, dreht den Wasserhahn zu und greift nach dem Handtuch, ich rasiere mich weiter, nur der Form halber, weil man nach einer Gesichtshälfte nicht einfach aufhören kann. Dann gehe ich ins Zimmer zurück, setze mich auf das Bett und warte. Bald kommt Lola, immer noch nackt, sie nimmt Wäsche aus dem Schrank und zieht sich an, sie fragt: »Hast du dich schon umgesehen, wo man hier essen kann?«

»Unten im Hotel ist ein Restaurant, probieren wir es erst einmal dort.«

Seit langer Zeit habe ich nicht mehr gesehen, wie sie sich anzieht, zu Hause geschieht das stets in ihrem Zimmer, ich denke, sie hätte ihre Sachen ja auch vorher zusammensuchen und ins Bad mitnehmen können. Ich denke, verrückt, was es mir für einen

Spaß macht, sie dabei zu beobachten, neun Jahre kennen wir uns, fast sechs davon als Ehepaar, wie oft schon hat man gehört, daß in anderen Familien diese Art von Vergnügen nach solcher Zeit unwiderruflich vorbei ist. Handelt es sich da nicht gar um eine Grundlage, auf der man alles andere regeln könnte, was gibt es überhaupt zu regeln? Da wären die zeitweiligen und mir unerklärlichen Spannungen, die verschwinden müssen, alte Wärme soll bei uns einziehen, meinetwegen auch eine neue, wir müssen versuchen, uns nicht länger die normalen Freundlichkeiten zu verweigern, wie wir sie jedem beliebigen Fremden zubilligen, sonst wird man uns noch meiden wie die Pest. Wir müssen lernen, die Tage nicht als abgeklapperte Wiederholungen der vorangegangenen zu betrachten, langweilig und ermüdend, natürlich geschieht nicht unentwegt Neues, trotzdem kann man nicht plötzlich damit aufhören, aufs Klosett zu gehen, nur weil man diesen Weg schon tausendmal gegangen ist und endlich einen neuen beschreiten will.

»Was meinst du«, fragt sie, »dieses oder lieber dieses?«

Sie steht am Schrank und hält mir zwei Kleider entgegen, mit erhobenen Händen wie Wiegeschalen, auch das ist schon ewig nicht mehr geschehen, daß ich in Garderobendingen um Ratschläge ersucht worden bin. Das letztemal, wenn ich mich recht entsinne, beim Tode einer entfernten Verwandten, Lola fühlte sich verpflichtet, zur Beerdigung zu gehen, und wollte von mir wissen, ob ein dunkelgrünes Kleid angemessen wäre. Um der Gerechtigkeit willen muß ich auch das Ende erzählen, ich hielt damals ihre Teilnahme an der Trauerfeier für vollkommen überflüssig, sie hatte die Verstorbene seit ihrer Kindheit nicht gesehen, und als sie dennoch darauf bestand, habe ich gereizt reagiert und ihr gesagt, sie möge mich doch mit solch läppischem Zeug in Frieden lassen. Daraus hat sie die falschen Konsequenzen gezogen.

»Also welches?« fragt sie wieder.

»Müssen wir jetzt überhaupt essen gehen?« sage ich.

»Was soll das schon wieder heißen? Hast du es nicht eben erst selbst vorgeschlagen?«

»Doch, aber das war vor zehn Minuten.«

Es fällt mir nicht leicht, die Stimme dabei lieblich klingen zu lassen, ein wenig mehr Verständnis für meine scheinbare Launenhaftigkeit könnte sie schon aufbringen, oder soll ich ihr ins Gesicht schreien, daß ich sie in die Arme nehmen möchte, das wäre dann deutlich genug. Früher hat sie behutsamer auf meine Wünsche geantwortet, wohl darum, weil es auch ihre Wünsche waren, aber wozu rede ich von früher, es geht um jetzt, um diese Sekunde.

»Ist in den letzten zehn Minuten irgend etwas Besonderes geschehen?« fragt Lola.

Und mit einem Schlage ist mir bewußt, daß jedes weitere Wort uns ins alte Unglück stürzen würde, gleichgültig ob von mir oder von ihr gesprochen, es ist nichts da zum Erklären. Ich stehe auf, nehme ihr die Kleider aus den Händen und werfe sie über einen Stuhl, ich umarme Lola. Ich küsse sie und schließe sofort die Augen dabei, denn falls ihr Gesicht jetzt erstaunt aussieht, was plötzlich in mich gefahren ist, weiß ich keine Rettung mehr. Sie rührt ihre Arme nicht, je länger wir so stehen und uns schüchtern küssen, um so mehr Zweifel kommen mir, daß meine Vermutung zutrifft, als ich sie endlich ansehe, hält sie die Augen geschlossen. Ich bin beinahe erschrocken darüber, ich verstehe nicht, wie mich dieses zufriedene Gesicht so rühren kann, unmöglich nur deshalb, weil ich Abwehr befürchtet habe. Noch als ich sie loslasse, steht sie für zwei oder drei Sekunden unbeweglich, dann sieht sie mich an wie jemand, der sich seines Weges nicht ganz sicher ist und nach Zeichen sucht, um sich nicht noch tiefer zu verlaufen. Aber ihre Stimme ist die gewohnte, nur am Anfang ein kaum merkliches Zittern, bis die richtige Lautstärke gefunden ist, sie sagt: »Wenn du keinen Hunger hast, ich halte es noch eine Weile aus.«

Sie geht zum Bett und schaltet die Nachttischlampe ein, zufällig sehe ich, wie fast im gleichen Moment die Laternen der Strandstraße angehen, ich ziehe die Vorhänge zu, der Bursche mit dem Feldstecher hat seinen Fensterplatz geräumt. Dann liegen wir beieinander, Lola greift eine alte Gewohnheit auf, die im Laufe der Jahre restlos in Vergessenheit geraten war, sie redet in meinen Armen. Sie wird richtiggehend geschwätzig, einmal hat sie auf eine diesbezügliche Frage von mir geantwortet, was wir im Bett miteinander anstellten, wäre kein heiliger Vorgang, sondern ein großer Spaß, und warum man da nicht reden sollte, wie es einem gefällt. Ich hatte keine Gegenargumente, ich habe mich daran gewöhnt und immer öfter auch ein Wort zur Unterhaltung beigesteuert, anfangs kostete es einige Überwindung, doch als so viel gute Laune aus ihrem Mund sprudelte, kam ich mir irgendwie lächerlich vor mit meiner verbissenen Ernsthaftigkeit. Nach den getrennten Zimmern hörte das auf, sie fing an zu schweigen, auch daran habe ich mich gewöhnt, aber ich gestehe, daß ich nun ihre frivolen Kommentare vermißte, jetzt redet sie wieder, Gott sei Dank. Sie sagt ganz sinnlose Dinge, zum Beispiel, da soll ihr einer einen Storch braten, oder »Was hast du gesagt, ich habe nicht hingehört?«

Sie sagt: »Wer denkt denn jetzt noch an kalten Braten.«

»Und an Forelle nach Gärtnerinnen Art?« frage ich.

»Das schon eher, aber auch nicht mehr lange.«

Schließlich hören wir doch auf zu reden, sie lächelt in diesem wichtigen Moment immer, als hätte ihr jemand eine sehr komische und doch ein bißchen traurige Geschichte erzählt, zu gerne würde ich dieses Gesicht photographieren und es an die Wand über meinen Schreibtisch hängen, daran ist natürlich nicht zu denken. Ich betrachte sie ausgiebig, wie bei einer seltenen Gelegenheit, sie sieht nicht erkennbar anders aus als an dem Tag, da ich sie auf dem Juristenball zum Tanz aufforderte, ein wenig Wimperntusche ist verlaufen. Als sie die Augen aufschlägt, sage ich: »Jetzt ist es weg.«

»Was ist weg?«

»Dein Gesicht.«

»Mein Gesicht ist weg?«

Ich versuche eine Erklärung, sie will genau wissen, was Mund, Nase und Augen tun und lassen dabei, um es beim nächstenmal wiederholen zu können, sagt sie, wenn es mir so gut gefällt. Da verarbeite ich den flüchtigen Wunsch zu einem Witzchen, ich antworte, die Mühe könnte sie sich sparen, eine so exakte Beschreibung würde mir ohnehin nicht gelingen, sie brauchte mich das Gesicht nur photographieren zu lassen. Dann hätten wir es schwarz auf weiß und könnten es bei Bedarf jederzeit betrachten.

»Los«, sagt sie, »hol den Apparat, er liegt ganz unten im Schrank.«

»Bringst du denn so ein Gesicht auf Anhieb zustande?«

»Wieso ich? Du mußt es zustande bringen.«

Und sie sieht mich ernsthaft an, als wäre sie neugierig, was ich nun unternehmen will, um meinen hochtrabenden Plan in die Tat umzusetzen. Ich gebe ihr einen väterlichen Kuß und sage: »Verschieben wir die Sache auf später, das Bild läuft uns nicht davon.«

»Angeber.«

Ich stehe auf und ziehe mich an, Spott von dieser Art ertrage ich gerne, Lola bleibt noch liegen, die Arme unter dem Kopf verschränkt, sieht sie zur Decke. Auf einmal fängt sie an zu lachen und stößt mühsam hervor: »Es würde sowieso nichts daraus werden!«

»Woraus würde nichts werden?«

»Aus dem Bild«, sagt sie und lacht weiter.

»Warum nicht?«

»Du würdest verwackeln!«

»Schon möglich. Aber wenn du dich jetzt auch anziehst«, sage ich, »könnten wir essen gehen. Mir ist ganz schlecht vor Hunger.«

»Entschuldige, daß ich dich solange aufgehalten habe.«

Entweder sind ihre Vorräte an Scherzen schon wieder erschöpft, oder es handelt sich um einen neuen, nicht ganz so gelungenen, das muß ich nun herausfinden, sie steht auf und greift nach ihren Kleidern. Wenn meine Worte auf diese Weise ausgelegt werden, ist sie zu Recht verstimmt, sicherheitshalber drehe ich sie zu mir herum und erkläre ihr mit einem Kuß, daß nichts dergleichen gemeint war, sie versteht. Immer wieder vor Jahren, vor Jahren hätte es solcher Erklärung nicht bedurft, ihre Deutung wäre anders ausgefallen, nicht zu meinen Ungunsten, immer wieder Vergleiche: früher war es so, und jetzt ist es so, damit sollte ich aufhören. Trotzdem, nach einem zähflüssigen Beginn läßt sich der Urlaub vielversprechend an, alles in allem kein Grund zur Klage, denn ich wüßte weit ungünstigere Varianten. Außerdem scheint es, daß ich nicht der einzige bin, der einen Haufen guter Vorsätze mit nach Rumänien gebracht hat, Lola beeilt sich, weil sie meinen Hunger glaubt. Wenigstens das hat sich im Laufe der Jahre nicht geändert, nach ihr sind mir selbst die größten Portionen zu klein.

»Sieh dich vor, wenn du beim Kellner bestellst«, sagt sie. Die Speisekarte ist viersprachig abgefaßt, darunter deutsch, wir können uns verständlich machen, indem wir mit den Fingern auf die jeweiligen Gerichte zeigen. Alles Gewünschte steht nach kurzer Wartezeit vor uns auf dem Tisch, wenn auch in anderer Reihenfolge, als ich sie mir vorgestellt habe. Der freundliche junge Mann, der es bringt, befürchtet wohl, wir hätten uns bei der Bestellung zu unüberlegter Vielfalt hinreißen lassen, er lächelt skeptisch. Aber wir nehmen ihm die Zweifel, als die Teller bis auf ein paar knorplige Stückchen Hühnerfleisch und einen Rest Salat, der nicht ganz unserem Geschmack entspricht, leer sind, wird er nach dem Dessert geschickt, Obstsalat mit Rum, Lola sagt: »Freßsack.«
Wir gehen die Strandpromenade entlang, es ist halb zehn vorbei und recht kühl, trotzdem sieht man weit mehr Spaziergänger als am Nachmittag, sogar Kinder. Ich habe einen Arm um Lolas Schulter gelegt, ich frage, ob sie friert, sie sagt nein und rückt enger an mich heran. Sie will wissen, was ich den ganzen Nachmittag über getrieben habe. Da erzähle ich ihr von meinem einsamen Weg, von der Lust, mich mit einer lebendigen Menschenseele zu unterhalten, von Babys auf Eisbärenfellen und einem schwarzen Mann, der in ein Geschäft ging, in dem es keine Limonade zu kaufen gab. Aber Lola ist zu keiner Art von Mitleid bereit, auch die traurige Busfahrt und die noch traurigere Rückfahrt können ihr Herz nicht erweichen, sie sagt nur: »Und ich Unmensch habe die ganze Zeit geschlafen.«
»So komisch kann ich das nicht finden«, sage ich, »hast du nicht bemerkt, daß ich lieber mit dir zusammen gegangen wäre?«
»Hast du nicht bemerkt, daß ich müde war?«
»Die Müdigkeit sah aus wie ein fauler Fisch.«
»Du mußt nicht immer nach Schätzen graben, wo keine zu finden sind. Ich habe die ganze Nacht unsere Sachen zusammengesucht und Koffer gepackt, während du geschlafen hast. Heute früh sind wir um fünf aufgestanden, im Flugzeug konnte ich kein Auge zutun, weil mir schlecht war, ist es da nicht verständlich, wenn ich nach der Reise müde bin.«
»In Ordnung«, sage ich, »du warst rechtschaffen müde. Deswegen hast du mich auch, kaum waren wir in unserem Zimmer, behan-

delt, als wäre ich ein lästiges Gepäckstück und du wüßtest nicht, wohin mir mir.«

»Ich war schlecht gelaunt, das ist wahr. Soll ich dir die Gründe aufzählen?«

»Nein, wir wollen jetzt aufhören mit den Gründen.«

»Aufhören, sie zu nennen, oder sie zu schaffen?«

Jetzt könnte ich etwas sagen, dann wieder sie, und im Handumdrehen hätten wir die Situation, wie sie mir zum Hals heraushängt, wir haben sie jetzt schon, daß Lola nichts davon begreift. Es hilft uns keinen Meter weiter, sich in Rede und Gegenrede zu erschöpfen, im endlosen Austausch von Ansichten, die doch immer nur zu Vorwürfen geraten, und am Schluß lauern neue Zerwürfnisse, gepaart mit der trügerischen Gewißheit, sein Bestes versucht zu haben und auf Unverständnis gestoßen zu sein. Hundert Schritte lang sieht sie mich an, als warte sie auf meine Antwort, aber ich tue ihr den Gefallen nicht, ich lasse standhaft den Arm um ihre Schulter liegen, obwohl er dort sicher als überflüssig empfunden wird, mittlerweile.

Wir gehen sinnlos geradeaus, ebensogut könnten wir umkehren oder stehenbleiben, es ist nichts mehr von der Gemächlichkeit eines Spaziergangs zu spüren, wir gehen uns in Wut. Die Laternen liegen bereits hinter uns, wir folgen einer Biegung der Straße, die inzwischen ein schmaler Weg geworden ist, in einiger Entfernung sehe ich die Lichter eines Gartenlokals. Ich tue so, als wäre dies von Anfang an unser Ziel gewesen, erst als wir davor angelangt sind, nehme ich die Hand von Lolas Schulter und frage: »Trinken wir einen?«

Rotwein gibt es und Kognak und Bier, ich kaufe am Schanktisch eine kleine Karaffe Pflaumenschnaps, wir haben Mühe, zwei freie Plätze zu finden. Tische wie Stühle bestehen aus Weinfässern, es geht laut und angetrunken zu, in einer Ecke beginnt plötzlich Musik, ein Mann spielt auf einem flötenähnlichen Instrument. Er wirkt überaus lebhaft, obwohl sein Aussehen ein steinernes Alter vermuten läßt, ich glaube nicht, daß er zum Personal gehört, wahrscheinlich hat er in einer Laune sein Instrument aus der Tasche gezogen und einfach zu blasen angefangen, der Wirt scheint verwundert zu sein. Die meisten Gäste beachten den Spieler kaum, sie schwätzen weiter, nur die Touristen schweigen und lauschen, Lolas Nachbarin sagt etwas zu ihr und blickt dann wieder zu dem Alten, bevor Lola ihr noch zeigen kann, daß sie nichts verstanden hat. Ich gieße Schnaps in unsere Gläser und drücke Lola eins in die Hand.

»Trinken wir auf etwas Bestimmtes?« fragt sie. »Das muß ich vorher wissen.«

»Such es dir aus.«

Sie droht mit dem Finger und sagt: »Keine heimlichen Wünsche beim Trinken, Wünsche gehören offen auf den Tisch.«

Das hört sich nicht mehr nach Verstimmung an, dem Himmel sei Dank, denke ich, und ich denke, so eine Verrückte, jeden Tag will sie tausendmal erobert werden, hoffentlich halte ich das aus.

III

Pokorny sitzt mir gegenüber, trinkt Sodawasser, zündet jede halbe Minute von neuem seine Pfeife an und bekommt schon schmale Augen vor Ratlosigkeit, weil ich mich so uneinsichtig zeige. Er ist Regisseur, einer der mittleren Kategorie, wie ich finde, solider Handwerker mit bescheidenen Intuitionen, ich erinnere mich an eine seiner Bemerkungen, die wie ein Grundsatz klang: man muß nicht immer alles neu erfinden wollen. Für Filme sensibler Machart, psychologisierend und auf erprobte Effekte verzichtend, hat er nicht viel übrig, er sieht sie mit einer Art respektvoller Ablehnung an, da ist etwas, wozu er keinen Zugang findet, und er befürchtet, daß die Suche danach unergiebig ist, gefahrvoll und verwirrend. Wozu sich in Abenteuer stürzen, wenn die eigenen Wege auch schon mühsam genug sind, er steht fest mit beiden Beinen im Erreichten. Wir kennen uns schon recht lange, wenn man die zufälligen Begegnungen und Gespräche Bekanntschaft nennen will, doch jetzt erst sind wir ins selbe Boot gesetzt worden, eine gemeinsame Arbeit steht an. Ich habe ein Drehbuch geschrieben, er hat es gelesen, beide wurden wir gefragt, ob wir prinzipielle Bedenken gegeneinander hätten, und das war nicht der Fall.

Seit einer Stunde geht es um Änderungen. Pokorny ist mit wichtigem Gesicht gekommen, mein Drehbuch unter dem Arm, wir redeten die ersten zehn Minuten über Privatkram, aber die weißen Papierstückchen, die als Lesezeichen aus dem Buch herausschauten, bereiteten mir von Anfang an Sorgen. Sein erster Satz zum Thema war: »Ich habe lange darüber nachgedacht.«

Lola fragte uns nach etwaigen Wünschen, Pokorny wollte anstelle des Kaffees lieber Sodawasser, zu hoher Blutdruck, sie hat sich die Autoschlüssel geben lassen und ist mit Anna zu ihrer Mutter gefahren, wir kommen nicht von der Stelle.

Ich sage: »Ich verstehe eins nicht, warum rückst du jetzt erst damit heraus? Kein Mensch hat dich zu dem Unternehmen gezwungen, du hättest schon vor Monaten sagen können, das Buch interessiert mich nicht, gebt mir ein anderes. Aber nein, du wartest bis eine Woche vor Drehbeginn, und dann fällt dir ein, daß es so nicht geht.«

»Reg dich nicht auf«, sagt Pokorny, »von fehlendem Interesse kann keine Rede sein. Was verlange ich denn Unmögliches? Ich habe dir drei Szenen gezeigt, die meines Erachtens umgeschrieben werden müßten, und ich habe dir dafür auch Gründe genannt.«

»Fünf Szenen.«

»Meinetwegen fünf, aber zwei davon sind Kleinigkeiten. Ihr Autoren tut immer so, als wären eure Bücher etwas Ähnliches wie die Heilige Schrift. Und alle, die ein Komma darin verrücken wollen, begehen reine Gotteslästerung.«

»Und ihr Regisseure tut so, als wären fertige Bücher eine Brühe, die jeder, der vorbeikommt, erst einmal kräftig nachwürzen muß, damit das Zeug überhaupt genießbar wird.«

Er verzieht gequält das Gesicht und sagt: »So kommen wir doch nicht weiter.«

Die Pfeife ist ihm wieder ausgegangen, er hat keine Muße mehr, sich weiter mit ihr abzugeben und greift nach einer Zigarette, er fragt: »Sollen wir vielleicht Simmel mit hinzuziehen?«

»Du kannst so viel Dramaturgen herholen, wie du willst, ich könnte ihnen auch nur dasselbe sagen wie dir.«

»Also schön«, sagt er, »fangen wir noch einmal von vorne an. Warum muß die Frau diesen Ring klauen? Erstens ist er nichts wert, sie weiß das, und zweitens kriegt sie von ihrem Mann genug Geld, um sich tausend solcher Ringe zu kaufen. Warum kann sie nicht einfach in den Laden gehen, Geld auf den Tisch legen und das Ding bezahlen?«

Ich gebe zu, daß mir nicht gerade irrsinnig wohl dabei war, als ich mich einverstanden erklärte, mit Pokorny einen gemeinsamen Film zu machen, doch jetzt bekomme ich etwas Angst. Am Anfang seines Besuchs, als er zum erstenmal auf diese Szene zu sprechen kam, hatte ich den Verdacht, er wollte den Diebstahl gestrichen haben, weil er heimliche Gelüste nicht mag. Weil ihm überschaubare Figuren mit eindeutigen Konturen sympathischer sind als verworrene und komplizierte, nun schälen sich andere Gründe heraus. Ich erkenne, daß nicht Unbehagen ihn drängt, sondern Verständnislosigkeit, eine Frau, die ohne erkennbare Not wertloses Zeug stiehlt, gehört ins Irrenhaus und nicht in seinen Film, wir müssen in die Klippschule.

»Ich habe dich etwas gefragt«, sagt er.

»Die Motive stehen im Buch«, sage ich, »hast du sie nicht gelesen?«

»Nein.«

Wider besseres Wissen erkläre ich sie ihm, ohne Hoffnung auf ein »Ach so«, ich sage, das Glück der Frau ist scheinbar und zerbrechlich. Die Abwegigkeit ihrer Wünsche nimmt zu, je mehr sie sich daran gewöhnt, nur solche Bedürfnisse zu befriedigen, die andere für akzeptabel halten, beispielsweise ihr Mann. Der Ring ist Zufall, sie hätte auch eine Straßenbahn stehlen können oder eine Puppe, wie der Diebstahl überhaupt Zufall ist, ich habe ihn zeitweiligem Verschwinden, vorgetäuschter Krankheit und Mord vorgezogen, weil er mir am unaufwendigsten erschien, schließlich hat der Vorfall nur am Rande mit der eigentlichen Geschichte zu tun. Oder denkt Pokorny, ich habe nach einer originellen Lösung gesucht, wie die Frau in den Besitz des Ringes gelangt? Außerdem, sage ich, geht es mir vor allem um den Mann dabei, um seine Reaktion auf ihr seltsames Benehmen, der Schock soll ihn zwingen, sein Verhältnis zu ihr zu überprüfen, solange dies noch einen Sinn hat.

»Warum sagt sie ihm nicht einfach, daß sie unglücklich ist?« fragt Pokorny.

»Weil sie es nicht weiß. Oder weil sie es nicht artikulieren kann. Vielleicht auch deswegen nicht, weil ich diese Szene schon tausendmal gesehen habe, such es dir aus.«

Er sieht mich lange an, wie ein Antragsteller, der nicht begreifen kann, warum sich die Behörde so heftig gegen seine wohlbegründete Eingabe sträubt, seufzend greift er nach dem Blatt Papier, auf dem er alle Punkte notiert hat. Er nimmt einen Bleistift und streicht den ersten durch.

»Gut«, sagt er, »der Ring wird geklaut.«

Trotz des kleinen Erfolges graut mir bei dem Gedanken, wie viele mühsame Stunden es noch dauern kann, bis die restlichen Punkte auch gestrichen sind, es wäre zwecklos, wollte ich jetzt fehlende Zeit vorspiegeln oder ihn abzulenken versuchen, morgen würde er wieder an die Tür klopfen, Pokorny ist beharrlich und fleißig. Ich frage: »Was hattest du als nächstes?«

Er ist unzufrieden, weil ich seine Nachgiebigkeit mit keinem Wort honoriere, ein kurzer mißmutiger Blick verrät es mir. Nachdem er sich eine neue Zigarette angezündet hat, blättert er einige Sekunden im Drehbuch und übergeht sogar eine Stelle, an der ein weißes Lesezeichen steckt. Er sagt: »Ja, darüber müssen wir sprechen. Die Tochter kommt zu Besuch, will ursprünglich nur zwei Tage bleiben, bleibt dann aber eine ganze Woche. Wozu?«

»Weil sie sieht, wieviel bei ihren Eltern in Unordnung ist und helfen will.«

»Aber sie hilft nicht, sie versucht es nicht einmal. Sie gluckt die ganze Woche da wie eine Henne, kommt mit keiner Silbe zur Sache, weswegen sie doch, wie du selbst sagst, länger geblieben ist. Sie beobachtet, schweigt und fährt wieder, wo steckt da die Logik?«

»Sie hat die Absicht einzugreifen, aber sie erkennt, daß es keine Möglichkeiten dafür gibt. Wenn du so willst, sind die Tage, die sie länger bleibt, ein Irrtum.«

»Das wird kein Mensch begreifen«, sagt Pokorny. »Man wird glauben, sie hätte nicht alle Tassen im Schrank.«

»Vielleicht stimmt das auch irgendwie«, sage ich, »sie ist ja die Tochter ihrer Mutter.«

»Willst du einen Film über Verrückte machen?«

»Du möchtest also, daß sie nach zwei Tagen wieder fährt und nichts gesehen hat?«

»Nicht unbedingt, aber wenn sie so lange bleibt, müssen auch ihre Gründe deutlich werden. Sonst sitzt sie mir zwischen den Dekorationen herum und hält den Film auf.«

Zum erstenmal während seines Besuchs kommen mir Zweifel an meiner Position, Pokorny könnte im Recht sein, wo steht geschrieben, daß er immer unrecht hat? Ich bedenke die Konsequenzen, die sich für andere Szenen ergeben würden, alles, was während der verbleibenden fünf Tage geschieht, könnte sich auch ohne die Gegenwart der Tochter zutragen. Und doch würde mir etwas fehlen.

»Wärst du einverstanden, wenn sie versucht, mit ihren Eltern zu sprechen?«

»Natürlich, darum geht es ja.«

»Aber ich sage dir gleich, Erfolg wird sie nicht haben. Ihre Einmischung macht es höchstens noch schlimmer.«

»Schlimmer oder nicht schlimmer«, sagt Pokorny, »sie macht es klarer, und darauf kommt es an. Willst du sie mit dem Vater oder mit der Mutter reden lassen?«

»Das weiß ich noch nicht.«

Seinem Gebaren nach zu urteilen, scheint ihm der dritte Punkt am wichtigsten zu sein, wie er Buch, Blatt und Bleistift auf dem Tisch ausrichtet, eine bedeutungsvolle Pause verstreichen läßt und dann der Stimme Eindringlichkeit zu geben versucht, als wären die bisher gewechselten Worte nur Vorgeplänkel gewesen. Zur Sache, etwa in der Mitte des Films gibt es bei mir eine Rückblende, in der die erste Begegnung zwischen dem Mann und der Frau gezeigt wird, vor fast dreißig Jahren. Sie lernen sich auf einer Hochzeit kennen, in einer kleinen, nicht näher bezeichneten Stadt, das Mädchen ist fünfzehn und er ein Jahr älter. Er trägt die Uniform der Hitlerjugend, warum in aller Welt das sein muß, fragt Pokorny, es spiele später kaum mehr eine Rolle.

Ich antworte ihm, ich wüßte zwar keine genauen Zahlen, doch könnte man vermuten, daß zur damaligen Zeit nicht weniger als sechzig oder siebzig Prozent aller jungen Burschen in Deutschland eine solche Uniform getragen hätten, zumindest eine im Schrank besaßen, und unser Held bildete keine rühmliche Ausnahme. Pokorny fordert mich auf, in größeren Zusammenhängen zu denken, mit Prozentzahlen wäre da nichts getan, fest steht, daß der Mann heute Kommunist ist, und es diene seinem Gesamtbild in keiner Weise, ihm solche Episode in der Vergangenheit anzudichten. Und wenn man, im künstlerischen Sinne, die Vergangenheit als Mittel zur Klärung gegenwärtiger Probleme ansieht, so wäre diese Uniform ohne jede Funktion. Ein verwunderlicher Aufzug, es sei denn, ich verfolge eine Absicht, die ihm, Pokorny bisher verborgen geblieben sei.

In Gedanken unterstelle ich, daß ihn ganz profane Sorgen plagen, daß er fürchtet, irgend jemand könnte diese Uniform in den falschen Hals kriegen und fragen, wie ein Erbauer des Sozialismus zu solch unpassendem Hemd kommt. Nein, darüber werden wir nicht sprechen, natürlich verfolge ich eine Absicht. Ich wollte keinen Filmhelden mit nachträglich gereinigtem oder verschwiegenem Lebenslauf, denn nicht jeder Mann seines Alters kann damals im Untergrund tätig gewesen sein, und eine neuerliche Schilderung der Ausnahme würde zum gegenteiligen Eindruck beitragen. Doch auch darüber werde ich mit Pokorny nicht sprechen, zu schwach ist meine Position, weil mir das Vorhaben zur Halbheit geraten ist, zu einer vagen und mißverständlichen Andeutung, das spürt er. Anstatt mich der Mühe zu unterziehen, die Veränderung des Mannes in glaubhaften Szenen nachzuweisen, habe ich eine plumpe Tatsache hingesetzt, so mager, daß sie dem Regisseur nicht standhalten kann, wir werden weiter aneinander vorbeireden.

Ich sage, ich verfolge keine besonderen Absichten, außer der zu zeigen, daß er sich damals noch nicht von der grauen Masse abgehoben hat. Er ist dem Mädchen also nicht wegen der Vortrefflichkeit seiner Ansichten aufgefallen, sondern wegen seiner frechen Augen, seiner lockigen Haare und seiner Frische. Im Gegenteil, sage ich, wenn er damals schon einer der wenigen Bewundernswerten gewesen wäre, die sich am Widerstand gegen das System beteiligten, hätte sie ihn wahrscheinlich aus Furcht gemieden.

»Fall nicht gleich von einem Extrem ins andere«, sagt Pokorny, »wer verlangt das denn? Du sollst nicht aus dem Hitlerjungen einen Widerstandskämpfer machen, ich will nur, daß du diese dämliche Uniform wegstreichst. Man kann in einem Film seinen Helden nicht in so abscheulichen Klamotten herumlaufen lassen, ohne später auch nur ein Wort darüber zu verlieren, sozusagen aus Gründen der Milieutreue. Dafür ist so eine Uniform zu wichtig. Wenn du eine Geschichte schreiben willst, wie sich einer vom Hitlerjungen zum fortschrittlichen Mann entwickelt, dann tue es meinetwegen, aber bei uns handelt es sich um eine andere Geschichte.«

»Es stimmt nicht, wenn du behauptest, die Uniform spiele nie mehr eine Rolle«, sage ich. »An irgendeiner Stelle machen sie sich Vorwürfe, es geht um Irrtümer der Vergangenheit, und da führt sie auch die Uniform ins Feld.«

»Dann laß ihr etwas anderes einfallen, es gibt genug, was sie ihm vorwerfen könnte. Ich fand schon immer, daß gerade dieser Vorwurf ungerecht war. Erstens war sie selbst damals nicht klüger, und zweitens richtet sich der Vorwurf an einen, der er heute nicht mehr ist. Oder bist du ernsthaft der Ansicht, wenn einer als grüner Bengel von sechzehn diesen lausigen Anzug getragen hat, daß seine Frau ihm das dreißig Jahre später in einem Ehekrach unter die Nase reiben sollte?«

Ich sehe wohl aus wie jemand, der entschieden nicht dieser Ansicht ist, und Pokorny sieht aus, als wäre er soeben mit zwei zu eins in Führung gegangen, das macht es mir so schwer, »in Ordnung« zu sagen. Ich tue so, als müßte ich alle Aspekte noch einmal durchdenken, und ich nehme mir vor, in Zukunft hieb- und stichfester zu sein als heute, denn wie unangenehm es auch immer ist, unrecht zu haben, Pokorny gegenüber kommt es mir in besonderem Maße beschwerlich vor.

»Los, gib endlich auf«, sagt er. »Du merkst doch selbst, daß du in der Falle sitzt. Oder sind meine Einwände aus der Luft gegriffen?«

»Nein, das sind sie nicht.«

»Na, Gott sei Dank«, sagt er. Und nach ein paar Sekunden, als die Aufregung sich etwas gelegt hat, kann er schon wieder lächeln, er streicht nicht einmal den dritten Punkt auf seinem Blatt Papier aus. »Du bist ein seltsamer Typ. Wenn man dir beweist, daß zwei plus zwei vier ist, dann scheint es für dich eine große Rolle zu spielen, wer das tut. Offenbar gehöre ich zu denen, bei denen du besonders lange nachrechnest, aber was ändert das am Ergebnis?«

Ich denke, der kleine Triumph hat ihn so gelöst, daß ihm sogar die Allegorien zufliegen, wahrscheinlich bin ich ungerecht, kein Mensch kann mit einer anderen Nase herumlaufen als mit seiner eigenen, nicht einmal ich. Er greift wieder nach einer Zigarette, doch auf halbem Wege überlegt er es sich anders, holt eine frische Pfeife aus der Tasche, pustet sie durch, stopft sorgfältig Tabak hinein und zündet sie an. Sein zufriedenes Gesicht schwimmt in graublauen Wolken, ich entschuldige mich für einen Moment und gehe hinaus. Ich gehe in Lolas Zimmer, obwohl es dort nichts zu erledigen gibt, ich laufe wie ein Idiot zwischen Schrank und Bett herum und sehe auf die Uhr, fünf Minuten soll Pokorny sich gedulden. Der Spiegel zeigt mir einen mürrischen Mann, der fragt mich, was geschehen ist, daß ich so kleinlich jemanden warten lasse, ich sehe aus dem Fenster und versuche, es zu ergründen.

Die Uniform wurde als schmückende Beifügung erfunden, Pokorny hat mir bewiesen, daß solche Glitzersteinchen am Rande nicht gefragt sind, Lametta auf Kosten der Genauigkeit, ich stelle mir vor, ein Klügerer als er kommt daher und beweist mir noch viel mehr. Daß es in meinem Drehbuch von solchen Glitzersteinchen nur so wimmelt, am Ende ist es eine einzige schmückende Beifügung, von der ersten bis zur letzten Seite, also eine von den Arbeiten, deren ich mich schon lange verdächtige. Doch ich zwinge mich, nicht gleich das Schlimmste zu befürchten, Pokorny ist immerhin ein erfahrener Regisseur mit viel Übung im Umgang mit Schreibern wie mir. Instinktsicher könnte er den Finger auf die einzige auffindbare Wunde gelegt haben, mit welchem Recht schließe ich diesen wahrscheinlichen Fall aus, es wäre am günstigsten so.

Ich gehe zurück in mein Zimmer und frage ihn: »Wollen wir nicht das andere auch gleich klären?«

»Das sind Kleinigkeiten«, sagt er, »über die wir uns jetzt keine grauen Haare wachsen lassen. Die erledigen sich vermutlich beim Drehen von selbst.«

Vorhin klang das anders, sein Sieg muß ihn weich gestimmt haben, er hat gesehen, wie verbissen ich jedes geschriebene Wort verteidigt habe, welche Überwindung also meinerseits vonnöten war, da will auch er sich nicht lumpen lassen, nicht länger auf engherzigen Forderungen bestehen. Er räumt seine Utensilien zusammen, trinkt den letzten Schluck Wasser und gibt plötzliche Eile vor, als wollte er seine Beute schnell ins sichere Nest bringen, bevor unvorhergesehene Ereignisse ihn daran hindern könnten. Ich halte ihn nicht auf.

»Sehen wir uns am nächsten Dienstag bei der Produktionsbesprechung?«

»Natürlich, ich komme.«

Ich öffne das Fenster, bringe den vollen Aschenbecher hinaus und lege mich mit einer Zeitung aufs Sofa, die Buchstaben erreichen mich nicht, von sinnvollen Nachrichten ganz zu schweigen, Pokornys Beweise hängen noch im Zimmer. Ich versuche, mir ein Sieb zu denken, durch das ich die einzelnen Filmszenen schütteln

könnte, mit so beschaffenen Löchern, daß alles Nichtige hindurch-
fällt und nur wesentliche Passagen hängenbleiben. Aber ich bin
zu müde, um lange zu konstruieren, ich ahne nur, daß Pokorny
mit seiner Kritik nicht weit genug gegangen ist, daß es in meinem
Buch weit gewichtigere Schwächen gibt, zu denen wir nicht vor-
gedrungen sind, der Kopf tut mir weh. Oder soll ich mir sagen,
es handelt sich um eine erledigte und bezahlte Arbeit, die nächste
wartet schon? Vielleicht hängt von der Antwort darauf ab, ob
ich mir nach der nächsten Arbeit dieselbe Frage stellen muß, aber
nicht jetzt, morgen wird auch noch Zeit sein und Gelegenheit, der
verworrenen Spur zu folgen, bald muß Lola zurückkommen.
Dann sind wir eine Familie, ich werde Anna auf den Schoß nehmen
und ihr irgend etwas erklären.
Langsam rutsche ich in Halbschlaf, dort gibt es immer noch Probleme, aber sie werden auf angenehme Weise nebensächlich oder
lösen sich von selbst. Ich kann mit den Händen in der Tasche
zusehen, ich kann mich auch einfach umdrehen zu längst vergangenen Zeiten, die nach Belieben auftauchen. Da ist es Morgen,
ich ziehe die Vorhänge auf und weiß nicht, wohin ich zuerst
schauen soll, auf die träumende Lola oder auf das Baby in der
Wiege, das mit großen wachen Augen daliegt und beobachtet, als
müsse jede Bewegung sorgsam registriert werden. Ich nehme es
heraus, wir legen uns zusammen in das große Bett, Anna kriecht
zu Lola und weckt sie so behutsam, daß Lola beim Erwachen
denkt, ich wäre es und eine falsche Umarmung versucht. »Oh!«
ruft sie, und ich lache, Anna entdeckt weiter, bis ein Klingel-
zeichen uns dazwischenkommt, ich höre es ganz deutlich. Trotzdem lasse ich es dreimal klingeln, bevor ich mich von jenem
Morgen trenne, ungern, ich reibe mir hellgrüne Muster auf die
Augen.
Vor der Tür steht ein sehr alter Mann, der gerade im Begriff ist
umzukehren, ich sage: »Nein, nein, ich bin hier.«
Er sieht mich hoffnungsvoll an, als erwarte er irgendeine freudige
Reaktion, noch kann ich ihm den Gefallen nicht tun, aber ich
weiß sofort, daß es eine besondere Bewandtnis mit ihm hat, wir
kennen uns, Himmelherrgott, wer steht denn da bloß vor mir?
»Erkennst du mich nicht?« fragt er.

»Natürlich«, sage ich, »komm rein, Hensel, ich habe heute nicht meinen hellsten Tag erwischt.«

Doch er verharrt auf seinem Fleck, als wäre er mit der Begrüßung unzufrieden, es kostet mich keinerlei Überwindung, mehr Wiedersehensfreude auf mein Gesicht zu bringen, woher soll er auch wissen, daß ich noch vor wenigen Sekunden in einem glücklichen Morgen gewesen bin. Ich trete zwei Schritte vor und umarme ihn. Ich sage: »Ich habe gerade geschlafen, mußte erst wieder klarkommen. Ist ja wirklich ein großes Ding, daß du mich mal besuchst.«

Das scheint ihm zu genügen, wir gehen in mein Zimmer und setzen uns an den Tisch, Hensel ist klapprig geworden, dünn und bleich, er atmet schwer, ich erinnere mich, daß er weit über Achtzig sein muß. Er sieht sich um und nickt beifällig, wie zur Bestätigung einer längst gehegten Vermutung, der Junge hat es zu etwas gebracht, ich will ihm nicht gleich die Ohren vollreden, vielleicht kommt er mit einem Anliegen.

»Könntest du mal das Fenster zumachen«, sagt er, »es zieht mir so.«

Er spricht greisenhaft langsam und viel lauter als vor Jahren, ich schließe das Fenster und lege bei dieser Gelegenheit Zigaretten auf den Tisch, aber Hensel sagt, damit wäre es inzwischen vorbei, sein Arzt sei ein ekelhafter Querkopf, faselte immerzu von Asthma, höchstens ein Schnäpschen, wenn es mir nichts ausmacht, dafür wäre er immer noch zu haben. Ich hole Kognak und Gläser aus der Küche, an seinen Trinkgewohnheiten hat sich nichts geändert, an diesem seltsamen Bewegungsablauf, er betrachtet das Etikett der Flasche, hält es weit weg von den Augen, um den teuren Preis entziffern zu können, auch der wird registriert und in den allgemeinen Eindruck einbezogen.

»Du bist ja nun ein wichtiger Mann geworden«, sagt Hensel, »hat damals gar nicht danach ausgesehen.«

»So wichtig auch wieder nicht«, sage ich.

»Ganz schön schon. Als du mittendrin aufgehört hast zu studieren und weggezogen bist zu dieser ... ist ja auch egal, du weißt schon. Jedenfalls hab ich da gedacht, jetzt ist es ganz aus mit ihm. Hab mich gerne geirrt. Ich kenne ja nichts von deinen Sachen, aber drei- oder viermal hab ich in der Zeitung was über dich gelesen, einmal war sogar ein Photo drin, das hab ich mir ausgeschnitten. Gibt es nicht auch ein Buch von dir?«

»Ja, eins. Wenn du möchtest, kannst du nachher ein Exemplar mitkriegen.«

»Die Sauerbier hat sich auch das Bild ausgeschnitten, das heißt, sie hat es mir überhaupt erst gezeigt. Damit ich mir auch eine Zeitung kaufe. Die war ganz verrückt, überall ist sie rumgelaufen, hat jedem das Bild unter die Nase gehalten und gesagt: Kennt ihr den noch, das war mal mein Untermieter. Ein paar Tage, bevor sie gestorben ist, hat sie einen Film von dir gesehen, oder im Fernsehen, mit Kilometer irgendwas, sie hat mir gesagt, den muß ich mir unbedingt angucken.«

»Frau Sauerbier ist tot?« frage ich. »Seit wann?«

»Vor zwei Jahren fast, an einem Sonnabend«, sagt er, doch es sieht aus, als hätte er keine Lust zu weiteren Details, und ich bohre nicht, die gute Dorothea Sauerbier ist seit zwei Jahren tot, ich habe sie nie besucht, ein Jammer. Hensel zelebriert ein paar Schlückchen, dann erzählt er lieber die umständliche Geschichte, wie er mich gefunden hat, wenn ich auch bisher nicht ahne, wozu er mit der Suche begann, leicht ist sie ihm nicht gefallen. Die Polizei wollte er nicht einschalten, wahrscheinlich hätte die ihm auch gar keine Auskunft gegeben, vor längerer Zeit, sagt er, wäre das alles noch kein Problem gewesen, die Sauerbier hätte bestimmt die Nummer von diesem Mädchen, ich weiß schon, gewußt, aber die war ja inzwischen tot. Im Telephonbuch standen nur zwei andere Bieneks, kein Gregor, er wollte schon aufgeben und die Sache sausen lassen, da hatte er den rettenden Einfall. Er ist in eine Buchhandlung gegangen und hat sich dort mein Buch zeigen lassen, nicht einmal den Titel wußte er, er hat den Namen des Verlages herausgeschrieben und dann das Buch zurückgegeben, die Verkäuferin war schön verwundert über den seltsamen Kunden. Dann hat er von der Post aus den Verlag angerufen, tausendmal haben sie ihn weiterverbunden, bis er an der richtigen Stelle war, er hat der Frau gesagt, er muß unbedingt meine Adresse wissen. Sie wollte wissen wozu, denn da könnte ja jeder kommen, aber Hensel hat gesagt, es handelte sich um eine rein persönliche Angelegenheit. Da hat sie ihm in Gottes Namen die Telephonnummer gegeben, die Adresse nicht, das war wenigstens etwas.

»Ich hätte dich ja auch anrufen können«, sagt Hensel, »aber ich wollte lieber selber kommen, ich rufe nicht gerne an. Ich hab die Auskunft angerufen, hab deinen Namen und die Nummer durchgesagt, und die haben mir endlich deine verfluchte Adresse gegeben.«

Aufatmen, der Leidensweg mit all seinen Verwicklungen und Fußangeln ist erklärt, kein Engel hat ihn an der Hand genommen und hergeführt, was doch das Einfachste gewesen wäre. Aber wozu die Mühe, frage ich mich, sollte Hensel im hohen Alter plötzlich seine Anhänglichkeit zu mir entdeckt haben? Ich sage: »Da hast du ja was ausgestanden.«

»Das hab ich.«

»Wozu, Hensel? Versteh mich nicht falsch, ich freue mich ehrlich, daß du mich nach so langer Zeit besuchst, aber hast du nicht einen bestimmten Grund? Und wenn du mir bloß sagst, du wolltest mich mal wiedersehen.«

»Das auch«, sagt Hensel. Er sieht mich bestimmt an, bis ich ihm neuen Kognak ins Glas fülle, ich ahne nebelhafte Schwierigkeiten, die durch meinen Eingriff vielleicht gelindert werden könnten, für Hensel bin ich zu einigem Aufwand bereit, besonders zurückhaltend oder gar schüchtern war er eigentlich noch nie. Er trinkt, und ich warte.

»Es ist mir peinlich, darüber zu sprechen«, sagt er endlich, »aber ich weiß mir keinen anderen Rat mehr. Hoffentlich erinnerst du dich noch daran.«

»Woran?«

»An meine Rechnung von damals. Sie ist nicht aufgegangen, ich lebe immer noch.«

»Wie meinst du das?«

Im selben Moment spüre ich, wie mein Herz vor Scham schneller schlägt, ich weiß die ganze Geschichte so genau, als hätte sie sich vor einer halben Stunde zugetragen. Hensel zieht die Tischschublade auf, nimmt sein Bankbuch heraus und fordert mich auf hineinzusehen, ich zögere, weil mir die Kontrolle unangenehm ist, aber er sagt, ich soll endlich blättern. Als letzte Eintragung finde ich eine erstaunliche Summe, siebentausend Mark, da bin ich sicher, daß er mir die fünfhundert geben wird. Doch Hensel stellt eine Rechnung auf, an die ich zuerst nicht recht glauben will. Wieviel er jeden Monat zusätzlich zu seiner Rente abheben muß, daß das Geld also soundso lange reichen wird, das genügt ihm auch, denn älter will er nicht werden, und diese Rechnung hat sich nun als falsch erwiesen, er lebt noch, länger als vorgesehen.

»Hab ich mir schon gedacht, daß du es vergessen haben wirst«, sagt er bekümmert, »sonst hättest du dich ja inzwischen gemeldet. Weißt du nicht mehr, wie du damals ...«

»Sei still«, sage ich und lege meine Hand auf seinen Arm, ich erkenne die zerschlissene Jacke aus alter Zeit, er sieht mich an, als wüßte er nicht genau, warum ich ihn unterbrochen habe. Vielleicht lasse ich ihn nicht ausreden, weil ich ahne, worum es geht und nichts davon hören will, könnte er denken, weil ich ihn daran hindern will, verjährte Forderungen einzutreiben, den Schuldschein hat er ja damals verlacht und zurückgewiesen, seine Blicke schmerzen mich.

»Was bin ich nur für ein Arschloch«, sage ich, »verzeih mir bitte, Hensel, ich hätte das nicht vergessen dürfen.«

»Halb so schlimm«, sagt er erleichtert und winkt ab, »beschimpf dich mal nicht selbst, wenn wir nicht aneinander vorbeireden, ist ja alles gut. Hast inzwischen sicher viel am Hals gehabt, da kann man schon mal was vergessen.«

Ich stehe auf und hole aus dem Korridor meine Jacke, ich sage: »So viel Bargeld habe ich nicht im Haus, nimmst du auch einen Scheck?«

»Was macht man damit?«

»Jede Post und jede Bank gibt dir dafür Geld, du mußt bloß hinten deine Personalien draufschreiben, mehr ist da nicht.«

»Gut«, sagt Hensel.

Ich schreibe einen Scheck aus und lege ihn auf den Tisch, Hensel nimmt das grüne Stückchen Papier und liest, er sagt: »Du spinnst wohl, das kommt überhaupt nicht in Frage. Ich bin nicht hergekommen, weil ich Almosen haben wollte, ich brauche mein eigenes Geld und sonst nichts.«

»Laß deinen dämlichen Stolz weg, Hensel«, sage ich, »das ist kein

Almosen, sondern ich bin tief in deiner Schuld, du hast mir damals viel mehr gegeben. Und zweitens tut es mir nicht weh, ich habe im Moment genug davon, wenn du es nicht nimmst, bin ich beleidigt.«

»Dann sei beleidigt.«

Er schiebt den Scheck zu mir zurück und wartet auf einen neuen, der Hals schnürt sich mir zusammen, wenn ich an seine Bedürftigkeit denke, wieviel Wochen Leben er da von sich weist. Ich könnte versuchen, ihm einzureden, daß er sich in der Summe geirrt hat, das Alter geht auch am Gedächtnis nicht spurlos vorbei, aber das hätte wohl keinen Zweck, die fünfhundert Mark werden in den letzten Jahren einen zu genauen Platz in seinem Kopf eingenommen haben. Mir geht eine anonyme Überweisung durch den Sinn, hoffentlich bin ich morgen auch noch dazu entschlossen, wenn er nicht mehr so arm vor mir sitzt.

»Du bist noch genauso ein sturer Hund wie damals«, sage ich.

»Und du fällst mir mit deinem schlechten Gewissen auf den Wecker«, sagt Hensel. »Was ist denn schon dabei, du Traumtänzer? Soll ich dir erzählen, wieviel Schulden ich nicht zurückgezahlt habe?«

»Erzähle«, sage ich, vielleicht springt eine seiner sonderbaren Geschichten heraus, wie früher, vielleicht schlittert er in versöhnliche Stimmungen, doch Hensel hüllt sich in Schweigen und bekommt ungeduldige Augen, wann ich ihm endlich sein Eigentum zurückzahle.

»Also gut, aber eins wirst du wenigstens nicht abstreiten: wenn du dein Geld auf die Bank bringst und es sieben Jahre lang nicht anrührst, dann kriegst du schließlich Zinsen dafür. Oder nicht?«

»Ja, das ist wahr«, sagt er.

»Für langfristig gesperrte Anlagen gibt es mindestens sechs Prozent. Fünfhundert geteilt durch hundert macht fünf, fünfmal sechs macht dreißig, also dreißig Mark pro Jahr. In sieben Jahren sind das zweihundertzehn Mark, und dabei ist noch nicht einmal der Zinseszins.«

»Du wirst mir schon was erzählen«, sagt Hensel.

Ich zerreiße den Scheck und fülle einen neuen aus, siebenhundertzehn Mark, ich gebe ihn Hensel und frage: »Zufrieden?«

»Klar«, sagt er, faltet ihn zusammen und legt ihn in seine aus-
gefranste Brieftasche. »Vor zwei Tagen hätte ich nicht im Traum
dran gedacht, daß ich das Geld je wiedersehe. Und an die Sache
mit den Zinsen schon gar nicht, kann ich ganz gut gebrauchen.«
Ich will ihm neuen Kognak eingießen, um voreilige Aufbruchs-
gedanken zu verhindern, aber er hält die Hand über sein Glas,
genug getrunken, früher ging es nach einer Flasche erst richtig los,
sagt er, und heute dreht sich ihm schon nach zwei Gläschen der
Kopf. Ich soll nicht vergessen, er ist immerhin vierundachtzig, das
ist kein Pappenstiel, was ich den ganzen Tag so treibe, wie es mir
inzwischen ergangen ist, man weiß ja fast gar nichts.
»Erzähl mir zuerst von dir«, sage ich.
»Du machst mir Spaß, was soll ich dir erzählen? Meine Tage gleichen sich wie die Eier, alle Güteklasse C, sie werden bloß immer
länger. Die einzige Abwechslung ist das Wartezimmer vom Arzt.
Sie haben mir ja vorgeschlagen, in ein Altersheim zu gehen, von
der Fürsorge, in Ihrem Alter ist man kein Springinsfeld mehr,
Herr Hensel, ich war sogar dicht dran. Die Einholerei, jeden Tag
Essen machen, der Scheißofen, der nie richtig zieht, die Wohnungs-
verwaltung will seit fünf Jahren einen vorbeischicken, aber es
kommt keiner. Das würde ja da alles wegfallen, aber dann bin ich
dagewesen, bloß mal probeweise, das hättest du sehen müssen.
Schön aufgeräumt und so, Fernseher in der Ecke, es stinkt nicht
mal, aber wie die Tattergreise dasitzen und dich anglotzen, wie
die Hühner auf der Stange, du hast Angst, einen scharf anzu-
gucken, nachher fällt er dir gleich runter und ist tot. Nee, Junge,
das wäre nichts für mich, zu Hause kann mich keiner zwingen,
in den Spiegel zu sehen, aber dort müßte ich es den ganzen Tag
tun. Die große Gefahr ist das Hinsetzen, wenn du mit vierundachtzig einmal sitzt, stehst du nie wieder auf, und da sitzen sie
alle.«
Das lange Reden bereitet ihm sichtliche Mühe, er spricht abgehackt
und mit häufigen sinnentstellenden Pausen, es sieht sogar aus, als
verzichte er nur aus Gründen der Luftknappheit auf eine Fortsetzung. Ich denke, ein Unglück, wenn in einem so viele Feuer
lodern, und allmählich versotten die Kamine, durch die der Rauch
abziehen muß. Die Suche nach mir war eine seiner letzten ver-

zweifelten Kraftanstrengungen, ein Glück, daß ich nicht in eine andere Stadt gezogen bin, dafür hätte es wahrscheinlich nicht mehr gereicht.

»Na los, noch einen einzigen«, sagt er und schiebt sein Glas zu mir herüber.

»Möchtest du vielleicht etwas anderes?« frage ich. »Hast du Hunger, soll ich dir schnell etwas zu essen machen?«

»Ich habe nie Hunger, meistens muß ich mir das Zeug runterzwingen.«

Ich quäle mich unnütz damit ab, ihm irgend etwas Gutes anzutun, weil mir nicht in den Kopf will, daß jemand wie er wunschlos sein könnte, dabei hat Hensel immer Mitleid gehaßt, vorhin klang das durch, als er sagte, ich falle ihm auf den Wecker mit meinem schlechten Gewissen, trotzdem kann ich es nicht unterdrücken. Jetzt schon fürchte ich mich vor seiner Reaktion, wenn ich nachher, beim Abschied nicht umhinkommen werde, ihm zu sagen, daß er immer auf mich rechnen kann, wenn er Hilfe braucht, Anruf genügt, Hensel. Nie wird er von dieser Offerte Gebrauch machen, vielleicht bringe ich es fertig, den Mund zu halten und von Zeit zu Zeit selbst einmal hinzufahren.

»Jetzt bist du dran«, sagt Hensel. »Was ist damals aus dir und diesem Mädchen geworden? Sag mir doch endlich mal, wie sie hieß?«

»Lola Ramsdorf.«

»Richtig, Lola. Seid ihr noch lange zusammengeblieben?«

»Wir haben geheiratet. Wir haben ein Kind und sind heute noch eine richtige runde Familie. Die beiden sind gerade unterwegs.«

»Sieh einer an«, sagt Hensel.

Ich erzähle ihm von den Schwierigkeiten der ersten Zeit, wie es nach dem abgebrochenen Studium nur langsam anfing zu rollen, Lolas Lehrerinnengehalt war nicht hoch, und meine Manuskripte verkauften sich nur mühsam. Doch irgendwann gelang mir eine Art Durchbruch, »du hattest den Dreh raus«, sagt Hensel, vielleicht, jedenfalls wurde es nach und nach zum Normalfall, daß man mein Geschriebenes akzeptierte. Als Anna geboren wurde, hörte Lola auf zu arbeiten, weil sie nicht viel von Kindergartenerziehung hielt, finanziell konnten wir uns das gerade so leisten, nein, heute arbeitet sie immer noch nicht, aber im nächsten Jahr will sie unbedingt wieder anfangen, dann ist Anna viereinhalb. Hensel hört aufmerksam zu und nickt manchmal, als ich mein Stenogramm beendet habe, sagt er: »Ist ja schön, daß alles so gekommen ist.«

Ich höre, wie ein Schlüssel im Schloß gedreht wird, Hensel hört es offenbar nicht, gleich darauf geht die Zimmertür auf, Anna stürmt herein. Auf halbem Wege zu mir bleibt sie stehen und sieht erschrocken auf den fremden Mann, ich fordere sie auf, ihm die Hand zu geben und guten Tag zu sagen, doch sie rührt sich nicht von der Stelle. Sie ist fast nie schüchtern, eher unverschämt, irgend etwas an Hensel bereitet ihr Angst, ich will sie zu ihm hinziehen, sie sträubt sich, daß der Teppich Falten wirft. Hensel sagt: »Laß sie doch in Ruhe.«

Ich lasse sie los, sie bleibt noch einen Moment stehen, wie um Mut zu sammeln, dann geht sie zu ihm, nimmt seine ausgestreckte Hand, bringt einen verkrampften Knicks zustande und sagt: »Guten Tag, ich heiße Anna Bienek.«

Bevor er noch antworten kann, daß er Carl-Maria Hensel heißt, ist sie wieder hinausgerannt, die Tür fällt laut ins Schloß, draußen wird sie berichten, wie viele Ängste sie in so kurzer Zeit ausstehen mußte, aus heiterem Himmel.

»Ein hübsches Kind«, sagt Hensel, »aber dir sieht sie nicht ähnlich.«

»Ich gucke auch immer schon«, sage ich, es ist mir peinlich, daß Anna sich vor ihm gefürchtet hat. »Hast du Lola eigentlich schon mal gesehen?«

»Nein, noch nie. Das heißt, einmal von weitem, wie ihr zusammen die Straße langgegangen seid. Vielleicht war es auch eine andere.«

»Du bleibst doch zum Abendbrot? Sie legt nur das Kind hin, dann macht sie ein paar Happen fertig, wir essen und können noch eine Weile quatschen. Und nachher bringe ich dich nach Hause, was hältst du davon?«

»Meinst du wirklich?« sagt Hensel.

Lola kommt, von Anna auf Besuch vorbereitet, sie sieht fragend zu mir, ich sage: »Das ist Hensel.«

Sie gibt ihm die Hand und sagt: »Angenehm, bleiben Sie doch sitzen.«

Ich kann sie nicht mit dem Fuß anstoßen, dafür steht sie zu weit von mir entfernt, ich sage: »Weißt du nicht mehr, wer Hensel ist? Ich habe dir doch viel von ihm erzählt.«

»Ach ja, natürlich, jetzt erinnere ich mich«, sagt sie, leider merkt man ihr an, daß sie mir zu Gefallen lügt.

IV

Kurze Zeit nach der Begegnung mit Hensel treffe ich ein zweites lebendes Wesen aus der Vergangenheit, Christa Naujocks, die Schönheitskönigin der juristischen Fakultät. In einem Restaurant bin ich mit dem Dramaturgen Simmel verabredet, der die ersten Muster meines Films gesehen hat, die Vorführung war von Pokorny so kurzfristig anberaumt worden, daß ich sie nicht besuchen konnte, Simmel will mir Eindrücke erzählen. Mit gemischten Erwartungen betrete ich das Restaurant, er ist noch nicht da, ich habe mich um einige Minuten verfrüht, dafür sehe ich eine auffallend hübsche Frau an einem Tisch sitzen, bei Mokka und in einer Illustrierten blätternd. Zuerst kommt sie mir nur irgendwie bekannt vor, ich brauche einige Sekunden, um sie richtig einzuordnen, Christa Naujocks, ich gehe zu ihr und frage, ob ein Platz an ihrem Tisch frei wäre.

»Bitte«, sagt sie, wobei sie kaum von der Illustrierten aufblickt, ihre Stimme klingt ungehalten, als müßte sie heute schon den zehnten plumpen Annäherungsversuch über sich ergehen lassen. Ich setze mich und betrachte sie ausgiebig, sie hat sich kaum verändert, vielleicht ist sie eine Spur rundlicher geworden, wenn ja, dann steht es ihr ausgezeichnet, ihr Gesicht ist glatt und ohne alle Fältchen. Ich nehme an, sie spürt meine Musterung, denn sie wirkt übertrieben gefesselt von ihrer Lektüre, lieber hält sie sich stundenlang bei einer Bildunterschrift auf, ehe ich aufdringlicher Kerl eines Blickes gewürdigt werde. Bei so viel Abweisung muß ich überlegen, ob ich es wagen kann, sie sofort mit »du« anzusprechen, nachher gibt sie mir eine Ohrfeige, bevor sie mich noch erkannt hat, sie nimmt blind ein Schlückchen Mokka. Ich sage: »Entschuldigen Sie vielmals, ich glaube, wir kennen uns.«
Da sieht sie mich endlich an, in ihren unwilligen Augen die Frage, ob ich mir nicht etwas Originelleres einfallen lassen könnte. Aber ich lächle so sonnig, daß sie die Tasse abstellt und sich doch entschließt, einige Blicke zu investieren, sie rasiert fix mein kleines Lippenbärtchen ab, und schon weiß sie, daß ich nicht gelogen habe.
»Ich werd verrückt«, sagt sie und schlägt sich vor den Mund, durch

ihre Finger hindurch höre ich: »der Gregor Bienek! Und ich dachte schon ...«

»Guten Tag, Christa«, sage ich, wir schütteln uns die Hände und tauschen Versicherungen aus, wie sehr es uns freut, nach so vielen Jahren einander begegnet zu sein.

»Bist du oft hier?« fragt sie.

»Ganz selten.«

»Was treibst du, ich meine beruflich? Nach deinem unrühmlichen Abgang damals von der Uni war das ja ziemlich ungewiß.«

»Ich bin so etwas Ähnliches wie ein Schriftsteller«, sage ich, das Wort bereitet mir jedesmal Schwierigkeiten, es klingt so bombastisch, wenn ich es unbedingt aussprechen muß, suche ich mir immer verniedlichende Beifügungen.

»Ach ja«, sagt sie, »davon haben sie schon im Seminar gemunkelt. Aber so richtig ernst genommen hat es keiner.«

»Ich habe es selbst nicht ernst genommen«, sage ich.

»Schreibst du unter irgendeinem Pseudonym?«

»Nein, wie kommst du darauf?«

»Nichts weiter, nur so eine dumme Idee.«

»Du meinst, weil du meinen Namen noch nie gehört hast? Das ist ganz normal, ich mache vor allem Filmdrehbücher, da werden nur die Schauspieler und Regisseure berühmt.«

Ich zähle ihr die Titel einiger Filme auf, die unter meiner Schützenhilfe entstanden sind, sie kennt keinen davon, man käme vor lauter Trubel kaum einmal dazu, sich vor den Fernseher zu setzen, sagt sie, geschweige denn Kino, aber das wäre kein Beinbruch weiter, Hauptsache, es ginge mir gut. Ich frage: »Und was tust du?«

»Ich bin Justitiar«, sagt sie und winkt ab, als sollten wir lieber von angenehmeren Dingen sprechen, »ich habe bis zum Ende studiert, wie es sich gehört, und jetzt bin ich Volljuristin.«

»Macht das keinen Spaß?«

»Ach Gott, was heißt Spaß, es gibt einen Haufen Ärger. Du vertrittst immer denselben Betrieb und bist ein qualifizierter Blitzableiter. Wenn sie einen Termin nicht einhalten, mußt du den Paragraphen suchen, der die Verzögerung rechtfertigt. Wenn irgendeine Lieferung nichts taugt, mußt du Paragraphen finden, die nachträglich beweisen, daß sie doch etwas getaugt hat. Wenn weit und breit kein Weg zu sehen ist, der an Konventionalstrafen vorbeiführt, hast du so lange nach mildernden Umständen und höherer Gewalt zu suchen, bis die Summe klitzeklein geworden ist. Das ist auf die Dauer nervenaufreibend.«

»Die Aufregung steht dir gut«, sage ich, »du bist noch genauso hübsch, wie ich dich in Erinnerung hatte.«

Aus dem Kännchen gießt sie die letzten Tropfen Mokka in ihre Tasse, Beschäftigung, die über eine kleine Verlegenheit hinweghelfen soll, ich könnte getrost mehr Bemerkungen zu diesem Thema machen. Früher war sie albern und laut, eine mittelpunktsbewußte und an Huldigungen gewöhnte Studentin, davon ist kaum noch etwas zu spüren, ihr in Maßen verwirrter Blick erweckt nicht den Anschein von Koketterie. Ich überlege, wie alt sie jetzt sein dürfte, wohl genauso alt wie ich, das heißt nein, wir trieben uns zwar im gleichen Studienjahr herum, aber davor war ich zwei Jahre Soldat, die muß ich bei ihr abziehen. Sie sagt: »Du hast dich auch nicht groß verändert, bis auf dieses komische Ding da in deinem Gesicht.«

»Der Bart ist mein ganzer Stolz«, sage ich, »ich stehe halbe Tage vor dem Spiegel und pflege ihn. Gefällt er dir etwa nicht?«

»Er sieht aus wie angeklebt.«

Da tippt mir Simmel auf die Schulter, er begrüßt Christa Naujocks als meine Frau, setzt sich dann und entschuldigt sich für die kleine Verspätung. Er hat Lola noch nie gesehen, man könnte ihn aus Spaß bei seinem Irrtum lassen, Christa lächelt auch ganz vergnügt, ich kläre ihn lieber auf, bevor viel Zeit vergangen ist, später würde es sich vielleicht peinlich und verdächtig anhören.

»Oh, Verzeihung«, sagt er und gibt ihr noch einmal die Hand, als wäre die erste Begrüßung nun ungültig geworden, viel steifer als vorher, wie mir scheint, er ist ein zu puritanischer Mensch, um mit einem Schulterzucken über die Verwechslung hinwegzugehen. Er benimmt sich auch sofort wie jemand, der den Eindruck hat zu stören, macht sich klein auf seinem Stuhl, am liebsten würde ich ihm sagen, es ist ja nicht deine Schuld, daß du mich auf frischer Tat ertappt hast.

Als der Kellner endlich kommt, wehrt Simmel die Einladung zu

207

Schnaps oder Kaffee eilig ab, er würde sofort wieder verschwinden, nur ein paar Minuten, Christa will bezahlen. Trotz Simmel sage ich: »Warum willst du schon gehen? Wenn du nichts Dringendes zu erledigen hast, bleib doch noch ein bißchen. Ich würde mich freuen.«

Zögernd steckt sie ihr Portemonnaie zurück in die Handtasche, ich bestelle drei Mokka, egal was damit wird. Ich sage: »Wie war die Vorführung?«

Im Feuerwehrtempo gibt Simmel eine Kurzfassung seiner Eindrücke, man könne bis jetzt kaum etwas sagen, das gebotene Material umfaßte nur die ersten drei Drehtage. Handwerklich sauber und ohne erkennbare Schnitzer, würde er meinen, buchgerecht, vielleicht fehle es Pokorny ein wenig an Nonchalance, aber man wußte ja schon vorher, woran man bei ihm war. Abzusehen wäre jetzt schon, die Blessing ist in der Rolle Elfriedes ein Volltreffer, auch Kronenberg scheint sehr gut mitzuhalten, Pokorny war mit dieser Besetzung bestens beraten. Die Szene am Bahndamm ist als bisher einzige völlig abgedreht, ein wenig blaß der Hintergrund, aber was die beiden vorne täten, das hätte schon Hand und Fuß. Galski arbeite viel mit der Handkamera, eine günstige Ergänzung zu Pokornys lehrbuchhaftem Stil, dadurch wirkten die Bilder nicht so blankpoliert und keimfrei. Alles in allem ein zufriedenstellender Anfang, man dürfe dem Kommenden ohne große Angst entgegensehen.

Ich stelle keine Zusatzfragen, Simmel ist fertig, bevor noch der Kellner zurückgekommen ist. Als der Mokka schließlich vor uns auf dem Tisch steht, trinkt Simmel ihn so hastig aus, daß ich sicher bin, er verbrennt sich den Hals, denn das Zeug ist kochend heiß. Christa und ich sind eben mit dem Umrühren fertig, da erhebt er sich schon und sagt: »Auf Wiedersehen, Frau Naujocks.«

»Auf Wiedersehen, Herr Simmel.«

»Und wir hören ja bald wieder voneinander.«

»Ein seltsamer Mensch«, sagt Christa.

»Aber ein liebenswerter«, sage ich, Simmel ist wahrscheinlich der einzige unter meinen Bekannten, dessen Verhältnis zu mir ich als Freundschaft bezeichnen würde. Durch die gelben Gardinen sehe ich ihn gehen, er wechselt die Straßenseite, bleibt plötzlich stehen, überlegt es sich anders und verschwindet in der entgegengesetzten Richtung aus meinem Blickfeld.

»Wo waren wir stehengeblieben?« frage ich.

»Ich weiß nicht mehr.«

»Du hast behauptet, mein Bart wäre angeklebt, bis dahin sind wir gekommen.«

Wir sehen uns an und lächeln, das dauert recht lange, mir wird bewußt, daß meine Aufforderung vorhin, sie möge doch noch bleiben, eine gewisse Verpflichtung bedeutet, für einen flüssigen Fortgang unseres Gesprächs zu sorgen. Seit einigen Minuten schon ahne ich, daß ich Lust habe, sie zu berühren, sie hat mich nicht etwa ermuntert, mich heimlich mit dem Fuß angestoßen oder mir zugezwinkert, sie hat nur zögernd meiner Bitte entsprochen und ist geblieben, das besagt wenig. Ich denke an Lola, wie es beim Auftauchen solcher Wünsche üblich ist, seit wir verheiratet sind, habe ich kein einziges Abenteuer mit anderen Frauen als mit meiner ausstehen müssen, dabei waren reichlich Gelegenheiten für risikolose Seitensprünge vorhanden. Vor unserer Heirat wäre mir der Gedanke an ein solches Wohlverhalten geradezu lächerlich vorgekommen, eheliche Treue, eine Forderung aus verstaubten und kitschigen Hausfrauenjournalen, doch ohne feste Vorsätze entstand mit der Zeit ein Gefühl unbewußter Solidarität. Lola hat mir in jeder Beziehung genügt, die Augen suchend wandern zu lassen wäre überflüssig und die reine Zeitverschwendung gewesen, ich merke, wie sich die Sachlage nun deutlich verändert. Wie dieses Gefühl abbröckelt, ohne daß ich es wünsche, Lola entzieht sich mir immer wieder und behindert meine Versuche der Verständigung, es kostet fast keine Überwindung mehr, sie in Situationen wie der heutigen außer acht zu lassen.

Erledigt, ich denke an die ersten Wochen meines Studiums, die schöne Christa Naujocks sitzt im Hörsaal und lenkt alle Kommilitonen mit mir an der Spitze von den gutgemeinten Worten der Dozenten ab. Spaziert durch die Universität und beantwortet begehrliche Blicke mit amüsierter Unnahbarkeit, bis ich mich schweren Herzens entschließe, nicht länger zu den Geschädigten zu gehören. Ich wende mich dem Rest der weiblichen Menschheit zu und behandle sie wie einen unwesentlichen Teil davon, nicht als Trick, sondern aus Einsicht in die Hoffnungslosigkeit weiterer Bemühungen, später fordere ich damit ihre Neugier heraus. Was fällt mir ein, sie nicht gebührend zu beachten, wer bin ich, daß ich mir solchen Luxus leiste? Als ihr Zorn darüber verraucht ist, es muß eine ungewohnte Kränkung für sie gewesen sein, wird sie freundlicher, beinahe einladend, in diesem Stadium haben wir uns aus den Augen verloren.

»Wozu sollte ich noch hierbleiben?« fragt sie.

»Du hast völlig recht«, sage ich, »wenn ich die ganze Zeit an vergangenes Zeug denke, ist das nicht sehr unterhaltend.«

»An was dachtest du?«

»An die Uni. Wie dich alle Jungs mit ihren Blicken aufgefressen haben, und wie du sie dafür verachtet hast. Dabei hatten sie gar keine Schuld, du warst einfach zu hübsch.«

»Ich habe doch keinen verachtet«, sagt sie vergnügt, »hat es so ausgesehen?«

»Und ob es so ausgesehen hat. Wahrscheinlich konntest du nichts dafür, es wird eine Art Notwehr gewesen sein.«

»Davon weiß ich nichts.«

»Aber ich. Schließlich war ich einer der Leidtragenden.«

»Wir sind die tragischen Opfer eines Mißverständnisses«, sagt sie, immer noch unernst. »Ich habe mir eingebildet, zu dir besonders freundlich gewesen zu sein.«

»Vielleicht wolltest du das, aber es hat nicht so richtig geklappt. Wenn man vor einem Saal voller Zuschauer steht, ist es fast unmöglich, einen einzigen von ihnen wohlwollender anzusehen als alle anderen.«

»Ist ja auch egal, jetzt bist du alleine, und ich sehe dich so freundlich an, wie ich nur kann. Da ist jeder Irrtum ausgeschlossen.«

»Ich genieße es auch«, sage ich und versuche, harmlos wie sie zu lächeln, ich weiß nicht, ob ihre Absichten und Gefühle den meinen ähnlich sind, oder ob sie einfach nur guter Laune und zu Scherzen aufgelegt ist. Es wäre verdrießlich, würde ich mir jetzt einen Nasenstüber einhandeln, nachdem ich damals allen Versuchungen entronnen bin und tadellose Haltung vorgeführt habe, wenn sie wenigstens alt und voller Runzeln wäre. Ich denke, am geschick-

testen müßten solche Worte sein, die zwar meine gewagte Ziel-
stellung nicht verheimlichen, die aber im Falle einer Ablehnung
immer noch das Hintertürchen offenlassen, es hätte sich nur um
freche Späße in Erinnerung an sonnige Tage gehandelt. Ich sage:
»Ein Glück, daß man dich so selten trifft.«

»Warum?«

»Weil man immer noch Lust bekommt, Dinge zu sagen, die man
sich damals mit so viel Mühe verkniffen hat.«

»Du Ärmster, jetzt mußt du zusehen, wie du mit diesem Gewis-
senskonflikt fertig wirst.«

»Muß ich«, sage ich und setze das Gesicht des schwergeprüften
Mannes auf. Aber ihr scheint dieser Ton plötzlich nicht mehr zu
behagen, sie fragt auch nicht, um was für Dinge es sich dabei
handelt, was eine logische Fortsetzung der Scherzworte wäre, sie
blickt stumm aus dem Fenster und wendet mir nach einigen Sekunden Augen zu, die um Ernsthaftigkeit bitten. Ich trinke Mokka,
zünde mir eine Beruhigungszigarette an und suche nach einer
Goldwaage für meinen nächsten Satz. Die ist schwer zu finden,
ich stelle mir vor, wir unterhalten uns noch ein paar Minuten
über unwichtigen Kram, der sich in den letzten sieben Jahren
gehäuft hat, dann sehen wir auf der Uhr, wie schnell doch die
Zeit vergeht, wir verabschieden uns in vorgetäuschter Eile, vielleicht trifft man sich einmal wieder. Was bei solchem Handlungs-
ablauf in ihrem Kopf vorgehen würde ist ungewiß, sie rückt keine
Zeichen heraus, die es auch nur ahnen lassen könnten, doch es
fällt mir nicht schwer, meine eigene Unzufriedenheit vorauszu-
sehen. Ich hätte Charakter gezeigt, für den ich mir nichts kaufen
kann und der im Grunde nur mit Feigheit oder schülerhafter
Schüchternheit zu erklären wäre, natürlich geht die Welt nicht
gleich unter, aber ohne Zweifel bleibt Bedauern über eine vertane
Gelegenheit zurück, die mir der gutgelaunte Zufall geschenkt hat.

»Ich weiß nicht, ob du mich auslachst«, sage ich, »es fällt mir
schwer, dir einfach auf Wiedersehen zu sagen.«

»Was macht man da?« sagt sie und lächelt schon wieder. »Irgendwann wird es sich nicht vermeiden lassen.«

»Hast du für heute abend schon etwas vor?«

»Ja, leider.«

Da entschließe ich mich, diesen Teil des Gesprächs für beendet zu halten, denn zu leicht könnte ich in lächerliche Bereiche vorstoßen, lieber beiße ich in den sauren Apfel des Verzichts und rette den standhaften Eindruck alter Tage, ich bin gewaltig aus der Übung gekommen. Ich sage: »Entschuldige meine unsinnige Frage, soll nicht wieder vorkommen.«

»Aber morgen hätte ich Zeit«, sagt sie, »vielleicht ab halb acht?«

Morgen. Morgen gehe ich schon am frühen Nachmittag aus dem Haus, eine berufliche Verabredung mit dem und dem, sage ich zu Lola, warte nicht mit dem Abendbrot auf mich, es kann leicht etwas später werden. Ich will sogar eine halbe Wahrheit daraus machen, indem ich meinen Verlag aufsuche, es gibt immer irgendwelche Probleme, die zu bereden wären, doch mein Lektor ist nicht da. Ich treibe mich ziellos in der Stadt herum, sehe mir einen halben Film an, unterdrücke fortwährend ein schlechtes Gewissen, ich sage mir, ein Tag wie heute ist die zwangsläufige Folge der Kühle, die Lola zwischen uns gebracht hat. Außerdem, noch steht nicht fest, um was für eine Art Tag es sich überhaupt handelt.

Sie ist genauso pünktlich wie ich, wir begegnen uns an der Garderobe des Restaurants. Ich habe nach einigem Überlegen auf Blumen verzichtet, sie wären mir übertrieben vorgekommen, zu sehr auf langfristige Planung hindeutend. Sie trägt ein graues enges Wollkleid, das ihr paßt wie eine zweite Haut, es gelingt uns nach kurzem Anlauf, das Verschwörerhafte aus unserem Benehmen zu verdrängen, wir essen ausgiebig zu Abend und trinken eine Flasche Wein dazu, ich sage: »Zur Not kann ich ja auch den Wagen hier draußen stehenlassen.«

»Hast du dir schon überlegt, was wir hinterher tun?« frage ich.

»Und du?«

»Wenn du willst, könnten wir in irgendeine Tanzbar gehen.«

Sie kräuselt die Nase und sagt: »Ich bin keine große Tänzerin.«

»Mir geht es ähnlich.«

Nach dem Essen spazieren wir ein paar Schritte in der frischen Abendluft, drehen einige schweigsame Runden um meinen Wagen herum, ein kleiner Zwischenfall, ich studiere kurz das Schaufenster einer Zoohandlung. Christa fragt nach meinem Interesse an Meerschweinchen, ich sage nein, die Goldfische haben es mir angetan, ich zeige auf ein Paar und nenne fremdländische Namen, bis die Freundin Lolas mit ihrem Mann sich weit genug entfernt hat, eine Lehrerin. Dann stehen wir vor dem Auto, ich komme mir absolut fahrtüchtig vor, zwei Gläschen Wein, den Rest hat sie getrunken, wir steigen ein, ohne über Ziele gesprochen zu haben. In den nächsten Sekunden wird irgendeine Entscheidung fallen, wie eindeutig ist ihr Einverständnis, sich heute mit mir zu treffen, meine linke Hand steckt den Schlüssel ins Zündschloß, dreht ihn aber noch nicht herum.

»Wohin fahren wir?« frage ich.

Sie zuckt mit den Schultern und sagt: »Fahr einfach los.«

»Warum hast du dich heute mit mir getroffen?«

»Weil man sich hin und wieder einen alten Wunsch erfüllen muß«, sagt sie. »Sonst wird man griesgrämig.«

Das klingt, als gäbe es auch in ihrem Leben Umstände, die sie zwingen, die Begegnung mit mir zu rechtfertigen, zumindest vor sich selbst, ich weiß aus eigener Erfahrung, daß nicht alle Argumente für andere die gleiche Überzeugungskraft besitzen wie ins eigene Ohr gesprochen. Ich hüte mich, nähere Einzelheiten zu erfragen, mir genügt die Auskunft, ich wäre ein alter Wunsch, ich lege den Arm um sie und ziehe sie zu mir heran, wie um den Widerstand zu prüfen. Nichts davon ist zu spüren, wir küssen uns längere Zeit, ein junger Bursche mit einer Schirmmütze auf dem Kopf klopft grinsend gegen das Fenster und nickt uns aufmunternd zu, er hat noch zwei Freunde bei sich, er ruft laut: »Nicht so zaghaft, Mann!«

Christa hat gesagt, ich sollte einfach losfahren, das tue ich, biege auf eine Hauptstraße und kümmere mich dann nicht mehr um die Richtung, sie lehnt sich gegen mich. Nach einigen Kreuzungen sagt sie: »Jetzt mußt du rechts um die Ecke.«

Sie dirigiert mich in eine Gegend, die ich nicht kenne, Treptow, erklärt sie mir, über Brücken und an Parks und Fabriken vorbei, ich denke, so lernt man seine Heimatstadt kennen. Hin und wieder leiste ich mir einen kleinen Blick zur Seite, sie muß angestrengt auf den Weg achten, sie sieht so aufregend aus, daß ich wünsche, wir wären endlich an dem bisher nur ihr bekannten Ort.

»Der erste Bissen, den ich von dir kosten durfte, hat sehr gut geschmeckt«, sage ich.

In einer dunklen Seitenstraße sind wir am Ziel, ich suche mir die einzige Laterne weit und breit zum Parken, wir gehen ein Stück zurück und über den Damm. Vor einem alten Wohnhaus bleibt sie stehen, ein hölzernes Baugerüst rankt sich daran empor, Verputzarbeiten, im Parterre befindet sich eine Kneipe, aus der betrunkener Lärm dringt. Sie nimmt einen Schlüsselbund aus ihrer Handtasche und muß zwei Schlüssel ausprobieren, bevor die Haustür aufgeht, im Flur stoße ich gegen sperriges Baugerät. Sie sagt: »Der Lichtschalter muß irgendwo links sein.«

Die Wohnung bietet reichlich Gelegenheit, sich über ihren Geschmack zu wundern, auch über die Genügsamkeit einer Justitiarin, bis auf wenige Ausnahmen uralte wilhelminische Möbel, die man getrost Plunder nennen könnte. Verschlissene Spitzendeckchen auf Nähtisch und Sofalehne, an der hohen Decke ein Monstrum von einer Krone mit Alabasterschalen, zehn Lampen, von denen nur drei brennen, und der störendste Eindruck, die graugestrichenen Dielen sind von keinem Teppich zugedeckt, lediglich ein schmaler Läufer führt von der Tür am Tisch vorbei zum Fenster.

»Hoffentlich bekommst du keinen Hunger«, sagt sie, »ich fürchte, es ist nichts da.«

»Wir sind nicht zum Essen hergekommen.«

Sie entschuldigt sich für einen Moment und geht hinaus, ich soll es mir inzwischen gemütlich machen, ich öffne eine zweite Tür, finde den Lichtschalter und sehe in das Schlafzimmer. Ähnliche Empfindungen wie eben schon, hier wohnen Leute, denen es an allen Ecken und Enden fehlt, ich gehe zum breiten Ehebett und rüttle am Gestell, es weckt die Befürchtung, als könnte es bei der geringsten Belastung zusammenbrechen. Aber der Schein trügt, es ist solide gearbeitet und rührt sich und wackelt nicht, plötzlich kommt mir ein unklarer Verdacht, ich öffne den Kleiderschrank. Mein Blick fällt zuerst auf Männersachen, einige Hosen, Wintermantel und nadelgestreifter Zweireiher, dann sehe ich Kleider, die unmöglich Christa gehören können. Eins davon ziehe ich ein Stückchen ins Licht, ganz ausgeschlossen, denke ich, mit diesen häßlichen Blumen würde sie sich niemals auf die Straße wagen. Ich höre die laute Wasserspülung, schließe schnell die Schranktür und gehe zurück ins andere Zimmer, bevor meine Schnüffelei ihren Unwillen erregt, als sie hereinkommt, sitze ich schon rauchend auf dem Sofa. Falls ich mich auch ein wenig erfrischen will, sagt sie, gleich die nächste Tür rechts auf dem Flur.

»Ja, das ist eine gute Idee«, sage ich.

Im Bad macht die Verwirrung weitere Fortschritte, zwei Zahnputzbecher, Rasierseife und Pinsel, ich benutze ein Handtuch, das unter einem kleinen Schildchen hängt, »für Gäste«. Dabei entsinne ich mich genau, an der Tür hat der Name Naujocks gestanden, zufällig habe ich ihn gelesen, als sie wieder mehrere Schlüssel ausprobieren mußte. Ich kombiniere mir die einzig denkbare Erklärung zurecht, wir müssen in die Wohnung irgendwelcher Verwandter geraten sein, wahrscheinlich gäbe die Küche näheren Aufschluß, aber ich gehe nicht hin, ich bin kein Detektiv.

Ich gehe zurück in das Wohnzimmer und finde Christa nicht darin, ich rufe: »Christa?«

»Ja?«

»Wo bist du?«

»Hier.«

Die Stimme kommt aus dem Nebenraum, dort liegt sie im Bett, die Decke bis unter das Kinn hochgezogen, und da plage ich Idiot mich mit Vermutungen ab, wem wohl die Wohnung gehört. Ich bin ihr von Herzen dankbar, daß sie uns lästige Präliminarien erspart, all die mühsamen Worte der Vorbereitung, die so leicht den Appetit auf das Hauptgericht nehmen können, ich an ihrer Stelle wäre wahrscheinlich zu zaghaft für solche Offenheit gewesen, deshalb gefällt sie mir um so mehr. Und nicht nur das, nicht nur ausgesprochen taktvoll finde ich ihr Verhalten, es belebt natürlich auch meine Lust auf sie, den ganzen verbummelten Nachmittag über male ich mir freudige Situationen aus, die nach menschlichem Ermessen nie eintreten werden, und nun doch. Während ich mich ausziehe, sagt sie: »Du hast dich bestimmt schon gewundert.«

»Worüber?«

»Dies ist die Wohnung meiner Eltern.«

»Das weiß ich längst. Wo sind sie jetzt?«

»Verreist. Sie haben so spät Urlaub genommen, weil das Haus renoviert wird.«

»Dein Vater hat sein Rasierzeug vergessen«, sage ich.

»Das habe ich auch schon gesehen.«

Ich weigere mich, auch nur eine Sekunde darüber nachzudenken, weshalb sie mich in diese und nicht in ihre eigene Wohnung geführt hat, sie wird Gründe haben, die mich nichts angehen, man wird griesgrämig, wenn man sich nicht hin und wieder einen alten Wunsch erfüllt, das muß als Erklärung genügen. Bloß jetzt nicht Lola, ich lege mich zu ihr und umarme sie mit einer Leidenschaft, die nicht gekünstelt ist, sie öffnet sich mir und flüstert, seit gestern hätte sie an nichts anderes gedacht.

»Ich auch nicht. Ein Glück, daß du deinen Mokka nicht zu schnell getrunken hast.«

»Ja.«

Ihre Hände streicheln mich so behutsam, als könnte ich bei festerer Berührung zerbrechen, und sie sieht mich unentwegt an, mit leicht geöffnetem Mund, durch den mich stoßweise ihr Atem trifft. Sie liegt keineswegs still da, alles an ihr ist in Aufruhr, bis auf die Augen, die halten mich fest. Ihre Beine führen hinter meinem Rücken verborgene Bewegungen aus, denen ich mich anpassen will, aber ich kann nicht die Spur eines Taktes darin entdecken, sie scheint schon ungeahntes Entzücken zu verspüren, während ich noch durch einfaches Wohlbehagen schreite, auch das ist genußvoll. Sie rückt und schiebt mich zurecht, wie um kein Quentchen Lust zu vergeuden, und ich empfinde eine tiefe Genugtuung, weil ganz und gar nicht versucht wird, den Spaß, den ich bereite, vor mir zu verheimlichen. Auch ich verberge mich nicht, sie gibt meinen kleinsten Andeutungen von Wünschen nach, ahnt fast, an welche Orte ich ihre Hände gelegt bekommen möchte, als wir uns zufrieden trennen, naßgeschwitzt und in der Hoffnung, daß dies noch nicht alles gewesen sein möge, denke ich, es ist ein Kinderspiel, sich in sie zu verlieben. Ernsthaft und ohne Hinterhalte, wie oberflächlich, wird es heißen, wir haben noch nicht einmal unsere Ansichten ausgetauscht, trotzdem ist mir alles andere jetzt auf leichte Weise gleichgültig, wie sie schöner neben mir liegt, als sie je einer im Hörsaal gesehen hat.

Ich stehe auf und hole Zigaretten und Feuer aus der Jacke, dann lege ich mich wieder zu ihr, nein, sie möchte keinen Zug nehmen, aber mein Rauchen stört sie nicht. Ich fühle mich so wohl, daß alberne Sehnsucht aufkommt, dieser Zustand müßte sich konservieren lassen, über längere Zeit hinweg bewahren, ich würde es ihr gerne mitteilen, wenn ich nicht Angst hätte, meine Worte könnten verlogen oder unangemessen klingen. Plötzlich fragt sie: »Wie lange bist du schon verheiratet?«

»Ja«, sage ich, »ja, das stimmt.«

»Weil dieser Herr Simmel mich zuerst für deine Frau gehalten hat.«

Sie wartet noch einige Sekunden, ob ich nähere Angaben zu machen hätte, als das nicht der Fall ist, scheint es, als kehre sie mühelos alle störenden Gedanken zur Seite. Lächelnd nimmt sie mir die halb aufgerauchte Zigarette fort und drückt sie im Aschenbecher aus, vielleicht soll ich gar nicht erst auf die Idee kommen, ich wäre ihr schon entronnen. Zuerst denke ich, niemals bist du einer solchen Geschwindigkeit gewachsen, Gregor, das hat es seit Jahren nicht mehr gegeben, doch unter ihren Fingern, Lippen und Zehen lösen sich alle Zweifel in nichts auf, sie macht mit mir, was sie will. Also auch was ich will, kein Gedanke an Wiederholung, jede Berührung kommt mir erstmalig vor, jede Geste, nur ihre Augen kenne ich schon, die lassen mich nicht los, vergnügt wie ernst, ihre langen Haare fallen auf mich herab, daß ich sie wie durch einen Vorhang sehe. Im nächsten Moment fallen sie an ganz anderer Stelle, bei alldem habe ich nie den Eindruck, sie wäre weitgereist in solchen Dingen und lasse nun ihre Künste spielen. Weit eher das Gegenteil, sie scheint auf Entdeckungsfahrt zu sein, behutsam und neugierig werden Landstriche betreten, die bisher als weiße Flecken in der Landkarte eingezeichnet waren, denn Anzeichen erfreuter Verwunderung sind nicht zu übersehen.

Während der folgenden Zigarette sagt sie, ich sehe auf einmal so sorgenvoll aus, ob es irgendwelche Probleme gäbe, die auch sie etwas angingen. Ich sage: »So gut wie nichts.«

»Wieviel macht das aus?«

»Es ist etwas ganz Normales«, sage ich, »es ist die Ernüchterung.«

»Jetzt schon?«

Ich habe Angst davor, sie zu fragen, wann wir uns wiedersehen, sie könnte einen Termin nennen und mehr in meinem Leben durcheinanderbringen, als ich jemals zu ordnen imstande wäre, bereits jetzt ahne ich, wie ich mich in den nächsten Tagen mit Gedanken an sie abplagen werde. Christa Naujocks wird Wochen dauern, ich sitze am Schreibtisch und male Kringel aufs Papier, wenn Lola mir über die Schulter schaut und fragt, was denn mit mir los sei, warum ich nicht von der Stelle gekommen wäre, sage ich, nichts ist mit mir los, die üblichen Klippen bei der Suche nach Sätzen, nicht mehr und nicht weniger. Ich sage: »Ja, jetzt schon Ernüchterung, wann sonst? Wir können uns nicht mehr treffen.«

»Aber das weiß ich doch«, sagt sie, »denkst du, mir geht es anders?«

»Ich weiß nicht, wie es dir geht, ich weiß nur, daß ich...«

»Sei lieber ruhig«, sagt sie.

»Gut, bin ich ruhig.«

Sie setzt sich aufrecht hin, stützt das Kinn auf die Knie und betrachtet mich, sie schüttelt mißbilligend den Kopf, weil ich wohl auf falsche Weise schweige, ich versuche ihr zuliebe ein unbeschwerteres Gesicht. Da nickt sie und erzählt mir zur Belohnung eine kleine Geschichte: »Im Schaufenster hat ein verlockender Schmuck gelegen, wir wollten ihn unbedingt haben, wir hatten nur nicht genügend Geld in der Tasche. Aber er hat uns so gut gefallen, daß wir ohne Rücksicht auf die Folgen eingebrochen sind, und jetzt läuten schon die Alarmglocken. Wir müssen machen, daß wir wegkommen.«

Dann steht sie auf wie an einem beliebigen Morgen und beginnt, sich anzuziehen, ich bleibe noch liegen und schaue ihr zu dabei. Beim linken Strumpf legt sie eine kurze Pause ein und sieht mich wieder an, hebt die Augenbrauen und zieht die Schultern hoch, als wollte sie noch einmal sagen: was gibt es da zu jammern, war das nicht von vornherein klar?

»Schon gut«, antworte ich und bedaure, wie ein Teil ihres Körpers nach dem anderen in Kleidungsstücken verschwindet, unwiederbringlich. Ich beneide sie um ihre gute Laune und bin zugleich verstimmt darüber, womöglich ist sie nur vorgetäuscht, oder nein, es ist überhaupt keine gute Laune, es ist eher das völlige

Abhandensein von Sentimentalität. Blicke zurück bedeuten in unserer Lage ein erhöhtes Stolperrisiko, sie scheint zu den beneidenswerten Menschen zu gehören, die sofort bei der Sache sind, wenn der nächste Tagesordnungspunkt aufgerufen wird. Sie sagt: »Ich gehe ins Bad. Laß alles hier ruhig so liegen, ich komme morgen wieder und schaffe Ordnung.«

Sie hat recht, die Alarmglocken läuten schon, nach kurzer Abkühlungszeit erkenne auch ich, welch unüberschaubare Katastrophe es wäre, wenn unser Raubzug ans Tageslicht käme, ein Blick auf die Uhr sagt mir, daß Anna schon seit vier Stunden schläft. Ich ziehe mich an und werde in mein getrenntes Zimmer schleichen, Lola stellt nie Fragen, vielleicht kann eine unserer gewöhnlichen Zwistigkeiten mein schlechtes Gewissen zudecken. Vielleicht wird ihre Lust auf mich wachsen, wenn sie ahnen sollte, daß die Welt nicht nur aus uns beiden besteht, irgendwoher muß ich zu so später Stunde ja kommen, eine winzige und spröde Hoffnung, die sich wahrscheinlich am nächsten Abend zerschlägt. Wir fahren, am Alexanderplatz möchte Christa abgesetzt werden.

V

Simmel wartet schon vor seinem Haus auf mich, einen Regen-
mantel über dem Arm, denn der Himmel sieht bedrohlich aus, er
hat mich aus der anderen Richtung erwartet und steht daher auf
der falschen Straßenseite. Bevor er in meinen Wagen einsteigt,
winkt er zu einem Fenster in der dritten Etage hoch, seine beiden
Kinder schauen auf uns herab, der Junge hat ein großes weißes
Wäschestück in der Hand, vielleicht einen Kopfkissenbezug, damit winkt er heftig zurück, nimmt spaßig übertrieben Abschied,
ich muß an Krokodilstränen denken. Simmel sagt verliebt: »Ein
paar Verrückte.«

»Es müßte doch mit dem Teufel zugehen«, sage ich, »wenn wir
es nicht mal fertigbringen, uns gegenseitig in den Wohnungen zu
besuchen.«

»Ja, das könnten wir irgendwann tun.«

»Am Ende hast du überhaupt keine Frau, und die beiden Kinder
engagierst du immer nur zum Winken und Vorweisen.«

Simmel grinst bei dieser Vorstellung, nach einigen Sekunden sagt
er: »Als Junge habe ich immer von einem Doppelleben geträumt,
das hat sich lange gehalten. Es kehrt sogar heute noch manchmal
wieder.«

»Vielleicht kommen wir aber nur deshalb so gut miteinander aus,
weil wir uns nicht zu sehr auf die Pelle rücken.«

»Könnte schon sein«, sagt er, »zuerst müssen wir das genau analy-
sieren, und dann legen wir fest, ob wir uns besuchen sollten oder
nicht.«

Er hat recht, ich rede den reinen Unsinn, manchmal spüre ich in
seinem Verhalten eine schwer zu bezeichnende Überlegenheit, die
keineswegs in den Vordergrund gerückt wird, eher zurückgehalten,
fast nie ertappt man ihn bei lässigen Aussprüchen, er scheint ernst-
hafter zu leben als ich. Ich frage: »Was sehen wir heute?«

»Alles zusammen etwa die Hälfte der Gesamtlänge. Pokorny liegt
gut im Plan, ich glaube sogar, er hat ein kleines Stück Vorsprung.«

»Hast du seit damals schon wieder etwas gesehen?«

»Nein. Übrigens«, sagt er, »auch wenn man jetzt nichts mehr

ändern kann, die eine umgeschriebene Szene gefällt mir nicht so gut wie vorher.«

»Welche? Daß der Junge jetzt nicht mehr diese Uniform trägt?«

»Nein, das sehe ich zur Not noch ein, Pokorny hat auch mit mir darüber geredet. Aber warum muß sich die Tochter so heftig in die Ehe ihrer Eltern einmischen? Sie sagt nichts, was die beiden und auch die Zuschauer nicht schon wüßten, vorher hatte sie sich nur mit ihren Blicken eingemischt, mit Beobachtungen. Das war genauer und einfach besser.«

»Wir haben uns fast darüber zerstritten«, sage ich. »Pokornys Argumente waren ...«

»Die kenne ich, sie überzeugen doch nicht. Was heißt das, man würde sie sonst für eine Verrückte halten? Seit wann ist es verrückt einzusehen, daß man nichts ausrichten kann?«

»Wahrscheinlich habe ich nachgegeben, weil ich verhindern wollte, daß er böse in den ersten Drehtag geht.«

»Und so wirst du böse nach dem letzten sein«, sagt Simmel, »ist doch Scheiße.«

»Wenn du nicht willst, daß ich dich gegen einen Baum setze, hörst du jetzt damit auf.«

»Schon erledigt«, sagt er. »Ich habe mit Breitenbach über deine neue Idee gesprochen. Er wäre mit einem Vertrag einverstanden und läßt fragen, wann du anfangen kannst.«

»Welche Idee?«

»Der Schlüssel, der nur für Liebende überall paßt. Ich finde auch, daraus läßt sich etwas machen. Bist du inzwischen schon weiter?«

»Noch nichts«, sage ich, »bei Gelegenheit müssen wir uns zusammensetzen, bis jetzt sehe ich nur den Embryo von einem Einfall.«

»Ich denke, die Idee ist alt?«

»So alt, daß ich sie vergessen habe.«

Es ist nützlich, mit Simmel Geschichten zu erörtern, wenn er keine Vorschläge zu ihrer Verbesserung hat, dann macht er sie auch nicht, die meisten Dramaturgen, die ich kenne, sind da weit weniger zurückhaltend. Manchmal hat er zu mir gesagt, an dieser oder jener Stelle läge seines Erachtens ein Schaden vor, zu dessen Beseitigung er im Moment leider keinen Weg wüßte, dann dachte er nach und kam ohne sichtliche Überwindung zu dem Schluß, es wäre wohl doch am besten so, wie es aufgeschrieben sei. Manchmal fängt er an, meine erste Version gegen die zweite zu verteidigen, die ich nur auf seine Einwände hin angefertigt habe, ich will sagen, man muß bei ihm nie befürchten, gegen Eitelkeit oder Beharrungsvermögen anzurennen.

Ich weiß, daß Simmel nicht sehr beliebt ist, der Grund dafür ist schnell gefunden, irgendwann ist fast jeder gezwungen, seine Meinung über ihn zu revidieren. Denn zuerst erscheint er auf harmlose Weise sympathisch, ein stiller Sonderling, dessen Ansichten nicht allzu viele Schwierigkeiten bereiten dürften, man rechnet fest damit, daß seine Hand sich beliebig oft zum Zeichen der Zustimmung hebt, und dann kommt es zu unvorhergesehenen Komplikationen. Nanu, wo ist seine Hand geblieben, hat er etwa nicht aufgepaßt und die Abstimmung verschlafen, doch zum allgemeinen Erstaunen ist er hellwach und erklärt sich zur Gegenstimme, Simmel zeigt sein zweites Gesicht, das mit den Zähnen. Und man ist genötigt, erste Eindrücke fortzuwerfen und ihn in Rechnung zu stellen, mir selbst ist es nicht anders ergangen, meine Hochachtung vor ihm ist jünger als unsere Bekanntschaft.

Ich erinnere mich an einen Abend mit ihm in Dresden, wir waren zu einer Filmpremiere gefahren und saßen hinterher im Hotel bei Bier und Wodka, ich habe ihn ohne jede Ironie gefragt, warum er nicht selbst schriebe, sein gescheiter Kopf wäre doch mindestens einen Versuch wert. Er hat mich verwundert angesehen, als wäre er noch nie auf diesen Einfall gekommen, aber das kam mir gespielt vor, er hat gesagt: »Ich bin Dramaturg.« – »Was heißt, du bist Dramaturg?« habe ich gefragt. »Ist das vielleicht angeboren? Gibt es Gesetze, die dich von bestimmten Tätigkeiten ausschließen?« Darauf hat er mit einem Witz geantwortet, den ich bis heute ein bißchen ernst nehme, er hat lächelnd gesagt: »Wahrscheinlich schreibe ich nicht, weil ich mir eine Enttäuschung ersparen will. Lieber lebe ich in dem Glauben, ich könnte es besser als ihr alle zusammen.«

Ich denke, vielleicht ist Simmel vergeßlicher als ich, der Weg ist ziemlich lang, und vielleicht erleben wir einen komischen Unterschied, ich frage ihn: »Warum schreibst du eigentlich nicht selbst?« »Nein, nein«, sagt er und lächelt, »das hatten wir schon einmal.«

»Was hatten wir schon?« frage ich und ahne, daß es keinen Sinn hat. »Vielleicht wollte es ein anderer wissen, die Frage ist ja nicht so ungewöhnlich. Also was ist?«

»Hör jetzt auf mit dem Unsinn.«

Als wir den Vorführungsraum betreten, ist er stockdunkel, das Licht ist schon gelöscht und die Leinwand noch schwarz, wir mußten an einer Eisenbahnschranke lange warten. Gleich an der Tür verliere ich Simmel aus den Augen, ich bleibe stehen, um nicht über ein achtlos ausgestrecktes Bein zu stolpern, nach wenigen Sekunden kommen die ersten Bilder. Hell genug, um sich gefahrlos einen Platz zu suchen, Pokorny führt alles bisher gedrehte Material vor, er erklärt die Zusammenhänge, aus denen die einzelnen Szenen gerissen sind, auch muß er hin und wieder ein Dialogwort nachsprechen, weil der Originalton kaum verständlich ist. Ich wundere mich über seine Hilfestellung, wozu erklärt er, wenn wir Beteiligten doch alle wissen, worum es geht, Pokorny sagt: »An dieser Stelle wird Musik sein, kleines Orchester.«

Je mehr Zeit vergeht, um so klarer wird mir, daß seine Erläuterungen für irgendeinen Dritten bestimmt sind, der heute zum erstenmal diesem Projekt begegnet, andernfalls müßte Pokorny uns allesamt für Schwachköpfe halten, das tut er nicht. Ich beschließe, mich erst dann weiter um die Umstände zu kümmern, wenn später das Licht wieder angeht, bis dahin gibt es Aufregenderes, ich sehe zum erstenmal Passagen aus meinem Film. Es ist wie ein Wechselbad zwischen Zufriedenheit und Unbehagen, wobei Pokorny nicht alles Mißlungene verschuldet hat, ebensowenig wurde alles Gute von mir gestiftet, es fallen Sätze, bei denen ich denke, die hättest du ruhig treffender schreiben können. Auch Sätze, die ich mir anders gesprochen wünschte, von besseren Gesichtern unterstützt, an einer unwichtigen Stelle ist mein Held erschrocken und sagt: »Um Gottes willen!« Mich stört, wie er sich dabei an den Kopf greift, weniger Aufwand wäre wünschenswert gewesen, wahrscheinlich hätte er überhaupt nichts sagen sollen, aber das ist nicht Pokornys Schuld. Jetzt erst fällt mir auf, die Leute sprechen zum Verwechseln ähnliche Sprachen, im Erfahrungsgrad wie im Vokabular untereinander austauschbar. Dann holt die Frau ihre Tochter vom Bahnhof ab, die steigt strahlend aus dem Zug und ahnt nichts von den Zerwürfnissen in der Ehe ihrer Eltern, in der Folgezeit ist sie ständig zu laut und befremdlich heiter in der tristen Umgebung, das ist sehr präzise dargestellt, obwohl sich im Drehbuch keine diesbezügliche Anweisung findet. Dafür gibt es andere, die unter den Tisch gefallen sind, meine Arbeit hat Stück für Stück ihre Identität verloren, ich wurde besser oder schlechter gemacht, je nach Pokornys Empfindungen und Vermögen. Das bedrückt mich um so mehr, als die Unzufriedenheit am Ende der Vorführung deutlich überwiegt. Ich räume ein, daß Pokorny möglicherweise nur eine Ausrede ist, daß ich ihn vielleicht in Gedanken mit Schlägen eindecke, die eher mir zustehen würden, aber was spielt das schon für eine Rolle, ich habe soeben die Hälfte eines dürftigen Films gesehen.

Simmel hätte mir vor Wochen nicht sagen dürfen, die Sache liefe ganz gut, entweder hatte er einen besonders barmherzigen Tag, oder unsere Ansichten gehen weiter auseinander, als bisher bekannt war, gleich auf der Rückfahrt werde ich ihn verfluchen, ich darf nur nicht vergessen, daß er nicht hauptverantwortlich für das Unglück ist. Jawohl, für das Unglück, zuletzt sehen wir die von ihm so gepriesene Szene am Bahndamm, die Blessing spricht hohles Zeug und macht die gängigen Bewegungen dazu, Kronenberg steht ihr kleinlaut Rede und Antwort, obwohl das Gespräch eigentlich ihm gehört, eine seltene Häufung von Mißverständnissen und Unvermögen, und da sagt Simmel, alles zusammengenommen ein befriedigender Anfang.

Als endlich das Licht wieder brennt, schlägt Pokorny vor, wir sollten zuerst eine Rauchpause einlegen, ich gehe hinaus auf den kleinen grasbewachsenen Hof und stelle mich neben Simmel. Er fragt: »Was bedeutet das, zuerst eine Pause? Was hat er danach vor?«

»Keine Ahnung.«

Pokorny kommt auch heraus, zusammen mit einem korpulenten, rothaarigen Herrn, er stellt uns einander vor, aber ich verstehe den Namen nicht, vermutlich ist es der Mann, dem die Erklärungen gegolten haben. Er sieht mich freundlich an, wie es scheint auch ein wenig verwundert, als hätte er sich unter Gregor Bienek eine andere Person vorgestellt, er sagt: »Ich habe vor kurzer Zeit Ihr Buch gelesen.«

»Das Drehbuch?«

»Nein, nein, ich meine Ihren Roman. Er hat mir recht gut gefallen.«

»Das freut mich.«

Pokorny sagt: »Ich habe den Genossen Bungert eingeladen, weil ich denke, uns alle interessiert seine Meinung zu diesem Projekt. Und es ist besser, sich zu einem so frühen Zeitpunkt zu konsultieren als hinterher, wenn das Kind schon in den Brunnen gefallen ist.«

Er lächelt verbindlich, Bungert muß ein wichtiger Mann sein, ich hätte große Lust zu sagen, das Kind wäre bereits elend im Brunnen ertrunken, aber ich halte lieber den Mund, um mir nicht später seine Vorwürfe betreffs Nestbeschmutzung anhören zu müssen. Auch Simmel sieht skeptisch aus, Pokorny dürfte heute nicht allzuviel Freude an uns haben, Schweigen wird das Äußerste sein, was wir vor diesem Publikum für ihn tun können. Und Pokorny macht ein so erwartungsvolles Gesicht, als präpariere er sich schon auf die Wellen der Begeisterung, die in wenigen Minuten über seinem Kopf zusammenschlagen werden.

»Du hast doch heute das Material zum erstenmal gesehen?« fragt er mich.

»Ja.«

»Um so besser, dann haben wir auch von unserer Seite einen ganz ursprünglichen Eindruck zu bieten.«

Es ist mir höchst unangenehm, wie nebenbei und selbstverständlich er meine Verbundenheit herausfordert, unsere Seite, ich kann ihm doch nicht verstohlen ins Ohr flüstern, schick mich lieber nach Hause, Pokorny, ich finde den Film beschissen. Bungert entschuldigt sich für einen Moment und verläßt uns, jetzt wäre so eine Gelegenheit für ein klärendes Wort zwischen meinem Regisseur und mir, aber ich nutze sie nicht, ich vertrete mir auf dem kleinen Hof die Beine und überlege, auf welche Weise ich mich nachher geschickt aus der Affäre ziehen kann. Bis Pokorny ruft, es wäre soweit, außer uns vier sind nur noch Regieassistentin und Produktionsleiter anwesend, irgend jemand hat inzwischen die Sessel im

Vorführraum so herumgedreht, daß man sich gegenübersitzt. Bevor noch alle Platz genommen haben, frage ich Simmel: »Warum veranstaltet er das heute überhaupt?«

»Wahrscheinlich ist er sich plötzlich unsicher geworden«, antwortet Simmel leise, »er will Unterschriften sammeln.«

Als erster spricht Pokorny, er trägt die Verpflichtungen des Hausherrn zur Schau, wir sollten schnell zur Sache kommen, sagt er, vorher nur drei Worte über Sinn und Zweck des Vorhabens, nicht des Films, sondern der Zusammenkunft hier, die an sich ja unüblich wäre. Normalerweise führe man erst das Endprodukt vor, aber er hätte gedacht, warum nicht einmal anders, ein Meinungsaustausch auf halbem Wege, ein kleines Experiment unter Freunden, vielleicht findet sich dieser oder jener Ratschlag, der von Nutzen für das Ganze sein könnte. Also, was meint Genosse Bungert zum Gesehenen?

Bungert räuspert sich und schaut von Pokorny auf mich, er sagt: »Zuerst würde ich gerne hören, was im Kopf des Autors vor sich geht. Was ist aus den Figuren geworden, die Sie erfunden haben? Gefällt Ihnen die Gestalt, in die sie nun geschlüpft sind? Wissen Sie, ich bekomme meistens fertige Filme vorgesetzt und fertige Ansichten von den Leuten, die sie gemacht haben, alle sind sich vorher einig geworden und kommen mit einem Konzept zu mir. Deshalb würden mich Ihre Empfindungen interessieren, die genauso frisch sind wie meine. Ich sage Ihnen auch ehrlich, daß ich Sie vor allem deshalb frage, weil Sie mir irgendwie unzufrieden aussehen. Ja, unzufrieden.«

Es ist eingetreten, was ich gerne verhindert hätte, ich soll erklären, wie mißraten unser Film ist, womöglich noch meinen eigenen Anteil daran würdigen, Pokorny sieht mich ganz eindringlich an. Ich sage, mein Gott, wer ist schon restlos zufrieden mit seiner Arbeit, zumal mit solch einer, bei der die optimale Variante nicht errechenbar ist, immer spielen Vermutungen und geschmackliche Dinge eine unvermeidbare Rolle, dem einen erscheint dies wichtiger und dem anderen jenes. Da lassen sich mitunter Diskrepanzen nicht vermeiden, sage ich, und die Unzufriedenheit, die Herr Bungert in meinen Augen gefunden hat, ist eine ganz normale, wenn er sie für total hält, dann täuscht er sich. Kleinigkeiten hätte ich mir anders gewünscht, aber wirklich nur Kleinigkeiten, wobei ich nicht einmal sicher bin, ob die von mir erwarteten Lösungen in jedem Falle denen von Herrn Pokorny vorzuziehen wären, nur daher mein unangemessen finsteres Gesicht. Ich nenne in wohlwollendem Ton drei, vier solcher Kleinigkeiten, um nicht rein theoretisch zu bleiben, sage ich, ich merke, wie Bungerts Interesse an mir während meiner Aufzählung erlischt. Das ist schon alles, sage ich zum Schluß, gewiß ist Herr Bungert jetzt enttäuscht, weil es nicht zu dem von ihm erwarteten Streit zwischen Filmemachern kommt, aber mehr an Meinungsverschiedenheit kann ich beim besten Willen nicht bieten.

»Nein, nein«, sagt Bungert höflich, »das war schon sehr aufschlußreich.«

Meine kurze und nicht sehr flüssig vorgetragene Rede wurde von ständigem Kopfnicken Pokornys begleitet, nach anfänglichen Befürchtungen war er bald beruhigt, lehnte sich entspannt zurück und schlug die Beine übereinander. Jetzt hält er es für angebracht, das recht günstige Bild, das ich vom Stand der Arbeit gezeichnet habe, mit einigen wenigen Strichen zu vervollständigen.

»Nur zur Ergänzung«, sagt er, »ich habe volles Verständnis für Gregors Zurückhaltung. Er muß sich mit den Bildern genauso anfreunden wie ich mit seinem Drehbuch, Liebe auf den ersten Blick ist hierbei selten. Da ich mir meine Geschichten ebensowenig selbst schreiben kann wie er sich seine Filme drehen, wird es sich beim fertigen Produkt immer um eine Art Kompromiß zwischen seinen und meinen Absichten handeln. Und wenn es, wie er sagt, um Kleinigkeiten geht, muß die Konsultation natürlich irgendwann einmal aufhören, sonst käme man nie zu effektiver Arbeit.«

»Wobei du den Vorteil hast, das letzte Wort sprechen zu dürfen«, sage ich.

»Das ist wahr«, sagt Pokorny lächelnd, »aber immer nur das letzte Wort zu einem Thema, das du vorher bestimmt hast.«

Wir sind mitten dabei, Bungert einen gefälligen und leeren Dialog vorzuführen, ich bin lieber still, um mir nicht noch mehr Belanglosigkeit aufzuladen, ich frage mich, warum ich nicht so rede, daß ich am Abend mit Freude Lola von meiner Haltung berichten kann. »Was hat es gegeben?« wird sie sich erkundigen, und ich werde antworten: »Nichts Besonderes, das übliche Gewäsch.« Ich werde ihr höchstens erzählen, wie jämmerlich die erste Filmhälfte ausgefallen ist, anstatt es hier zu verkünden, an Ort und Stelle und möglicherweise zugunsten der zweiten, und da wollte ich Simmel auf der Rückfahrt beschimpfen.

»In welchem Maße gibt es in einem Film überhaupt Kleinigkeiten?« fragt Bungert.

Pokorny schaut zu mir, ob ich mich dafür zuständig fühle, aber ich entgegne ihm stumm, das ist dein Besuch, erkläre du, da sagt Simmel, den wir fast schon vergessen hatten: »In einem sehr geringen Maße. Vor allem darf man diesen Kleinigkeiten nicht anmerken, daß sie vom Regisseur oder Autor als solche betrachtet worden sind. Diesen Eindruck hatte ich heute manchmal. Es ist seltsam, wie Passagen, die sich auf dem Papier gelungen und bedeutungsvoll ausnehmen, auf der Leinwand plötzlich an Gewicht verlieren.«

Für diese vorlaute Bemerkung handelt er sich einen unfreundlichen Blick von Pokorny ein, Pokorny sagt: »Ich glaube nicht, daß es ratsam ist, bei dieser Gelegenheit theoretische...«

»Lassen Sie ihn doch bitte ausreden, das interessiert mich«, sagt Bungert.

»Das ist Genosse Simmel, unser Dramaturg«, sagt Pokorny.

»Mehr wollte ich eigentlich gar nicht sagen«, sagt Simmel verlegen. »Vielleicht ist es jetzt noch viel zu früh, über Mängel zu sprechen, man müßte erst das Ganze sehen.«

»Aber bis jetzt teilen Sie nicht das Gefühl der Zufriedenheit, verstehe ich Sie da richtig?«

»Ja«, sagt Simmel ohne Zögern, »wenn sich der fertige Film nur durch die Länge vom heute Gesehenen unterscheidet, dann würde ich ihn verfehlt nennen.«

»Können Sie mir genauer sagen, was Sie stört?«

Simmel sieht vor sich hin auf den Boden, als müßte er seine Einwände sortieren, Ordnung in sie bringen, ich kenne ihn gut genug, um zu ahnen, daß ihn jetzt keine Rücksichten bewegen. Bungerts Frage klang aufmunternd, nur keine falsche Scham an dieser Stelle, junger Mann, woher soll er auch wissen, daß es solcher Ermutigung nicht bedarf, unser Dramaturg hat genügend Rückhalt in sich selbst. Pokorny dagegen weiß das, er läßt unruhig die Augen fliegen, auch zu mir, wie ich eine solche Unverschämtheit finde, er wäre glücklich, wenn er Simmel den Mund stopfen könnte, aber er soll ihn ja bitte ausreden lassen.

»Vor allem ist es die Atmosphäre«, sagt Simmel, »zum Teil kommt sie mir trist vor und zum Teil steril. Ja, ja, ich kann mir schon vorstellen, wieviel ein besserer Ton und Musik ausmachen werden, das meine ich auch nicht. Die Leute bewegen sich so, als wollten sie nichts miteinander zu tun haben, aber das scheint mir nicht der Geschichte zu entsprechen. Es soll doch erzählt werden, daß die beiden sehr wohl miteinander zu tun haben wollen, sie wissen nur nicht, wie man es anfängt, sie haben es vergessen. Wenn am Ende angedeutet wird, daß sie Frieden schließen werden, kann das leicht unmotiviert und willkürlich wirken, wie eine Entscheidung, die hinter verschlossenen Türen gefallen ist. Weil vorher nichts von ihren Bemühungen zu spüren war, es sind nur ein paar Sätze gewechselt worden, die kaum vermuten lassen, daß sie sich noch nicht aufgegeben haben. Es fehlt einfach der Kampf.«

»Ich muß Ihnen gestehen«, sagt Bungert, bevor Pokorny oder ich mildern könnten, »mir ist es ganz ähnlich ergangen. Man hat das Gefühl, die Helden müßten größere Anstrengungen unternehmen, als sie es im Film tun.«

»Interessantere«, sagt Simmel.

»Ja, auch interessantere. Aber wissen Sie, ich habe da noch einen zweiten Verdacht, ich habe gestern erst das Drehbuch gelesen. Ich frage mich, ob der Mann und die Frau nicht zu isoliert von ihrer Umwelt dargestellt sind, ob sie nicht ein bißchen in ihrem eigenen Saft schmoren, wie man sagt, und ich frage mich auch, ob diese Darstellungsweise ihre Probleme nicht kleiner macht. Gewiß, es geht vor allem um ihre privaten Bereiche, die sind wichtig genug, um behandelt zu werden, aber habt ihr schon einmal überlegt, ob nicht ein Teil der Rettung auch von außen kommen muß? Nicht nur aus ihren eigenen verbitterten Gedanken?«

Pokorny reißt sofort das Gespräch an sich und beendet es damit gleichsam, er sagt, ähnliche Überlegungen wären schon angestellt worden, im zweiten Teil würde man es deutlicher spüren, was mich verwundert, dann wäre der Gesamteindruck sicher ein ande-

rer. Und er zählt mehrere Stationen auf, an denen diese Wechsel-
wirkung mit der Außenwelt angeblich stattfindet, folgerichtig
schaut Bungert bald auf die Uhr und sagt, er müsse sich nun leider
verabschieden, noch ein dringender Termin. Pokorny bedankt sich
in unser aller Namen für sein Kommen.

Simmel und ich nutzen auch die Gelegenheit zum Aufbruch, im
Auto frage ich ihn: »Wer war eigentlich dieser Bungert?«

»Ich weiß es nicht, ich habe ihn noch nie gesehen«, sagt er. »Bin
ich euch nun in den Rücken gefallen?«

»Blödsinn, wie kommst du darauf?«

»Und was wird Pokorny denken?«

»Ist das wichtig?«

»Natürlich ist es wichtig«, sagt Simmel.

VI

»Die Post«, sagt Lola und legt einige Briefe auf meinen Schreibtisch, »soll ich dir noch einen Tee kochen?«

»Nein, danke.«

Sie geht wieder hinaus, ich blättere und finde keinen weltbewegen-
den Absender, zuerst öffne ich einen Brief von meinem Verlag.
In dem Umschlag findet sich ein zweites Kuvert mit der Aufschrift:
»Bitte an Herrn Gregor Bienek weiterleiten«, das ist der normale
Weg, auf dem mich Leserzuschriften erreichen, ich denke, eine
späte Resonanz auf mein einziges Buch, ein Nachzügler. Hand-
geschöpftes Büttenpapier, zwei in winziger Schrift vollgeschriebene
Blätter, ich lese: »Mein lieber Gregor!« So hat mich noch nie ein
Leser angeschrieben, ich sehe auf die Unterschrift, Dein Gerhard
Neunherz, ich spreche den Namen mehrmals leise vor mich hin,
bis ein deutliches Gesicht dahinter auftaucht, ein zielstrebiger
junger Mann, dem ich vorübergehend zu Dank verpflichtet war.
In einer fast schon unwirklichen Vergangenheit, nie sind wir sonderlich warm miteinander geworden, sollte mein Buch ihn so beeindruckt haben, daß er längst abgebrochene Beziehungen wiederauf-
nehmen will, denn wir haben uns seit dem sechsten Semester vollkommen aus den Augen verloren, kein Wort und keine Begegnung.
Gleich werde ich es wissen, also noch einmal von vorne:

»Mein lieber Gregor! Bestimmt wunderst Du Dich, einen Brief
von mir zu erhalten, ich wundere mich selbst, denn vor wenigen
Tagen hätte ich nicht gedacht, daß ich einmal an Dich schreiben
würde. Ich habe lange gegrübelt, ob es überhaupt ratsam ist, diese
Zeilen zu Papier zu bringen, und ich muß Dir gestehen, daß ich
mir jetzt noch, während ich es tue, nicht sicher bin, ob dieser Brief
nicht besser unterblieben wäre. Aber entscheide Du selbst, vor
kurzer Zeit hat sich das Folgende zugetragen:

An einem Nachmittag sagte meine Frau zu mir, sie müßte heute
abend noch in ihren Betrieb gehen, zu einer wichtigen Verhandlung, ich sollte nicht mit dem Essen auf sie warten, weil es ziemlich spät werden könnte. Ich habe es nicht weiter ernstgenommen,
denn es geschieht häufig, daß sie außerhalb der Dienstzeit verschiedene Dinge in ihrem Betrieb zu erledigen hat. Aber keine

Stunde später kam ein Anruf, der mich mißtrauisch machte. Jemand aus ihrer Abteilung war am Apparat, sie befand sich gerade nicht im Zimmer, ich fragte, ob ich sie rufen soll, doch der Mann sagte, das wäre nicht nötig. Ich möge sie nur daran erinnern, daß sie morgen irgendwelche Unterlagen mitbringen muß. Nachdem ich aufgelegt hatte, wehrte ich mich gegen mein Mißtrauen, bis jetzt war nie ein Grund dafür vorhanden, und ich sagte mir, es wäre ganz leicht möglich, daß der Anrufer nichts mit der heutigen Verhandlung zu tun hat. Aber ich weiß nicht, ob Du es Dir vorstellen kannst, beinahe gegen meinen Willen fing ich an, sie zu beobachten. Ich sah heimlich auf das hübsche Kleid, das sie sich anzog, dabei trägt sie immer hübsche Kleider, ich roch an ihrem Parfüm, ich bildete mir ein, daß sie sich sorgfältiger schminkte als sonst. Und als sie endlich ging, blickte ich ihr machtlos und voller Argwohn aus dem Fenster hinterher. Du mußt wissen, daß wir ein Auto haben, das nur sie fährt, ich selbst besitze keinen Führerschein. An diesem Abend ließ sie das Auto unter der Laterne stehen und ging davon, obwohl sie es sonst immer für den Weg zur Arbeit benutzt. Und da tat ich etwas, was ich vorher nicht für möglich gehalten hätte, ich rannte die Treppe hinunter und verfolgte sie. An der Straßenbahnhaltestelle fand ich sie wieder. Ich versteckte mich wie ein Dieb im Anhänger und machte mir die gesamte Fahrt über Vorwürfe wegen meines kindischen Verhaltens, alles konnte noch eine harmlose Erklärung finden. Dann stieg sie aus und ging in ein Restaurant, dort sah ich sie an einem Tisch mit dir zusammen sitzen. Mehr weiß ich nicht, denn ich bin gleich darauf wieder nach Hause gefahren. Ich konnte mich nicht überwinden, euch anzusprechen, es wäre mir und wahrscheinlich auch euch zu peinlich gewesen. Ich weiß nur, daß sie spät am Abend nach Hause gekommen ist, ich habe so getan, als ob ich schon schliefe. Bis heute wurde kein Wort über diesen Vorfall gesprochen, ich kann schlecht davon anfangen, und daß sie es nicht tut, deutet darauf hin, daß sie etwas vor mir geheimhalten möchte.

Verstehe meinen Brief nicht falsch, ich will Dich nicht fragen, was nun an jenem Abend geschehen ist, ich habe nur eine Bitte an Dich: Laß uns doch in Ruhe, triff Dich nicht mehr mit ihr. Unsere Ehe ist bisher im großen und ganzen harmonisch und zufrieden verlaufen, ich wünsche, daß es so bleibt. Du erinnerst Dich sicher, daß es schon einmal ein ähnliches Problem zwischen Dir und mir gegeben hat, wenn ich damals auch nicht verheiratet war, das Mädchen hieß Lola Ramsdorf. Willst Du mich tatsächlich zwingen, in eine andere Stadt zu ziehen, weil ich sonst fürchten muß, daß zwischen mir und jeder Frau, die ich mir aussuche, plötzlich Du auftauchst? Das kann ich nicht glauben.

Dein Gerhard Neunherz.«

Betroffen lege ich den Brief aus der Hand und denke nur, um Himmels willen. In Notwehr versuche ich, mir einzureden, ich wäre doch schuldlos an allem, ich habe nichts gewußt, nur sie hat gewußt. Und außerdem, was geht mich irgendein Neunherz an, sollen sie zusehen, wie sie ihre Dinge regeln, ich muß es schließlich auch. Schreibt raffinierte Briefe, die nichts anderes beweisen als seine Fähigkeit, fremde Leute in Verlegenheit zu stürzen, konnte sich nicht überwinden, soll ich etwa in eine andere Stadt ziehen, *mein* Gerhard Neunherz, das sind wohldurchdachte Geschosse zu meiner Beschämung. Soll er mir nicht die Ohren vollheulen, wie harmonisch seine Ehe bisher war, so harmonisch, daß ein Schnipsen mit zwei Fingern genügte, und schon kam seine Frau angelaufen, da schreibt er, ich wünsche, daß es so bleibt. Doch alle Recht-fertigungsversuche schlagen ins Leere, sogar wenn er in gespielter Naivität übertrieben haben sollte, ändert das nichts daran, daß ich der Delinquent bin. Mein nächster Gedanke ist, ich dürfte mich nicht verkriechen und müßte antworten. Aber was, was kann ich ihm mitteilen als die trostlose Nachricht, es stimmt, was du ver-mutest, Gerhard, wir haben dich betrogen, wenn ich dir auch schwöre, daß ich keine Ahnung von dir hatte, es tut mir entsetz-lich leid, nun, da ich es weiß, und es wird sich nicht wiederholen. In Zukunft werde ich nur noch Fremde betrügen, vielleicht könnte ich hinzufügen, wenn es dir ein Trost ist, lieber Gerhard, du bist nicht der einzige, der hinters Licht geführt wurde, auch ich bin verheiratet, nur daß meine Frau dir gegenüber den Vorteil hat, von alldem nichts zu wissen.

Mir fällt ein Bariton ein, der vor langen Jahren in Hensels Er-zählung aus Eifersucht ermordet wurde, oder ein Tenor mit Na-men Carl-Maria Bertolini, je länger ich über eine mögliche Antwort nachdenke, um so verfehlter kommt sie mir vor. Hat Christa Neunherz, geborene Naujocks, von meinem besonderen Verhältnis zu ihrem Mann gewußt? Ich zerreiße den Brief und verbrenne die Reste im Aschenbecher, ich gebe mir Mühe, die unliebsame Episode zu vergessen, das gelingt nur zugunsten einer neuen Plage, Gerhard Neunherz und seine verschwiegene Frau verschwimmen allmählich zur Unkenntlichkeit, dafür taucht Lola in voller Lebensgröße auf. Während ich verkohlte Papierstückchen zerdrücke, weiß ich, daß ich den Brief vor ihr verbrannt habe, Spurenbeseitigung. Viele Wochen habe ich mich darin versucht, ihr normal und ohne Furcht in die Augen zu sehen, anfangs bin ich ihr ausgewichen, bis ich glaubte, die nötige Unbefangenheit aufbringen zu können, zuletzt ging das schon ganz gut, und nun, nach diesem verfluchten Brief, wird alles wieder von vorne anfangen. Wie soll ich an jemand Wiedergutmachung üben, der gar nicht weiß, daß ihm Schaden zugefügt worden ist, also wollen selbst die Bemühungen getarnt sein, ich bin fest entschlossen dazu, an präzise Arbeit ist heute ohnehin nicht mehr zu denken, ich rufe laut: »Lola!«

Keine Antwort, ich gehe hinaus auf den Korridor und rufe noch einmal: »Lola!«

»Ja?«

Sie ist in der Küche, steht am Abwaschbecken und trocknet Geschirr ab, als ich hereinkomme, fragt sie: »Möchtest du jetzt doch Tee haben?«

»Nein«, sage ich, »wo ist Anna?«

»Draußen, wahrscheinlich spielt sie vor dem Haus. Kommst du ohne sie nicht weiter?«

Ich nehme ihr einen Teller aus der Hand und stelle ihn hin, bevor er ihr vor Überraschung herunterfällt, dann küsse ich sie. Die erwartete Reaktion, sie fragt: »Was ist denn nun los?«

»Nichts weiter«, sage ich, »wie ich so am Schreibtisch sitze und überlege, da fällt mir schlagartig ein, daß ich dich jetzt küssen müßte.«

»Hoffentlich ist dir auch noch etwas Vernünftigeres eingefallen.«

»Bestimmt, zuerst ist mir eingefallen, daß ich dich liebe.«

»Na, na, na«, sagt sie.

Ich frage: »Was hältst du davon, wenn wir drei uns jetzt ins Auto setzen und irgendwohin fahren?«

»Steckst du in einer schöpferischen Krise?«

»So kann man es auch nennen«, sage ich. »Also was ist?«

»Gerne. Weißt du schon, wohin du willst?«

»Fragen wir Anna.«

Sie verlangt einige Minuten zum Umziehen, ich trockne in der Zwischenzeit das restliche Geschirr ab, dann gehen wir hinunter und finden sofort unsere Tochter, die allein auf einer Treppenstufe sitzt und weltvergessen dem spärlichen Verkehr zusieht. Lola sagt: »Der Papi möchte mit uns wegfahren.«

»Wohin?«

»Das kannst du dir aussuchen«, sage ich, wobei ich mir ziemlich sicher bin, daß sie gleich die Adresse meiner Eltern nennen wird, an keinem anderen Ort verwöhnt man sie mehr als dort. Das könnte Lola nicht recht sein, vielleicht sollte man die zur Auswahl stehenden Ziele einschränken, aber Anna sagt nach kurzem Überlegen: »Tierpark.«

Wir Eltern schauen uns an und nicken einverstanden, sie läßt sich den Garagenschlüssel geben und rennt damit los, als Lola und ich bei dem Schuppen angelangt sind, ist das Tor bereits geöffnet, und Anna sitzt hinten im Wagen. Der Tierpark ist um die späte Vormittagszeit leer, vom trüben Wetter abgesehen, die Kinder sind noch in der Schule, Anna läßt uns viel allein, sie ist fast ständig weit voraus oder zurück. Sie mag es auch nicht, mit naturkundlichen Erklärungen behelligt zu werden, das stellt sich gleich am ersten Käfig heraus, nur hin und wieder kommt sie erschüttert angerannt und macht uns auf irgendeine Sensation aufmerksam, dabei bedient sie sich seltsamer Wertmaßstäbe, sie spricht von bösen Affen und niedlichen Elefanten.

Wir gehen breite Alleen entlang, umringt von allen möglichen Tieren, die durch keine Zäune von uns getrennt zu sein scheinen, es sei denn, sie sind ausgerechnet Löwen oder Wölfe, an manchen Stellen schlurfen wir mit den Füßen, die knöcheltief im Herbstlaub versinken und dabei kleine Bugwellen erzeugen, wie flotte Schiffchen. Lola hakt sich bei mir ein, zwei alte Frauen sind über eine niedrige Absperrung hinweggestiegen, stehen inmitten eines lärmenden Haufens von Enten und Schwänen und füttern sie mit Weißbrotstückchen. Beides ist auf Schildern verboten, vermutlich nehmen sie Gewohnheitsrechte in Anspruch, sie kümmern sich nicht um uns. Lola sagt: »Es ist schön hier.«

»Ja.«

»Warum verlassen wir die Wohnung immer nur, wenn wir etwas Bestimmtes zu erledigen haben?«

»Weil wir verrückt sind.«

Anna zupft mich am Ärmel, deutet verstohlen zu den Vögeln hin und fragt leise: »Gehören die Frauen auch zum Zoo?«

»Ich weiß es nicht«, sage ich.

Sie bleibt stehen und sieht zu, bis sie genügend Mut für eine kleine Dreistigkeit gesammelt hat, sie klettert auch über das Gatter und nähert sich zögernd den Frauen, ich höre, wie eine von ihnen sagt: »Geh weg hier, das ist verboten. Kannst du nicht lesen?«

Unschlüssig blickt Anna zu mir, ich winke zum Zeichen, daß sie verschwinden soll, da tut sie es, zur Rache klatscht sie beim Fortlaufen mehrmals in die Hände, doch die Wirkung ist gering, nur die allerkleinsten Vögel flüchten.

»Du hast Ärger gehabt«, sagt Lola.

»Wie kommst du darauf?« frage ich überrascht. »Was für Ärger?«

»Ich dachte, du wolltest mit mir darüber sprechen, dazu der Ausflug. War etwas bei der heutigen Post?«

Ich denke, jahrelang kümmert sie sich nicht um meine Sorgen, in zwei Wochen werden die Bäume vollkommen kahl sein, und auf einmal bietet sie mir Gedankenaustausch an, in einem Moment, da ich zu größter Zurückhaltung gezwungen bin, zu absoluter Verschwiegenheit. Ich denke, wenn sie mir schon früher und ständig solche Angebote gemacht hätte, wäre dieser Moment vielleicht nie gekommen, wer will das wissen, ach Lola, wie viele günstige Zeitpunkte für unsere Anteilnahme haben wir ungenutzt verstreichen lassen. Ich sage: »Du irrst dich, es war nichts.«

»Wie du meinst.«

Die Kränkung, die es bedeutet, wenn eine hingereichte Hand ausgeschlagen wird, steht ihr im Gesicht geschrieben, vermutlich bin ich nicht Schauspieler genug, um ihre Vermutung zu entkräften, sie geht neben einem Mann her, der es vorzieht, sich ihr nicht anzuvertrauen, das weiß sie. Unsere Schritte werden eiliger, haben ihren ursprünglichen Zweck verloren, erst als Anna immer weiter zurückbleibt und uns eine Beschwerde hinterherruft, bremsen wir ein wenig ab, ich stelle komplizierte Messungen an. Wieviel Unheil würde mein Stillschweigen anrichten und wieviel die Wahrheit, es könnte leicht geschehen, daß die hingereichte Hand bei näherem Einblick in die Tatsachen hastig zurückgezogen und tiefer in der Tasche vergraben wird, als sie je dort gesteckt hat. Andererseits, rechne ich, muß es ja nicht die ganze Wahrheit sein, nur ein Teil davon, ein unverfänglicher, und wieder andererseits, was wäre, wenn ich mich dazu entschließe, ein dosiertes Stück Geheimnis aus dem Schlupfloch hervorblicken zu lassen, und sie zieht und zieht in unvorhergesehener Weise daran, bis das empörende Ganze vor ihr liegt? Theoretisch werde ich es nicht klären können, auch wenn wir noch stundenlang so nebeneinander herlaufen, mir fallen die Motive unseres Hierseins ein, und ich sage: »Du hast recht, da war ein Brief, der mich geärgert hat.«

»Ja?«

»Im Grunde ein komischer«, sage ich, »erinnerst du dich noch an Gerhard Neunherz?«

»Der hat dir geschrieben?«

»Eine von vorne bis hinten verdrehte Geschichte. Es ist einige Wochen her, da bin ich an einem Abend ziemlich spät nach Hause gekommen, ich war mit Simmel verabredet, weil er mir von einer Vorführung erzählen wollte. Vielleicht weißt du das noch.«

»Ja«, sagt sie aufmerksam, es hört sich an, als erinnere sie sich sehr genau an diesen Abend.

»Wir sitzen in einer Kneipe und unterhalten uns, da sehe ich plötzlich eine Frau, die mir irgendwie bekannt vorkommt. Ich überlege, woher ich sie kenne, und da grüßt sie mich auch schon. Es stellt sich heraus, daß wir zusammen studiert haben, irrsinnig lange her also, ihr Name ist Christa Naujocks. Und als Simmel dann gegangen war, haben wir noch eine Weile zusammengesessen und über alte Zeiten geredet.«

»Schön«, sagt Lola, »aber was hat das mit Gerhard Neunherz zu tun?«

»Warte ab. Was ich nämlich nicht wissen konnte ist, daß diese

Christa Naujocks und Neunherz inzwischen miteinander verheiratet sind. Und etwas viel Schlimmeres, aus Neunherz ist ein verkappter Othello geworden, ob mit oder ohne Grund, das weiß ich nicht, jedenfalls verfolgt er sie auf Schritt und Tritt. So auch an diesem Abend, er steht hinter einer Säule oder beobachtet uns durchs Fenster und sieht, wie wir zusammensitzen. Natürlich sind wir uns in seinem eifersüchtigen Kopf nicht zufällig begegnet, sondern wir haben uns heimlich getroffen, er geht nach Hause und malt sich die schrecklichsten Dinge aus. Begreifst du das?«

»Was hat er dir nun geschrieben?«

»Einen herzzerreißenden Brief. Die Sache kriegt noch eine besondere Note dadurch, daß er mir eine alte Sünde nicht verzeihen kann, du ahnst es schon.«

»Nein«, sagt Lola.

»Ich habe schon einmal sein Lebensglück zerstört, auf einem Juristenball, dort habe ich ihm eine gewisse Lola Ramsdorf ausgespannt. Es muß zu einem Trauma bei ihm angewachsen sein, ich nehme ihm alle Frauen weg, zuerst dich, jetzt die nächste, er erkundigt sich, wann ich endlich damit aufhören will. Er geht so weit, mich zu fragen, ob ich ihn zwingen will, in eine andere Stadt zu ziehen, damit das aufhört.«

Anna meldet sich und teilt uns mit, daß sie großen Hunger hat, es ist halb eins, ich sage: »Bald essen wir ein Würstchen.«

»Kaufst du mir auch Limonade?«

»Ja, Limonade auch.«

»Lieber Apfelsaft«, sagt sie und rennt wieder voraus, wahrscheinlich um nach einem Verkaufsstand Ausschau zu halten. Wenn wir zweihundert Meter spaziert sind, hat sie mindestens einen Kilometer in den Beinen.

»Hast du ihm geantwortet?« fragt Lola.

»Nein«, sage ich, »was soll ich ihm denn antworten? Daß sein Verdacht unbegründet ist, weil wir uns nur unterhalten haben, mein Ehrenwort? Oder daß ich gelobe, seine Frauen ab sofort in Ruhe zu lassen? Oder ich könnte ihm versichern, daß ich in Zukunft jede weibliche Person, mit der ich zu tun kriege, zuerst einmal fragen werde, ob sie in irgendeiner Beziehung zu ihm steht.

Überlege doch selbst, alle möglichen Antworten wären sinnlos, er würde sich nur ein Schuldgeständnis aus ihnen zimmern.«

»Du hast wohl recht«, sagt Lola, »eine verfahrene Geschichte.«

»So, du kennst meinen Ärger, und jetzt wollen wir das Thema wechseln.«

Sie nickt, aber wenige Schritte später fragt sie: »Was ist eigentlich aus ihm geworden?«

»Aus Neunherz? Woher soll ich das wissen?«

»Habt ihr denn kein einziges Wort über ihn gesprochen?«

»Herrgott, ich sage dir doch, ich hatte keine Ahnung, daß sie mit ihm verheiratet ist. Sie hat mir auch nicht ihren Ausweis gezeigt, sie war einfach eine alte Kommilitonin, nicht mehr und nicht weniger.«

»Ach ja«, sagt Lola.

Ich wische mir in Gedanken den Schweiß aus der Stirn, unangenehme Erklärungen liegen hinter mir, wobei ich mich bis auf einen wesentlichen Punkt stets in der Nähe der reinen Wahrheit bewegt habe. Anstelle der Würstchenbude finden wir das Tierparkrestaurant und darin genügend freie Tische, Anna möchte lieber an einem anderen sitzen, die Speisekarte empfiehlt Wildragout mit Pilzen.

»Das ist etwas Gutes«, sagt Lola, doch Anna besteht auf der versprochenen Bockwurst, wenige Minuten später besteht sie auch darauf, mit Messer und Gabel zu essen, selbst das wird genehmigt, Lola legt schon das Taschentuch bereit.

»Da haben wir es«, sagt sie dann.

Wir spazieren immer weiter, zum Beispiel fehlen noch die Giraffen, wir reden kaum mehr, aber es tut wohl, sich so bei den Händen zu halten, an der frischen Luft und ohne zwingenden Grund. Lola interessiert sich mehr und mehr für die Tiere, wir hätten einen Photoapparat mitnehmen sollen, ich sage: »Ab sofort nehmen wir uns jede Woche einen freien Tag.«

»Einverstanden«, sagt sie, und bald darauf sagt sie: »Aber jetzt wollen wir fahren, es wird sonst zuviel für sie.«

Wir sind wieder zu Hause, Lola kleidet Anna für den Nachmittagsschlaf aus, und ausnahmsweise hat sie dabei keinen Widerstand zu überwinden, als sie Pullover und Hemd über Annas Kopf zieht, muß sie ihr den Daumen aus dem Mund nehmen, das Zeichen totaler Erschöpfung. Für Minuten allein gelassen, gehe ich zu meinem Schreibtisch, doch nicht, um zu arbeiten, ich setze einfach den Spaziergang fort, da sehe ich die restliche Post vom Morgen, die immer noch ungeöffnet ist. Eine Rechnung, man lädt mich zu einem Festbankett ein, Kontoauszüge von der Bank, das alles ist über den Brief von Neunherz in Vergessenheit geraten, ich vergleiche die Kontoauszüge. Lola steht hinter mir und fragt: »Stimmt das Geld?«

»Es scheint so.«

»Zeig mal her.«

Sie nimmt mir den Zettel aus der Hand, liest aufmerksam die Zahlen, als suchte sie einen bestimmten Fehler, dann gibt sie ihn mir zurück und sagt: »Nein, es stimmt nicht.«

»Was soll daran falsch sein?«

»Wie lange ist es her, daß dieser Mann bei uns war?« fragt sie und setzt sich.

»Welcher Mann?«

»Na dieser Alte von früher, ich weiß seinen Namen nicht.«

»Hensel?«

»Richtig, Hensel. Du hast ihm doch einen Scheck gegeben?«

»Ja.«

Jetzt erst verstehe ich den Sinn ihrer Fragen, denn gewöhnlich ist sie nicht so akkurat in Gelddingen, kümmert sich fast nie darum, sie sagt: »Bis heute ist dieser Scheck nicht von unserem Konto abgebucht worden.«

»Ja«, sage ich, »du hast recht, ich hätte es überhaupt nicht bemerkt.«

»Eben. Ich finde, du solltest einmal hinfahren und nachsehen.«

»Wie meinst du das?«

»Ich meine gar nichts«, sagt sie, »du solltest nur zu ihm hinfahren und nachsehen.«

»Ja, das werde ich tun, morgen.«

Ich gehe zu dem Sofa, auf dem sie sitzt, sie rutscht ein Stückchen zur Seite, um mir Platz zu machen, solch ein Tag ist das heute. Ich darf nur nicht vergessen, Simmel bei nächster Gelegenheit zu sagen, daß ich mich an keinem Nachmittag mit ihm getroffen habe, sondern erst am darauffolgenden Abend, es könnte sein, daß er Lola doch einmal begegnet.

VII

Mitten in der Nacht wache ich wegen irgendeiner Störung auf,
Geräusche oder unbequeme Lage, ich taste zur rechten Seite und
greife ins Leere, das passiert mir heute noch und nicht einmal
selten, mein Unterbewußtsein weigert sich, die getrennten Ehe-
betten zur Kenntnis zu nehmen. Durch die Türfugen sehe ich Licht
im Wohnzimmer brennen, vielleicht ein Zwischenfall mit dem
Kind, der Lola zum Aufstehen gezwungen hat, das Leuchtziffer-
blatt meiner Uhr zeigt dreiviertel drei. Ich höre keinen Ton von
nebenan, keine Schritte und kein Besänftigen, nach ein paar Minuten denke ich, jemand hat vergessen, das Licht zu löschen, ich stehe
auf, um es nachzuholen.
Lola sitzt im Schaukelstuhl neben der Stehlampe, eine Lektüre
auf dem Schoß, sie wendet den Kopf zu mir, nimmt die Brille ab
und fragt verwundert: »Was machst du hier mitten in der
Nacht?«
Ich freue mich, daß sie da ist, ich sage: »Was machst du hier?«
»Ich bin plötzlich aufgewacht und konnte nicht mehr einschlafen,
da habe ich mich hergesetzt und lese ein bißchen. War ich etwa
laut?«
»Nein, nein«, sage ich, »ich bin nur dem Licht nachgegangen. Was
liest du?«
»Bienek«, sagt sie, »ich lese Bienek.«
»Eine neuere Arbeit von ihm?«
»Seine letzte, bisher noch nicht veröffentlicht. Eine Erzählung.«
Sie hält die losen Blätter hoch, ich nehme sie ihr aus der Hand
und sage: »Ich weiß eine bessere Beschäftigung für dich.«
Denn daß wir beide um diese Stunde gleichzeitig wach sind, geschieht nur sehr selten, so gut wie nie, ein aufmunternder Blick
von ihr, und ich begleite sie, wohin sie will. Vielleicht kommt es
sogar zu einem seltenen Ereignis, Lola stattet mir in meinem Zimmer einen Besuch ab, aber sofort sehe ich, daß sie keine Lust hat.
Sie will Mißverständnisse vermeiden und schüttelt sanft den Kopf,
kein Mensch kann so schonend ablehnen wie sie, ich ziehe die
Hand von ihrer Schulter zurück, Überredungskunst hat mir in
ähnlichen Situationen noch nie geholfen. Wenn Argumente nötig

sind, dann ist die Lage ohnehin verfahren, selbst wenn sie nachgibt, entsteht nur eine halbe Sache daraus, eine Gefälligkeit mit bitterem Nachgeschmack, daran ist mir nicht gelegen. Ich sage: »Schade.«

»Was ist schade?«

»Daß du so appetitlich dasitzt, und man kann nichts damit anfangen.«

»Mein Aufzug läuft uns nicht davon«, sagt sie.

»Hoffentlich.«

Ich setze mich und zünde mir eine Zigarette an, vielleicht hat sie wenigstens Lust auf eine Unterhaltung, ich denke, Menschenskind, bin ich bescheiden geworden. Sofort hat sich meine Gemütsverfassung auf ihren Normalzustand eingependelt, auf diese Spielart von erträglicher Unzufriedenheit, für Sekunden träume ich davon wie himmlisch es wäre, wenn Lola mich jetzt oder irgendwann an der Hand nehmen und hinausführen würde in ein unbekanntes Glück. Ich zeige auf den Tisch, wo inzwischen die Blätter liegen, die letzte belanglose Erzählung von Bienek, ich frage: »Wie findest du sie?«

»Nicht der Rede wert«, sagt Lola.

Und schon ist selbst die Aussicht auf einen baldigen Schlaf verspielt, Urteile dieses Kalibers wollen erläutert sein, ich warte darauf, daß Lola genauer wird oder mir gesteht, daß es sich um einen unbedachten Scherz handelte, vor allem darauf. Sie nimmt die Seiten und blättert sie flüchtig durch, aber sie sucht nichts darin, keine bestimmte Stelle, es ist eher eine Geste des Unbehagens mit dem Ganzen. Sie sagt: »Was siehst du mich so entsetzt an?«

»Du bist eine großartige Frau«, sage ich, »eine, von der man nur träumen kann. Du gibst einem Mut und Zuversicht, wann immer man es nötig hat. Nach so einem trauten Gespräch mit dir platzt man förmlich vor Tatkraft, du verstehst es eben immer wieder.«

Da steht sie auf und geht hinaus, ich zünde die zweite Zigarette an der ersten an, mein ganzes Verbrechen besteht darin, eine Geschichte geschrieben zu haben, die ihr nicht gefällt. Entschuldige, Lola, soll ich sagen, wie konnte ich das nur tun, ohne dich zu konsultieren, ich hätte wissen müssen, wie sehr ich dich damit kränke, entschuldige, es wird sich nicht wiederholen. Werfen wir das dumme Ding weg, es hat ja nur einen Monat Arbeit gekostet, einen lächerlichen Monat, gleich morgen früh setzen wir uns zusammen hin und schreiben etwas viel Besseres. Oder nein, nicht wir schreiben, du diktierst mir gleich in die Maschine, das ist praktischer, man spart Zeit und unnützen Ärger.

Ich bin so wütend, daß ich die Tür aufreißen und sie verprügeln oder beschimpfen könnte, was fällt ihr ein, mit solchen Urteilen über eine Arbeit um sich zu werfen, von der auch sie lebt? Kein Mensch spricht ihr das Recht auf Kritik ab, aber sie soll mich nicht wie einen Feind behandeln, es ist ein gewaltiger Unterschied, ob man jemandem helfen oder ihn mutlos machen und zermürben will, ich habe keine Lust, ihr diese Binsenweisheit zu erklären. Wenn sie es möchte, soll sie den Krieg haben, ich kann meine Manuskripte vor ihr verschließen, ihr aus dem Wege gehen und unser Zusammenleben auf technische Kontakte beschränken. Irgendwann wird sich dann die Frage stellen, wozu Zusammenleben überhaupt noch notwendig ist, bitte, Lola, wenn du unbedingt willst, können wir als unsere letzte Gemeinsamkeit darauf die Antwort suchen. Nein, habe ich ihr oft gesagt, meine Arbeit ist nichts Besonderes, eine Tätigkeit wie jede andere, und ich nehme für mich keine Sonderrechte in Anspruch. Nur einen Unterschied zu anderen Berufen mußt du mir glauben: ich kann nicht schreiben, wenn mein Kopf voller Sorgen ist, ich brauche am Schreibtisch einen freien Rücken, verschaffe mir den, so gut du kannst, mehr verlange ich nicht von dir. Aber sie fühlt sich damit überfordert, als lebten in mir zwei Personen, die eine erledigt den Schreibkram, die andere wehrt unentwegt ihre Angriffe ab. Mitunter arten unsere Kämpfe zu Freundlichkeiten aus, doch jedesmal ist es nur ein Waffenstillstand von kurzer Dauer.

Ich weiß nicht, wie lange ich so voll zorniger Gedanken sitze, auch die zweite Zigarette ist aufgeraucht, Lola kommt zurück und fragt, ob ich mich weiter mir ihr unterhalten möchte.

»Ja, natürlich«, sage ich, »du bist mir noch die Erklärung für ein Urteil schuldig.«

»Ich wollte sie dir vorhin schon geben. Aber du hast es vorgezogen, mich zu beschimpfen.«

»Ich dich? Verwechselst du da nicht etwas?«

»Du kannst es doch in zehn Minuten nicht vergessen haben? Du hast gesagt, ich wäre ein Monstrum von einer Frau, weil ich dir Mut und Zuversicht nehme, da bin ich gegangen. Wenn ich nur das Recht habe, von deinen Geschichten begeistert zu sein, dann brauchst du mich in Zukunft nie mehr nach meiner Ansicht zu fragen. Ich habe keine Lust, dir zuliebe zu lügen, denn ich bin kein Apparat zu deiner Erbauung.«

»Halten wir uns nicht mit Verfahrensfragen auf«, sage ich, »kommen wir zur Sache. Warum sagst du, sie ist nicht der Rede wert?«

Sie denkt einige Sekunden nach, als müßte sie überlegen, in welcher Reihenfolge sie ihre Anschuldigungen vorbringen will, als wäre auch der Grad an Schonung noch nicht festgelegt, den sie mir zuzubilligen bereit ist. Doch allmählich malt sich in ihrem Gesicht die Entschlossenheit, wie sie Leuten eigen ist, die endlich die Stunde für gekommen halten, jahrelang aufgestaute Zweifel und Vorwürfe loszuwerden. Also der niedrigste Grad an Schonung, ich denke, wie werden wir uns morgen früh ansehen?

»Als erstes möchte ich dir sagen, daß ich dich nicht kränken oder, wie du es nennst, mutlos machen will. Achte auch nicht zu sehr auf meinen Ton, darin habe ich mich noch nie ausgekannt, wie ich überhaupt finde, daß der Ton etwas ganz Nebensächliches ist. Wenn wir uns rundherum verstehen, dann erledigt er sich von selbst. Ich habe mir schon lange vorgenommen, mit dir über diese Dinge zu sprechen.«

»Über welche Dinge?«

Sie fährt fort, als wäre meine Frage für sie unhörbar gewesen: »Du kannst mir vorwerfen, daß ich es nicht eher getan habe, du hättest auch recht damit. Aber entweder waren wir verstritten, da war es unmöglich, sich normal zu unterhalten, oder wir hatten gerade einen unserer seltenen schönen Augenblicke, und ich fürchtete mich davor, ihn mit meinen Reden zu zerstören. Das war gewiß dumm von mir.«

»Ich will endlich wissen, warum die Geschichte nicht der Rede wert ist«, sage ich.

»Weil ich sie schon tausendmal gelesen habe. Weil sich keine Sätze und keine Gedanken darin finden, die nicht schon Millionen Menschen vor dir gesagt, gedacht oder zu Papier gebracht haben. Es ist eine von den Geschichten, bei denen man sich hinterher fragt, wozu um alles in der Welt sie überhaupt geschrieben sind. Aus Langerweile, oder nur, um ein paar Mark damit zu verdienen.«

»Aha, so ist das«, sage ich.

»So ist das.«

»Du hast gesagt, du wolltest schon früher mit mir darüber sprechen, nicht erst heute. Bedeutet das, daß du schon lange dieser Ansicht bist?«

»Ja, schon lange, nicht erst seit dieser Geschichte. Mich interessiert die Frage, wozu mein Mann schreibt. Ob du es als reinen Broterwerb ansiehst, nachdem dein Name ein bißchen bekannt geworden ist, funktioniert diese Seite ja ganz gut, oder ob du noch andere Motive hast. Ob dich Absichten treiben, ob du in Vorgänge eingreifen willst, weil du findest, das und das sollten die Leute wissen und bedenken. Oder spielt das für dich keine Rolle? Bist du zufrieden, wenn du eine Arbeit ablieferst und bezahlt kriegst, und die Folgen gehen dich nichts mehr an?«

»Was soll das?« frage ich. »Willst du mich examinieren? Heb dir das lieber auf, bis du wieder Lehrerin bist.«

»Jetzt hebe ich mir nichts auf«, sagt Lola, »entweder du beweist mir, daß meine Vermutungen falsch sind, oder du kapitulierst. Es ist für uns beide Zeit zu wissen, woran wir sind.«

Es kostet viel Überwindung, bei diesem Stand der Dinge Rede und Antwort zu stehen, in meinem Kopf herrscht ein wüstes Gewirr aus guten Vorsätzen, Verständigungswillen und Widerspruchsgeist, ich versuche mein möglichstes, ich zwinge mich zur Ruhe und sage: »Also schön, was willst du nun genau von mir wissen?«

»Ob du die Absicht hast, mit deiner Arbeit die Zukunft zu erreichen. Schreibst du Überzeugungen auf, und zwar deine eigenen, oder richtest du dich nur nach Marktaussichten? Ist die Schreiberei für dich nichts anderes als ein Gefährt, um deine persönlichen Bedürfnisse zu befriedigen? Ist das deutlich genug?«

»Du bist ungerecht, Lola«, sage ich, kein Mensch weiß, woher mein Lächeln kommt, ich opfere den deutlich vorhandenen Zorn für die vage Aussicht auf Einigung. »Erinnerst du dich nicht mehr, wie es angefangen hat? Erinnerst du dich nicht, wie ich mich da-

mals, bei Frau Sauerbier, mit aller Welt angelegt habe? Wie es
einen Nasenstüber nach dem anderen gab? Und wer war es, der
mir immer wieder gesagt hat, Gregor, so geht das nicht weiter,
du mußt endlich anfangen, die Welt mit anderen Augen zu sehen?
Warst du das nicht? Warst du es nicht, die mich gemahnt hat,
nicht so sehr auf die Originalität und dafür mehr auf meine Ansichten zu achten? Hast du vergessen, wie du mir sagtest, Originalität wäre zweitrangig? Und daß es falsch ist, andauernd auf
einzelne Zutaten zu schimpfen, wenn endlich einmal überhaupt
Kuchen gebacken wird? Und daß ein gewisses Maß an Anpassung
unerläßlich ist, um Erfolg zu haben? Hast du nicht gesagt, ich
brauchte mich dafür nicht zu schämen, denn die Leute, mit denen
ich mich arrangierte, wären von Grund auf gerecht? Habe ich
mir das alles ausgedacht?«
»Mein Gott«, sagt sie, »wie sind solche Mißverständnisse nur möglich? Ich soll dich zu alldem veranlaßt haben, was du mir jetzt
vorwerfe? Ich erinnere mich auch, fast an jedes Wort, wie kommt
es, daß Erinnerungen mit der Zeit verschiedene Inhalte bekommen? Wahr ist, daß ich mich auch deswegen in dich verliebte, weil
du immer bereit warst, dich in Kämpfe zu stürzen. Zumindest
schien es mir so. Und das soll ich dir ausgeredet haben? Wahr ist
auch, daß ich fand, du sahst manchmal Feinde, wo keine waren.
Darüber haben wir gesprochen, nur darüber, über nichts anderes.
Wann habe ich dir je gesagt, du sollst dich anpassen um der Anpassung willen? Anpassung ist überhaupt ein scheußliches Wort,
ich glaube, ich habe es nie in den Mund genommen. Ich habe dich
höchstens gefragt, ob du dir in jedem Fall das richtige Schlachtfeld
ausgesucht hast, ob es lohnt, für dies und jenes in den Krieg zu
ziehen. Denn längst nicht alles, was von dir verlangt wurde,
waren schäbige Kompromisse. Du hast es nur so empfunden, weil
du nie daran denken wolltest, daß auch die anderen einmal recht
haben könnten. Darum ging es damals zwischen uns.«
»Und heute vermißt du meine Husarenstreiche?«
»Wie das klingt. Du sollst nicht einer sein, der mit rasselndem
Säbel herumläuft und nur auf eine Gelegenheit lauert zuzuschla-
gen, solche Helden sind mittlerweile komisch. Aber ebensowenig
sollst du den Säbel in die finstere Ecke stellen, ihn verrosten lassen

und die Augen schließen, wenn sich eine dieser Gelegenheiten bietet. Früher hast du nie Zweifel an deiner eigenen Ansicht aufkommen lassen, das war falsch. Heute läßt du nie Zweifel an den Ansichten der anderen aufkommen, in keiner deiner Geschichten. Wenn man sie liest, hat man den Eindruck, dein einziges Motiv zu schreiben wäre, niemandem zu nahe zu treten, keiner soll etwas dagegen haben. Du berechnest alle Einwände im voraus und umgehst sie.«

»Und wenn ich nun eingesehen hätte, daß ich mit meinen Zweifeln mehr Schaden als Nutzen anrichte? Wenn ich begriffen hätte, spät genug, daß wir in einer Welt leben, in der das Aussprechen von Bedenken von unseren Gegnern erbarmungslos ausgeschlachtet wird? Wenn ich finde, daß zuerst ein großes Stück anderer Arbeit getan werden muß, bevor man daran denken kann, lästigen Kleinkram an die große Glocke zu hängen?«

»Wenn du das eingesehen hättest, dann wäre alles gut«, sagt Lola, »aber du hast es nicht eingesehen. Du lügst, wenn du mir das einreden willst. Ich kenne dich doch, ich weiß genau, daß du dir mit diesem Vorwand nur Ruhe erkaufen willst. Du wirfst mit nicht vorhandenen Einsichten um dich, weil dir die Wahrheit ehrenrührig vorkommt, und sie ist es auch. Lange schon verachtest du die Leute, mit denen du zu tun hast, du gibst ihren Wünschen leichtfertig nach, weil nur Gregor Bienek für dich zählt, alles was ihm irgendwie Ungelegenheiten bereiten könnte, muß schnell aus dem Weg geräumt werden. Das sind deine Motive.«

»Kann es wohl sein, daß du ehrgeiziger bist als ich?« frage ich. Sie lacht übertrieben laut und schrill, wie nach einer anstößigen Zumutung, doch so abwegig kann ich die Frage nicht finden. Vielleicht ist sie enttäuscht über meinen Mangel an Gewichtigkeit, vielleicht ist mein Talent nicht so üppig aufgeblüht, wie sie es am Anfang unserer Ehe im Auge hatte, jetzt lebt sie mit irgendeinem Dutzendautor zusammen und will sich nicht damit abfinden. Ich sage: »Hast du schon einmal daran gedacht, daß ich deinen Forderungen nicht gewachsen sein könnte? Daß ein Bedeutenderer als ich kommen muß, um sie zu erfüllen, daß sie also einfach an den falschen Mann gerichtet sind?«

»Das könnte dir so passen«, sagt sie und lacht wieder, genauso häßlich wie vor Sekunden. »Dich hinter der eigenen Beschränktheit zu verstecken, das ist ein Trick, für den du dir ein anderes Publikum suchen mußt. Wir wohnen schon lange genug Tür an Tür, daß ich recht gut weiß, was man dir zumuten kann und was nicht. Sie erwarten von dir Aufrichtigkeit, und sie haben ein Recht darauf, denn deine Arbeit wird fürstlich bezahlt. Aber was tust du? Du führst sie in die Irre und lieferst alte Hüte ab, die du in deiner Werkstatt mit ein bißchen Talent aufpolierst. Hältst dich gar noch für nützlich dabei, aber du bist es nicht, weil die Sorgen dieser Gesellschaft nicht deine eigenen sind, du hast nur irgendwann beschlossen, so zu tun.«

Wie gerne würde ich ihr jetzt das alles klärende Wort sagen, den Satz, der sie verstehen und sie mir um den Hals fallen läßt, doch mir fallen nur Ausflüchte ein, die Zunder für ihr Feuer wären. Soll ich versuchen, ihr zu erklären, wie unerfreulich der Versuch ausfallen würde, wollte ich ein Buch unter die Leute bringen, in dem von meinen Bedenken und Zweifeln die Rede ist? Erstens hätte ich es noch nie probiert, von meinen alten Kindereien abgesehen, würde sie mir entgegenhalten, und zweitens, würde sie sagen, na und? Dann ist es eben unerfreulich, wo steht geschrieben, daß die Arbeit ein reiner Quell der Freude zu sein hat? Prügle dich doch herum, ist es nicht ein paar Schrammen und Beulen wert, wenn du der Überzeugung bist, du hättest einen Fehler im Getriebe entdeckt, der unbedingt korrigiert werden muß? Nur so kannst du helfen, aber was tust du, und so weiter.

Wir erschrecken beide, als die Tür geöffnet wird, die winzige Anna steht darin, sie muß sich am Türpfosten festhalten, um nicht vor Müdigkeit umzufallen. Sie sagt: »Was ist denn hier los?«

Lola steht auf, nimmt sie auf den Arm und trägt sie zurück ins Kinderzimmer, bis wohin unser Lärm gedrungen sein muß. Ich höre sie sagen: »Der Papi und ich haben uns ein bißchen laut unterhalten, aber jetzt schläfst du hübsch weiter, ja?«

Ich stehe auch auf, lösche das Licht und gehe zu meinem Bett, wenn Lola zurückkommt, soll sie mich nicht mehr vorfinden, ich weiß keine sinnvolle Fortsetzung. Durch die Ritzen der Jalousie dringt die Morgendämmerung, ich lege mich hin, unser Gespräch war Gift für eine angenehme Nachtruhe. Was also jetzt? Ich kann am nächsten Morgen so tun, als hätte ich schlecht geträumt, ich kann versuchen, den Traum nach besten Kräften zu vergessen und mir Mühe geben, im Umgang mit Lola wieder einmal den rechten Ton zu treffen, wie schon so oft. Oder ich kann den Rest der Nacht nutzen, um einen Haufen schlauer Argumente zu sammeln, beim Frühstück falle ich damit über sie her, ein Wort gibt das andere, und im Handumdrehen sind wir wieder am Ausgangspunkt angelangt. Vielleicht will sie sich von mir trennen? Warum habe ich mir noch nie diese Frage gestellt, so sehr aus der Luft gegriffen ist sie nicht, der Unfrieden der letzten Jahre, der rapide Verlust an Zärtlichkeit, wir berühren uns kaum noch, und dann das heutige Unwetter an Vorwürfen, die nicht erst seit Stunden in ihr rumoren dürften, wie kann sie länger mit einem solchen Mann zusammen leben wollen?

Ich denke ausgiebig über Lolas heimliche Wünsche nach, wandere zwischen einer großen Anzahl von Vermutungen umher, doch es gelingt mir nicht, mich zu betrügen. Fortgesetzt weiß ich, daß ich nach Ablenkung von einer viel quälenderen Frage suche: wieviel Wahrheit steckt in ihrer Anklage? Wieviel macht es mir aus, derjenige zu sein, als den Lola mich gezeichnet hat? Soll ich ihr einfach sagen, ich bin, wie ich nun einmal bin, wenn es dir nicht paßt, dann suche dir einen anderen? Aber wen soll ich mir suchen, ich muß mit mir zusammen leben. Da hilft es wenig, wenn ich mir Begegnungen und Gespräche der letzten Zeit vor Augen führe, bei denen ich konsequent und standhaft geblieben bin, wenn ich einzelne Indizien aufspüre, die gegen ihre Vorwürfe stehen. War es nicht die eine Situation, dann waren es hundert andere, natürlich hat sie recht, alles in allem. Und ich weiß das schon lange, wahrscheinlich länger als sie, stets trug ich um die Wunde einen geschickten Verband, der hin und wieder sorgfältig erneuert wurde, jetzt hat sie ihn abgerissen, ich kann mir einen frischen anlegen, oder ich kann darauf verzichten und eine neue Zukunft beschließen.

Als ich in Lolas Zimmer komme, kann ich nicht gleich erkennen, ob sie noch wach ist oder schon schläft. Das Fenster ist für frische Luft geöffnet, die Jalousie ein kleines Stückchen hochgezogen, also sehr wenig Licht, das nicht bis zu ihrem Gesicht reicht, ich setze mich vorsichtig auf die Bettkante, weil auf dem einzigen Stuhl ihre Kleider liegen. Ich flüstere: »Lola?«

»Ja?«

»Wir haben vorhin eine wichtige Frage ausgelassen«, sage ich etwas lauter, »aber wenn wir schon einmal beim Großreinemachen sind, sollten wir auch darüber sprechen.«

»Ja?«

»Willst du dich von mir trennen?«

Im gleichen Moment bereue ich meine Worte, nicht so sehr den Inhalt der Frage, eher Wortwahl und Ton, willst du dich von mir trennen, das klingt unterkühlt und belanglos, beinahe uninteressiert, als wollte ich es nur wissen, um mich dementsprechend zu verhalten. Wie man sich nach dem Wetter erkundigt, damit praktischerweise zwischen Sandalen und Gummistiefeln gewählt werden kann.

Einige Sekunden herrscht Stille, ich empfinde sie als atemlos, vielleicht braucht sie etwas Zeit, um es mir mit der nötigen Rücksicht beizubringen. Ich erinnere mich, wie schnell ihre Antwort kam, als ich sie einmal fragte, ob sie mich heiraten will. Bevor ich noch sagen konnte, sie möge es sich in aller Ruhe überlegen, es wäre immerhin ein Entschluß von größerer Tragweite, hatte ich ihre definitive Zusage in der Tasche. Wie sie mir vor Freude sofort um den Hals fiel, als wollte sie verhindern, daß ich aus ihrem Zögern irgendwelche falschen Schlußfolgerungen ziehe, heute geht das nicht mehr so schnell, allem Anschein nach, damit war zu rechnen. Sie macht ihre Nachttischlampe an, da sehe ich, daß sie lächelt, daß sie nicht mehr weit von offenem Lachen entfernt ist, das begreife ich nicht, ich sage: »Erklärst du mir den Spaß auch?«

»Hast du mich vorhin so verstanden?« fragt sie.

»Nein, ich sagte nur, wir haben nicht darüber gesprochen.«

»Wenn man nicht die Absicht hat, sich von jemandem zu trennen«, sagt sie, »muß man ihm das jeden Tag versichern?«

»Und das findest du so komisch?«

Ich mache die Lampe wieder aus, weil mich das offensichtliche Gefälle in unseren Stimmungen stört, jetzt lacht sie sogar deutlich. Aber sie greift sofort nach meinem Arm, damit ich ihr nicht flüchte, gekränkt von so viel unverständlicher Heiterkeit.